林慶彰 總策畫
民國時期稀見期刊彙編
第一輯

臺北帝國大學研究年報

第二十冊

政學科研究年報⑤

（法律政治、經濟篇）

政學科研究年報

第五輯

臺北帝國大學文政學部

故菅原春雄君肖影

臺北帝國大學文政學部 政學科研究年報 第五輯

第一部 法律政治篇目次

債権法序論

菅原春雄

目次

昭和十三年八月一日畏友菅原眷雄君忽焉として逝く。行年三十有八。故菅原君は昭和二年春京都帝大法學部を卒業し、卒業後直ちに同學部大學院に入りて中島玉吉教授指導の下に専ら民法學の研鑽に精進された。越えて昭和四年四月特に聘せられて本學講師となり、翌昭和五年三月本學助教授に陞進、民法學の講筵を開くこと春秋八星霜、死の時に及んだのである。

二

故菅原君は平素寡言默考、外に簡にして内に豊かな人柄であつて、いさゝか高士の風貌を具へてゐられた。研究のことも亦この人柄に相應して、君は永年に亙り自己の法學、殊に民法學の體系の完成に不斷の努力を拂はれ、傍の見る眼にも氣の毒なほどの苦考を續けてゐられたに拘らず、特に纏つた論文として未だ多くを世に問うてゐられなかつたのである。このことは君が特に意識して採られた方針でもあつた。然し、最近君は自分の考へ方も一應の見通しを得たから機會を見て著書によつてこれを發表したいといふ意向を漏してゐられたから、天君に假すに今しばらくの歳月を以てしたならば、必ずや君の創造的見解は學界に益するところが多かつたであらうと、君の平常をよく知る者の一人として筆者の深く遺憾に思つてゐるところである。

三

君の死後、その篋底を窺ふに厖大な量に上る研究原稿を見出し、君の平常苦鑽の跡を忍ぶに充分であつた。然しその多くは君が近き將來に期してゐられたと思はれる著述のための覺書風な草稿となつてゐるため、今悤々の間にその全部を整理して梓に上すことは到底困難な事情にあり、比較的容易に整理し得た講義用草稿を拔いて君の研究の一部を世に贈り、いさゝかながら君の業績を示す一端としたい。この遺稿は、少し舊いけれども昭和七・八年度の講義用の草稿（この時既に第三草稿として三回の推敲を經たものであることを示してゐる）を土臺として、その後の草稿（これ亦三回に亙つて書き換へられてゐる）を參照しながら編纂した。添付の註は君がノートの欄外その他に書き記してゐられたものを能ふ限り整理して採錄したものである。特に債權法の部分から選んだのは、この部分が君の特に興味を寄せ且最も探究の眼を鋭くされてゐたところであり、君の理論の殊に明瞭に示されてゐるのもこゝであつたと考へたからである。編錄したところまことに僅少に過ぎず、且又何分にも講義用草稿からの拔萃であるため敍述簡略にとゞまり、君の研究の全貌を盡すに不充分の憾があるけれども、而もこれだけでも讀者は幸に行間に故人の獨創的理論の一端を看取されて興味を懷かれるところが少くないであらうと確信する。

政學科研究年報第五輯の卷頭に故菅原春雄君の遺稿の一部を載せ、以て君の永眠を悼む同僚一同の微衷を表する次第である。冒序の末尾を藉り、重ねて君の冥福を祈る。

昭和十四年一月七日君の親しめる西研究室にて

中川正

第一　債權法の一般的任務

法が社會秩序を維持する特殊な行爲規範であるとするなら、(1)債權法は對當な人格者間の請求關係(2)を中心とする社會秩序を維持する所に其の特別な任務を有してゐる。

（註1）　法律學概論 "Die Allgemeine Rechtslehre" の問題。
諸規範中、團體組織に役立つことによつて、團體力によつて强制される點が特殊である。その强制力は支配者にある。

（註2）　人と支配對象との支配關係を中心とするものは、物權法の任務である。

△以下基礎社會との關係を觀るのであるが（自給自足社會の生んだ物權法、交換經濟の生んだ債權法）、然し基礎社會夫自體複雜な要素を有してゐるから、簡單に述べることは困難である。社會學、プラクティッシュには種々の歷史學を參考しなければならない。

原始社會にあつては、人は其の生活維持の爲めに先づ自己の勞働(1)其の他の理由(2)によつて有してゐた支配に對する他人の干涉の排除を必要とし、(3)社會生活上此の排他的支配(4)の保護を要求した。此の要求に從ひ基礎社會に於て社會的關係としての支配關係及び社會的力としての支配力が是認せられ、(5)社會秩序を維持すべき法は唯此の(6)既に基礎社會に事實上存在してゐた支配關係及び支配力を、自己の理想(7)に從つて法律關係及び權利として規定する事(8)によつて一應其の任務を果し得た。

此處に物權法の胚胎を見る。かくて排他的支配の保護は法的に迄確立せられた。かゝる社會に於ては、人と人との關係は、だから支配力者と支配力者との排他的關係であるか、支配者と被支配者との支配的關係であつた。(9)然るに、社會の發達はかゝる關係を次の如く變更せしめた。即ち先づ社會の發展の爲めに人は他人の支配より解放せられ、相互に對當する者となり、(10)從來の支配的關係は、對當的關係に轉化した。(11)人に對する支配が無くなると共に從來の被支配者も亦支配力者となつた。(12)他方此の發展は、支配の保護の確立を基礎として、(13)對當な支配力者間の結合狀態を生ぜしめた。何故なら今迄は支配力の實現によつて獲得し(14)得た自己の生活に必要なる他人の共力即ち他人の勞働乃至勞働の結果は、(15)其の他人が支配より解放せられて自己と對當する者となつた以上、唯其の他人と結合する事によつて之を得るに過ぎないからである。かくして對當な支配力者間の關係は排他的より結合的へと變移したのである。此の樣にして今では、人は其の生活維持の爲めに却つて他人との結合を必要とし、社會生活上此の對當的な結合の保護を要求するに至つた。(16)固より對當な人々の間に於ては他人の共力は彼の被支配者に對する如く直ちに之をその他人に强制する事は出來ない。先づ之に請求するの他はない。從つて社會的要求に從ひ基礎社會に於て是認せられたのは請求關係及び請求力であつた。此處に於て法は、社會秩序維持の爲めに、之等基礎社會に於て既に事實上存在してゐる社會的關係としての請求關係及び社會的力としての請求力をも亦、自己の理想に從ひ、更に法律關係及び權利として規定しなければならなくなつた。此の任務を負つたのが請求關係・請求力を債權關係・債權として規定した債權法なのである。

（註1） 獵、漁、開拓、耕、伐等。

（註2） 身分階級、奪略。自給自足の時代。Stammler の個人的欲望。

（註3） 先づ自己の生産物其の他自己の支配對象を奪はれてはならぬ。

（註4） かゝる孤立的生活も人の生活である以上社會生活である。對立的に社會生活を爲してゐる。

（註5） 自己の支配を社會的に主張し得るには、その社會に於てその力を與へられねばならぬ。故に先づ社會上一つの事實としての支配力がなければならぬ。かゝる力は、その基礎社會から種々の方向に反映して諸觀念を生む。道德、宗教等。法もその一つである。

（註6） 法的觀念。法に於てはその社會秩序維持なる目的の爲めの手段として、支配力をとり上げて保護する。

（註7） 法の理想――社會秩序維持。

（註8） 規定するとは反映せしめる事である。

（註9）

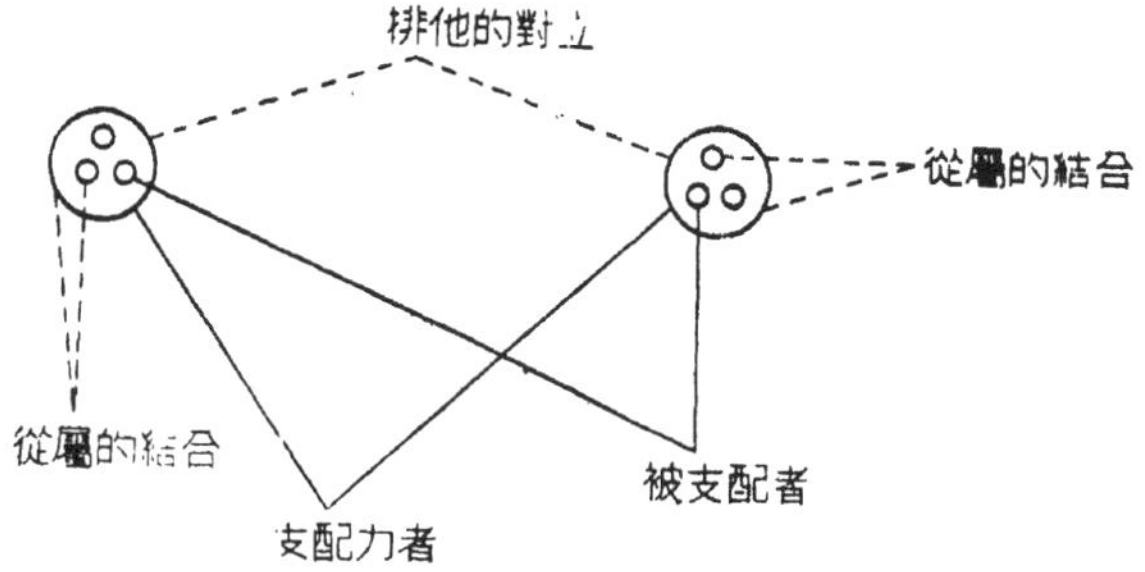

從屬的結合
支配力者
排他的對立
被支配者
從屬的結合

（註10）　個人の解放は、その個人をして自由に活動せしめることが社會の發展に役立つ。支配は夫自體行詰つて解放に Aufheben する。

今迄は支配して働かすのがよかつた。が、却つて自由に働かし之と取引する方が利益となる。――だから、解放は社會の一面に於てのみ。解放も支配を目的とする。

（註11）　この Aufheben が「轉化」である。支配は支配の妨害となり、解放が却つて支配に役立つ。

（註12）　支配力者とは、支配力を有する者。支配者とは支配してゐる者。

（註13）　先づ自己の支配の保障あり、それより生活は更に他人へと進む。交換時代へ。Stammler の社會的欲望。

（註14）　他人をして勞働せしめる事が支配の内容なのである。

（註15）　勞働(仕事)。勞働の結果(生産物等)。

（註16）　結合の保護には、後述の如く、被請求者の保護も含まる。

債權法も亦其の基礎を現實社會に有してゐる。債權法の生成發展は基礎社會の惹起する所であり、債權法を指導する理想は基礎社會に存する社會觀念の決定する所である。(1)即ち債權法の全構成は請求的社會關係を中心とする所與の現實社會の法的反映である。

（註1）　法的反映――社會諸規定の中、强制力を與ふべきものが法。從つて法的反映は、現實の中、强制力を與ふべきもののみが反映せしめられ、又その反映に、修正（法 Ideologie による）も行はれ得る。

例へば個人主義社會は債權法をして個人主義的構成を有せしめ、債權法は個人の利益保護の爲め請求關係を取り上げ、そこに存する個人の利益の調和を圖る事によつて當該の社會秩序を維持し得た。更に現實社會に於て相對立する個人の一方の利益の擁護が要求せられる時、債權法も亦其の個人に利益ある請求關係をその個人に利益ある如く規定した。かくの如く債權法が上に述べた抽象的任務を如何に具體的に果すべきか、換言すれば如何なる理想に從ひ如何なる請求關係を中心とする如何なる社會秩序を如何に維持するべきかは、當該の現實社會及び其處に存する社會觀念の明確なる認識によつてのみ之を決し得るであらう。(1)

(註1) 反映は反映なるが故に必ずしも現實と一致しない。一致しない規範は規範性を失つて來る。例、利息制限法。

第二　債權法の特質と其の發展（質的發展）

對當な人格者間の請求關係を規律すべき任務は、債權法に次の如き特質を與へ、基礎社會の發達に伴つて次の如き發展を生じた。

一、請求は元來夫自身目的でなく、他人の共力を未來に取得して自己の生活目的を達せん爲めの手段(1)であると共に、他方、自己の既存の支配に依繫せる生活を他人の共力の取得によつて補充(2)せんとする努力である。だから債權法の保護も、單に、人の生活目的(3)に對しては手段的であり、物權法に對しては補充的であつたに過ぎぬ。此處に債權法の手段性と補充性とが存在する。だがかくして過去の結果たる現在の支配に對する保護と並んで、現在の請求の未來の實現に對する保障が爲されたのである。物權法は靜的安全(4)（statische Sicherheit）を保障し、債權法は動的安全(4)（dynamische S.）を保障すると云れたのも此處に由來する。

（註1）　例へば、他人の勞働を得んとせば先づ請求する。請求に從つて其の他人がその勞働を爲した時始めて目的が達せられる。

（註2）　自己の生活範圍の擴張である。今迄有してゐた以上に他人より得んとするのである。

（註3） 勿論あらゆる法は手段である――社會秩序を維持する爲めの、或は人の利益保護の爲めの。此處に云ふ手段とは、人の生活目的（他人から何かを得やうとの目的）に對する手段である。

（註4） 支配は靜的、請求は動的。物權法は時間的に平面的、債權法は立體的（相對的）である。
物權法に於ても、支配の侵害ある時動的保障を必要とし、債權法に於ても、他人の債權を侵害せざるべき靜的保障が必要である。

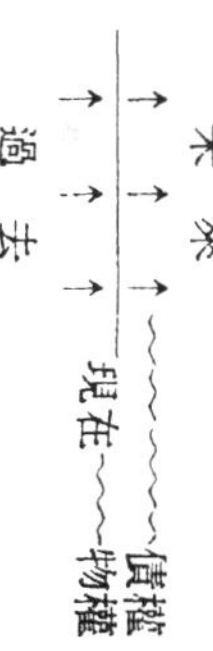

然るに社會の發達は協業（Kooperation）・分業（Arbeitsteilung）を發生發展せしめ、人が其の社會生活上他人の共力を必要とする事は益々大となり、(1)請求に對する社會的保障の確實の要求は愈愈強くなつた。此の事實も亦債權法上に現れ、債權法はあらゆる手段を盡して現在の請求に對し未來の取得の保障に努めた。かくて國法たる債權法の規定する債權は、他人の共力の未來の取得に對する確實な而も國家的强制力を附與せられた所謂法的保障(2)を有する强大な請求力となり、債權を有する事は、他人の共力を現在に於て有すると同樣になつた。(3)此の事は何を意味するか。即ち一方に於て債權法の保護は、漸くその手段性から脫却し來る。蓋し債權を與へた事は、他人の共力を與へたと同樣になり、夫丈けで或程度迄生活目的を達せしめたからである。かくして債權

はそのまゝの狀態に於て、價値となり、商品となり、資本となる。(4) 更に他方に於て債權法の保護は、漸くその補充性から離脱し來る。蓋し、請求に對する强大なる保障は請求をして支配化せしめ、而もそれは動的なるが故に、靜的支配を保護する物權法は、却つて請求の結果を保護するものとして、債權法に對し補充的なものとなつたからである。(5) かくして、既存の支配の對象は次第にそのまゝに又は形を變じて請求の對象に變へられて來る。支配から利用への變移である。前の現象を債權の財產化と稱し、後の現豫を財產の債權化と稱してゐる。かくの如く既存の支配は請求化され、且請求力としての債權夫自體が財產化によつて支配の對象化された結果、債權に付ても亦排他的支配の保護が要求され、彼の物權に於けるが如き不可侵性が債權にも亦認められて來た。(6)

（註1）人の結合生活が發達したためである。

（註2）法的保障とは、國體の强制力（實は社會の支配者の强制力）を以てする保障であり、此の强制力ある事が法の規範としての特殊性である。クルイレンコ「强制力なくして法無し」。

（註3）請求はその結果をも包含する。債權法は債權に武裝を與へる。國家の力で履行又は履行と同じ結果を生ぜしめんとする——强制執行。

（註4）債權の目的の價値が夫自體債權の價値となる。例、金一萬圓の貨幣と、金一萬圓の小切手。もとより完全な支配でないから價値の不一致はあり得る。

（註５）所有してゐた土地を賣つて、金に變へ、人に貸し、返還請求權なる債權に變ぜしめる——形を變じて。所有してゐた金を其のまま人に貸し……。——そのまま。
土地を有する丈けでは利潤は生れぬ。人に貸すか、賣つて金にして株に變へるかする時、價値は増加する（所有權が資本の作用を有しなくなり金錢債權が之に代る）。「金融資本」の淵源。支配から利用へ。狀態の變更を豫定するから動的支配である。
（註６）債權を有する事は、財産を有する事と同じ。他人の支配してゐる金を自己が支配してゐる。支配の保護の必要は同じである。

債權法に於ける以上の如き發展は、分業・協業の社會に於て、資本の生産、蓄積、流通を確實且容易ならしめんとする資本主義社會の要求に從つて益々促進され來つたものである事は容易に之を認め得るであらう。(1)

（註１）生産、蓄積、流通、何れも他人の結合が保障され、債權の力が保障されて、始めて確實且容易に行ひ得る。

二、請求關係は夫丈けを捨象して観る時は單に請求者被請求者なる對當人間の利益の得喪の行はれる關係であつて、一般第三者卽社會の利益と相交渉することの少ないものである。(1)だから、捨象的請求關係の保護は對立する個人的利益の調和的保護であり、從つて債權法は一應は具體的事實の集積により個人の意思を抽象して之に抽象的保護を與へ、以て法的規範としての抽象性を有してゐるが、決してその抽象的意思と異る具體的意思に對する（具體的）保護を拒否するものではない。(2)此の點は支配關係の保護が、支配力者を一般第三者卽社會に對して排他的に保護するものなる故に、そこでは個人的利益が社會的利益との調和に於て保護せられ、從つて物權法はそれが與へた抽象的保護を單に個人の具體的意思を以て變更する事を許さないのと對比してゐる。此處に物權法の强行性に對する債權法の任意性が存在する。(3)債權法に於ては廣く當事者の私的自治(5)が認められ契約自由の原則が指導し、物權法に於ては私的自治を排除して物權の種類內容を完全に抽象化する物權限定主義が支配し來つた（民法七五條）のも、此處に由來する。(6)

（註1）　捨象——他の關係を切り離してそれのみを取上げるから。

（註2）　任意法（非强行法）nicht zwingendes Recht.
- ergänzendes R.（補充）——個人意思のない場合に補ふ。
- auslegendes R.（解釋）——個人の不明瞭な意思を明かにする。

例、別段の意思表示なきときは（四〇四）。

强行法 zwingendes Recht.

Enneccerus, Gierke 等 はergänzendes. R を更に
- 全然意思のない場合
- 一部に付き意思のない場合

に分つてゐる。

（註3）　その歷史性——私法は個人保護の法である。故に原始的には凡て任意法である。抽象により規範性を有するが、その抽象的保護に反する具體的保護要求を拒まない。元來具體的に保護せんとするものなる故である。抽象が尙進むと、具體的保護を常に認めるのではない。社會利益の保護（公の秩序に關する……九一條等）＝抽象。抽象化は團體化、社會化である。個人のみの意思で社會的保護を動かし得ぬ。——故に强行性は、進んだ抽象性

である（根本は個人を具體的に保護するのであるが、社會的保護との調和上、抽象以外に保護しない）。强行化は個人意思の否定でなく、抽象化である。

（註4） 私的自治 private Autonomie——自己の事務、殊に法律關係を自己の意思で規律する。國家、公法人等の公的自治に對す。

（註5） 法律行爲自由の原則。その一部が契約自由の原則。行爲（契約）するか否か、如何なる行爲（契約内容）をするかの自由。

（註6） 物權限定主義——法律の認める物權内容以外の内容の物權（新しい物權及び新しい内容の既存の物權）は否定される。△原則、主義が行はれる故に任意、强行なのでなく、——事實が任意、强行を生み之によつてかゝる原則、主義の支配をうけるのである。此點從來の學說は逆さまである。

然るに請求關係に於ける利益も、社會の發達に伴つて漸く社會的色彩を帶びて來た。かゝる發展現象は、次の如き相交錯せる二方向に現れた。(1) 卽ち一方に於て請求關係は全社會的關係に織り込まれ、(2) 請求の對象に付ても社會的利益が認められ、(3) 請求者被請求者は社會的自覺の下に社會構成員として社會的利益を代表するものとなつた。(4) 更に他方に於て請求者被請求者の一方又は双方には個人以外に團體も認められ、請求關係には、個人と個人との關係以外に、個人と團體乃至團體と團體との關係をも生じるに至つた。(5) かくして請求關係の保護は（單に）個人間の利益の調和のみから進んで、個人と團體乃至團體と團體間の利益の調和をも圖らなければならなくなつたのである。かゝる事實も亦債權法上に現れ、請求關係上團體的乃至社會的利益の認められるや、債權法は社會的要求に從つて、かゝる利益との調和[6]例へば不動産利用者と一般第三者、金の貸主と借主、勞働者團體と資本家、企業者團體とその構成員、生産者團體と消費者團體等の間に於ける調停協調の爲めに、抽象した意思と異る具體的意思の保護を否定するに至つた。而して新な社會的利益の發見發生に從つて、或は新な强行規定[7]の出現が促され、或は既存の任意規定[8]は强行規定化されて來た。然も資本主義内部に於ける個人主義の團體主義への轉化[9]は、個人の利益よりも團體乃至社會の利益を尊重する思想の下に、上の如き債權法上の社會的立法、社會的解釋の增加を益々助長せしめ來つた事は之亦容易に之を認め得るであらう[10]。


（註１）　一の方向は他の方向に互に影響する。

（註２）　卽ち捨象的な請求關係でなくなる。

（註３）　例へば土地。土地に付ては當事者たる債權者、債務者以外の第三者も利益を有してゐる。土地の賃貸關係。

（註４）　利息を拂はねばならぬ人は、かゝる人の代表者である。個人は個人たる資格許りでなく、社會の一員たる資格あり、此の後の資格が認められて來る。

（註５）　資本家團體と勞働者團體。企業者團體と消費者團體。

（註６）　利益の調和に對し明確な認識を必要とする。調和ば社會的要求、卽ち當時の社會思想に指導される。卽ち法は力の均衡の反映（クルイレンコ）である。

（註7） 例、利息制限法、勞働者保護法、トラスト・カルテル等に關する法、工場法、借家法、借地法。

（註8） 例、雇傭期間（六二七條、六二八條）。建物の貸借解除の猶豫期間等。

（註9） 資本主義内部に於てである。個人の自由放任は資本主義に役立つたが、その發展に伴つて漸く桎梏化し來る。そこで團體の方がより有益になり、個人主義は Aufheben せられて團體主義に移る。故に團體主義は個人主義の轉化である。

（註10） かゝる任意法的原始性は失はれぬ。任意法が原則。

第三　債權法の範圍と其の發展（量的發展）

對等な人格者間の請求關係を規律してゐる一切の諸法規は、債權法なる概念に統一せられる。だから我が國法に於ては、一、民法（A）債權編のみならず、（B）物權、[1]親族、[2]相續の諸編、[3]二、利息制限法、供託法、失火の責任に關する法律、借地法、借家法、信託法等の民事特別諸法、及び、三、商法並びに商事特別諸法等の中の諸規定は、何れも債權法の範圍に屬するであらう。

法の規律を受ける人の生活諸關係の中の請求關係はその特殊な性質に基く特殊な取扱を要求し此處に他の諸法概念（物權、親族、相續の諸法）と對立する債權法なる概念が生れた。[4]請求關係と他の生活關係との對比が尖鋭となるに伴ひ債權法概念は益々明白となり、法典上獨立の領域を占めるに至つた（墺、佛、伊の諸民法[5]及び我舊民法と獨、我現行、ソヴィエト露の諸民法[6]及びスキス法[7]との比較參照）。　此處に形式的債權法なる概念が發生する。尤も生活關係は時には各々相互に他の生活諸關係を派生せしめるから、[8]かゝる形式的債權法は他の諸法の領域にも侵入し、夫等他の諸法による變更を受けながら[9]その派生的請求關係にも適用せられる。[10]だが、兎も角あらゆる請求關係に對する法的保護は抽象的に定まつた。然るに同じく請求關係の中にも、今迄の取扱と異る取扱を必要とするものが[11]生じて來た。かゝる具體的事實の集積はその要求に從つて、その特殊な關係に關しては一般法たる形式的債權法に對し特別法として優先する各種の法規を生んだ。債權法には之等特別法をも包含して實質的債權法なる概念が發生し、特殊な請求關係の增加に伴ふ特別法の增加は、債權法の量的範圍を擴張せしめたのである。然しかゝる特殊な請求關係と他の請求關係との對比が益々尖銳となるに從ひ[12]、債權法概念より分離した新しい法概念（例、商事法、勞働法）[13]が生れ、更に請求關係の特殊性が一般請求關係に及ぶや、既存の取扱を必要ならしめた社會的理由は消滅し、此處に新な理想に從つた債權法の改正を促し、債權法の量的發展が其の質的發展をも結果するに至るであらう。

我現行法に於ては既述の所より明かな如く、民法第三編を一般債權法とし各種の特別法が併存してゐる。而してその中商法其の他の商事諸法は、民法に對し、商事關係の特殊性に從つた自由主義的修正であるとして既にその發生當時から民事債權法に對する商事債權法なる概念を形成し、又勞働關係の特殊性に從つた團體主義思想に基き發生した勞働諸法は、その發展に伴つて次第に債權法より分離し行き、勞働法なる新概念に統一されつゝある[14]。

（註1）　物權法上の諸請求權——物權的請求權（異說あり）。二五九條、二七二條等。

（註2）　扶養、夫婦財產關係。其の他財產に關するもの多し。七四八條、七六〇條。特別な請求關係を認めるものと、債權

篇上の債權に關する規定を設けてゐるものとあり。——之を除く。

（註3）相續回復請求。一〇一四條、一〇四七條。

（註4）諸法概念は法概念に統一される。此の統一物が諸法概念に對立するのである。

（註5）財産法又は財産取得編中に物權法と共におく。

（註6）獨立の一編。卽ち古い時代には、「物」、「所有權取得」の一方法と見たのである。

（註7）獨立の法典。

（註8）支配があつて請求があり、請求の後に支配が確保される等。

（註9）特則あらば之に從ふ、一部適用、變更。

（註10）例、明文あるもの、民法八〇六條、八〇〇條。變更、九六三條、九六六條（時效）。

（註11）借家關係、借地關係、利息關係。

（註12）理想が異つてゐる場合
- 商　法——一層自由主義。
- 勞働法——一層團體主義。

（註13）個人主義から團體主義へ等。

（註14）民法學の範圍外の勞働法學。

第四　債權法上の諸問題

債權法は屢〻述べた如く、法的理想に從つて對當な人格者間の請求關係を規律すべき任務を有してゐるから、債權法上次の如き諸問題が考へられる。卽ち、（一）如何なる事實に因り發生した請求關係を規律すべきか。債權關係の發生原因の問題である。（二）如何なる人格者間の、如何なる對象に關する、並びに如何なる請求力の存在・請求關係を規律すべきか。債權の當事者、目的並びに效力の問題である。（三）如何なる事實を以て其の規律せる債權關係の變更消滅と見るべきか。債權關係の變更消滅の問題である。及び（四）以上の諸問題を如何なる法的理想に從つて解決すべきか。

我民法債權編は（二）及び（三）に於ける諸規定を總則とし、あらゆる原因によつて發生した債權關係に之を適用せしめる意味を以て（一）に關する諸規定を第二章以下に置いた。(1) 日本債權法論は此の編成に從つて、總論と各論との二部に分れる。（四）に關しては固より明かな規定はないが、(2) 請求關係そのものの特殊性から、衡平・信義誠實の如き諸原則が覗はれ、更に過失責任、契約自由等を規定する諸規定から、當事者の眞意を保護しその自由を保障せんとする個人主義的原理を知る事が出來る。然し既に述べた如く、現實社會に於ける個人主義より團體主義への變移は債權法の指導原理を變更せしめ、更に請求關係の特殊性に基く諸原則の內容をも變更せしめ、(3)かくして修正せられた債權法の理想は、古き理想に從つた諸規定をして社會的再批判を受けしめるに至りつゝあるのである。

(註1) 獨民法(一四五條―一五七條)――總則中に契約を規定す。
佛民法(一一〇一條以下)――債權關係の冒頭に契約を規定す。
サ・ロシア法(一〇六條)――發生原因の總則を債務法の冒頭におく。

(註2) 獨民法三四二條參照。
1. wie Treu und Glauben erfordern (請求關係の特殊性)
2. mit Rücksicht auf die Verkehrssitte (社會觀念)

債權關係の構成

菅原春雄

目次

第一節　債權關係を構成する諸概念

債權關係は、之を詳しく云へば、社會的力(1)としての請求力を有する特定人即ち請求者と、之に對立し社會的力に對する拘束(2)としての被請求拘束を負擔する他の特定人、即ち被請求者との間に於ける、特定の對象に付ての請求關係の法的表現である。(3)此の請求關係を被請求者の側より被請求關係として觀る時は、債務關係として表現する。(4)

債權關係上、請求者は債權者、被請求者は債務者として現れ、又、債權者の有する請求力は債權、之に對し債務者の負擔する被請求拘束は債務として現れる。(5)だから債權者は債權の主體であり、債務者は債務の主體であるが、債務者は同時に債權なる請求力の對抗を受ける意味で、債權の客體(Gegenstand)でもある。債權者債務者は一法律關係たる債權債務關係の兩極に對峙し、其の主體又は當事者として互に他方を相手方と呼んでゐる。次に、債權者が債務者に對して爲す請求の對象は債權の或は債務の目的(Objekt)(6)として表現する。元來、對當者に對する請求の結果はその者の行爲によつて始めて實現せられるが故に、(7)請求の對象は被請求者の行爲である。(8)だから債權の目的は債務者の行爲でなければならぬ。債務者を行爲主體として觀る時、債權の目的たる行爲を給付（Leistung, performance）と稱する。而して此の行爲が更に物體を有する時、その物體は債權の目的と區別せられる爲め、債權の目的物なる概念を生む。從つて、債權の目的物は給付の物體である。

以上の諸概念を表はす名稱は、學說上法典上必ずしも一致してゐない。或は債權の客體たる債務者を「債權の目的」と稱し、或は債權の目的を「債權の客體・物體・又は目的物」と呼び、更に我民法典は、債權の目的（四〇〇條、四〇二條三項、四〇六條、四一〇條、四一四條）と債權の目的物（四〇一條一項二項、四〇二條一項）との區別をしながら、時には債權の目的物にも「債權の或は債務の目的」なる名稱を與へてゐる（四〇二條二項、四一九條一項、四二二條）。(9)

請求關係は、請求者・被請求者並びに請求の對象なくしては具體的に成立しない。だから、債權者・債務者・債權の目的なる三概念の何れの一を缺いても債權關係は構成せられ得ない。此の意味に於て此の三者を債權關係の要素と云ひ、前二者をその人的要素、後者を物的要素と名付けてゐる。(10) 此の三要素によつて、債權關係は觀念的に構成せられる。(11) 即ち債權關係とは、「債權の目的に付て存する債權者・債務者間の法律關係」である。(12) 又債權は、「債權者が債務者に對し債權の目的を請求する權利」であり、債務は之に對して債權の目的たる行爲を爲すべき義務である。

（註１）　社會に於て是認し賦與せられてゐる力。

（註2） 請求する力が社會的に認められる時、請求される者はその請求に應ずべき拘束を社會的に負はされる。

（註3） 法上、法 Ideologie 上の反映。

（註4） だから、債權關係・債務關係と云つても二つの關係ではない。

（註5） obligatio（債權）の語源は ligare（結び付く）であるといふ。

1 債務を生じる事實。
2 其の事實より生じる債務負擔の狀態。
3 債　權。
4 債權・債務を含む全法律關係。

債權は actio と云つてゐる。訴權（法的 Idee）。

（註6） 目的――之を債權の客體の意に用ふる人もある。目的は物體と云ふ。又は人によつて目的物とも言ふ。名稱の差のみ。

（註7） 請求は支配ではない。支配の手段である。請求の結果として支配が爲される。對當の人間間に支配はない。

（註8） 學說上爭あつて、今では通說。當然である。Savigny; Windscheid, Planiol.

異　說

（1） 債務者。Regelsberger; Enneccerus; Oe. tmann. 請求力の對抗を受ける者である。更に何が請求されるかを見なければならぬ。

（2） 債務者の意思。Kuntze; Strohal. 意思に對しては請求し得るが、「何を意思に對して請求するか」。

（3） 債務者の財產。Köppen; Siber; Schott. 物自體を請求する事は支配と混同してゐる。物の給付を求めるのである。

給付すべき物。Dernburg. 從つて、行爲が物に關する場合でも、物は債權の目的ではない。

（註９）　四〇二條は一項・三項で區別し、二項で混同してゐる。

（註10）　觀念上は別。頭の中で考へられることは、然し無意味である。

（註11）　事實（請求→外←被請求）→觀念（債權―目的―債務）

觀念は遊離してはならぬ。

（註12）　定義、Kategorie, Idee. 從來の學說は定義を掲げ結論を述べるが、何故かゝる定義を生じ、かゝる結論に導いたかを見なければならぬ（歷史的に）。

第二節　債權關係の構成に於ける法的保護(1)

既述の所より明かな如く、法が社會的事實(2)たる請求關係を基礎として債權關係を構成するは、其の請求關係に關與する人々(3)の利益を、法の理想に從つて調和的に保護する爲めである。(4)


（註1）觀念的な債權關係の現象化の問題。

（註2）社會に事實上存在する意。

（註3）請求者、被請求者、其の他の第三者（請求者の債權者とか、代理人とか、其の他）。

（註4）凡ての法律關係の構成に於けると同樣である。

第一款　具體的債權關係の構成

債權關係の構成に於ける上述の如き法的保護は、觀念的な・抽象的な債權關係をして、當然次の如く現象化・具體化せしめてゐる。(1)

（註1）社會的事實から法上の觀念が生れ、その觀念は、法的 Ideologie によつて、具體的に變形せしめられる。

第一項　債權關係の主體

第一、債權關係の主體の具體的且特定的存在

一　或る請求關係に於て保護せらるべき利益を有する者が具體的且特定的に存在しない時には何人の利益を保護すべきかを知り得ないから、かゝる請求關係を基礎として債權關係を成立せしめ存續せしめる事は法的保護上無意味である。だから債權關係、從つて債權・債務が具體的に成立し且存續してゆく爲めには、先づ債權者と債務者とが常に具體的・特定的に存在し且つ常に同一人でない事が必要である。之は彼の觀念上は考へ得られる主體の權利義務の事實上の存在が否定せられる一場合であり、更に又所謂混同によつて權利が消滅するとせられる一場合である（五二〇條本文、一七九條本文參照）。だが、若し債權關係の主體以外の者も其の請求關係に於て保護せらるべき具體的利益を有する場合には、其の者のその利益保護の爲めに債權者・債務者が具體的・特定的に存在せず又は同一人となつたに拘らず、債權關係の存續が認められる場合がある。前例としては胎兒の利益として表はされた家族等の利益の保護の爲め（例、七二一條、九六八條、一〇六五條）、後例としては、或は其の債權を目的とする權利を有する第三者の利益保護の爲め（五二〇條但書）或は手形（商法四五六條）無記名債權等の第三取得者の利益保護の爲めの如くである。**債權の財產化は、債權の目的のみを尊重し、具體的な主體を重要視せざる傾向を**

(1)(2)(3)(4)(5)(6)(7)(8)

生じ、益々か〻る場合を多からしめて行くであらう。

二　或る請求關係に於ける請求者又は被請求者が單數なる場合と複數なる場合とによつて、其の保護の方法に異同はあらうが、彼等を保護すべき事に於ては變りはない。[11] だから、同一な債權の目的に付て債權者又は債務者は單數であつても複數であつてもよい(四二七條以下參照)。[10] だが其の數的範圍に限界があるか。先づ一般人又は或は範圍内の人の中の一人又は數人と云ふ様な場合には、未だ具體的の債權者・債務者が特定してゐないのだから、前述した理由によつて債權關係は成立しないであらう。[12] 債權關係の主體の不特定な場合と云はれてゐる。或は直接何等の媒介くして(直接歸屬)、或は或る事實を媒介として間接に(間接歸屬)[13] 特定した時、始めて具體的な債權關係が成立する。次に一般社會を債務者又は債權者として債權關係は成立するか。個人又は單に集合せる利益のみを保護せんとする法は、か〻る一般的社會に對する請求力とか一般社會に負ふ被請求拘束とかは、自己の任務外として、之等を債權・債務として保護する事を拒むであらう。[14] 然し既に請求者・被請求者に於て個人以外に團體も認められ、[15] 請求關係に於て團體的利益が生じるに及んでは、法はか〻る團體的利益をも保護すべく、此の團體及び團體的利益の擴張は一般社會も亦債權關係の主體たるべき事を要求するに至つた。[16]

三　主體の保護に出發したローマ法は、主體の變更のあつた場合には(人格承繼の場合を除き)[17]、過去の主體が存在せざるに至つた事を理由としてその債權關係を一應消滅せしめた。(18)だが請求關係に於ける利益從つてそれに必要な保護は、必ずしも現在の請求者・被請求者間に固有なものではない。故にかゝる請求關係に於ては、法は債權關係を成立せしめて與へた保護を單に其の主體が變更した事によつて打切る必要なく、過去の主體に與へた保護をそのまゝ現在の主體に存續せしめても差支へない筈である。換言すれば、主體の變更によつて從來の債權關係を消滅せしむべきか否かは、從來の保護が不必要になつたか否かに、更に深く觀れば、その債權の目的に付て從來の利益がなくなつたか否かによつて決定せらるべきである。(19)然も社會の發達は、(20)現在の債權者債務者以外の者にも請求せしめ、實行せしめる必要を生じ、既にローマ法に於ても之等に應ずる制度を設けたが、(21)此の必要が次第に增加するに及び、遂に債權關係の存續を失はしめざる主體の變更が認められ、債權の讓渡（獨逸固有法、其の後の諸國の立法）債務の引受（普國國法より獨逸及び其後の獨法系立法及び佛法系上の學說）なる制度が生れた。尙主體よりも目的を尊重する思想の債權の財產化は、益々主體の變更の自由を擴げるに至つた。

（註1）　債務者も「或る程度以上に請求せられない」と云ふ點で「保護さるべき利益」を有す。

（註2）　主觀的不確定と區別すべし。

（註3）　保護すべき利益がない。

（註4）　だから始めから存在せず又は同一人である時は成立しないし、後に缺き又は同一人となる時は消滅する。例、債務

者が債權者を相續。

（註5） 權利義務の捨象的なもの。

（註6） 舊説には無主體の權利を認めた。事實から遊離してゐる。

（註7） 胎兒の利益を圖るは、親とか兄弟とか戶主とかの利益の爲なのである――民法一條の例外を作つた理由。七二一條の例、父が殺されて損害賠償を請求する場合。

（註8） この様に債權者・債務者に限らず、法として保護すべき何人かの利益ある時、債權關係は存續させられる。

（註9） 金一萬圓といふのが重要で、何人から貰ふも同様である。物的要求の重要性。

（註10） 複數たる場合には、債權者間、債務者間等に複雑な關係が生じるために取扱が異るのみ。

（註11） 團體だからと云つて保護は拒めない。

（註12） 現實の人はゐる、卽ち債權者・債務者になるだらう人はゐる。卽ち不特定人に對し債權關係を創設せんとするは可であるが、特定となる迄は現實に債權關係は成立しない。從來、此の場合と次の場合、卽ち一般人が債權者・債務者である場合と混同してゐる。

（註13） 手形、無記名證券を所有する者は債權者である。卽ち物權が媒介となる。

（註14） 法上の問題ではない。宗教等に任ずべし。世間に對する義務。

（註15） 個人（構成員）と性質を異にする團體。

（註16） 國家に對する債務(行政法卽ち公法上)。國家の私人に對する賠償責任(公法上)。私法と公法との接近。

（註17） 相續等。此の場合には過去の主體が現在に迄存續すると見る。法律關係をうちきるのが不當だからである。

（註18） 更改は新債權の發生である。その人間を保護するのである。卽ち人がなくなれば保護もなくなり、債權關係も不要となる。

(註19)　人に重きを置くもの——雇傭・委任等——消滅。
物(目的)に重きを置くもの——金錢債務等——不消滅。

(註20)　交換・流通・交易。

(註21)　mandatum in rem a suam（自己の爲にする代理人）——代理人が債務者より取立て、これを債權者に引渡す必要がない。
defensio in rem suam——債務の引受。

第二、債權關係の主體たり得る者

人格者卽ち權利能力を有する者は凡て債權者・債務者たり得る。(1) 蓋し法は、社會的力(請求力)を有する者のその力を保護せんが爲めに、その力を基礎として權利義務（債權・債務）を創設し、その力を有する者に與へたからである。(2)

(註1)　一般的に云へるもので、個々の債權關係に付てではない。

(註2)　力の保護は、力を或る程度迄侵されざる保護を含む。卽ち拘束の範圍の決定卽ち或る程度以上に出でざる範圍を有する義務の確定も、その力の保護である。

第二項　債權の目的

第一、債權の目的の具體的存在

債權の目的が具體的に存在しなければ、債權者・債務者又は第三者として現れた人々を、何に付いて保護すべきかを知り得ないから、固より債權關係は形成せられ得ない。唯、具體的に存在すると見える債權の目的が、後述の如く、債權の目的たり得ざる場合ある事を注意しなければならぬ。(1)

同一債權の目的に付て、債權關係の主體は複數であり得、從つて複數の債權關係が成立し得るが、法は、請求の對象を總括してそこに存する利益を保護してゐるのである。だから、一債權關係の債權の目的は一個である(一債權一目的の原則)。然し其の量的範圍は多樣であらう。一行爲卽ち一給付が一目的を形成してゐる場合のみならず、數給付が一目的を形成したり(四九〇條參照)、一給付の一部分が一目的を形成したり(四八八條)する場合がある。(2) そこで又、債權の目的に量的範圍の限界があるかの問題を生ずる。先づ無數の行爲の中の何れかの一又は數行爲と云ふ樣な場合には、債權の目的は具體的にも存在してゐないのであるから上に述べた理由によつて債權關係は成立じない。次ぎに請求は元來自由の制限ではあらうが自由の剝奪ではないのだから、あらゆる行爲を目的とする債權關係も亦、その成立を許されないであらう。しかし或る限定範圍(3)を有して具體的に存在する以上その中の何れかの行爲に特定してゐなくても、債權關係の形成を妨げないであらう。蓋し、利益を保護する爲には先づ利益主體の特定が必要であり、從つて債權關係の主體は必ず特定してゐなければならないが、既に行爲の具體的存在によつて何に付ての保護を爲すべきかを知る以上、必ずしも何れの行爲を保護すべきかを知る必要がないからである。行爲の特定は、保護の實現の要件である。唯不特定に結果した場合に、保護の停止があるに過ぎぬ。卽ち債權の目的は、債權關係の主體と異り不特定な狀態に於ても債權關係を成立せしめる。法も亦、かゝる場合を豫定してゐる(四〇一條以下)。(4)

或る請求者・被請求者又は第三者は、必ずしも現在の請求の對象に付き固有な利益を有するとは限らぬ。換言すれば請求の對象が變更しても、尙從來の生活目的は新しい對象によつて達し得られる事があり、卽ち從來の利益を失はず從來の保護の存續を必要とする場合がある。(5) 從つて、債權の目的の變更は、必ずしも從來の債權關係の消滅を來さないであらう。法は、かゝる場合をも亦豫想してゐる(四一五條)。

(註1)　太陽を與へるなど。具體的には存在しても、存在しないと同樣。

(註2)　其の場合の利益關係から見て、どの範圍迄が一の對象であるか定める。

(註3)　もとより相對的なものである。限界の相對性。

(註4)　大正五・三・一四大審院判例。

(註5)　例、債務不履行による損害賠償債務。又、物の價格が下落した場合

第二、債權の目的たり得る行爲

行爲の種類は、其處に存する利益の異同從つて保護の方法に異同を生ぜしめる事があるが、(1) 其

の利益が保護せらるべき事は、行爲の種類によつて異る事はない。だから、如何なる種類の行爲でも、債權の目的となるを妨げぬ。然し一定限界の範圍内にあれば、如何なる行爲でも債權の目的たり得ると云ふ事は出來ない。行爲が債權の目的となる爲めには、法的保護の可能・必要の有無に付ての法的批判を仰がねばならぬ。此の批判は債權の目的の諸要件となつて次の如く現はれてゐる。從つて夫等の諸要件の何れかを缺く時、其の行爲が債權の目的たり得ざる事に因つて、債權關係成立の際に於ては其の不成立を來し、成立後に於ては其の消滅・變更を來すであらう。(4)

一　確定してゐるか行爲の爲される時迄に確定し得べき事

法は、如何なる行爲に付き如何に保護すべきかを知らなければ其の保護を實現する事は出來ない。(5) たとへ現在之を知らなくても保護の實現の時迄に知り得るに於ては、既述の如く債權關係を成立せしめるに妨げないが、(6) 然らざる場合には保護が實現され得ない事に定まつてゐるのであるから、其の行爲を以て債權の目的となす事は無意味である。故に債權の目的たり得る行爲は、法的批判を受けて、少くとも其の行爲の爲される時迄に債權の目的である事に確定即ち特定し、且、(7) 其の行爲の全構成卽ち時期的・場所的・並びに量的分子に於て確定してゐなければならぬ。(8)

確定に對する法的批判は、從つて次の段階に岐れる。卽ち、(A)其の行爲が債權の目的たる事に確定卽ち特定してゐるか、(9)(B)若し特定してゐなければ、行爲の爲される時迄に特定し得るか、

(C)特定してをり又は特定し得たなら全構成分子に於て確定してゐるか、(D)若し確定してゐなければ行爲の爲される時迄に確定し得るか。

以上の法的批判上の諸問題は、(A)其の行爲が、直接、法の規定によつて債權の目的とせられる場合(所謂債權關係が、直接、法の規定に依り發生する場合)には、其の規定の解釋に依つて解決せられる(例、一一七條一項、一一八條、九六〇條等)。(B)其の行爲が債權關係の當事者たるべき者の法律行爲に基いて債權の目的とせられる場合(所謂債權關係が當事者の法律行爲に因り發生する場合)(一)には、其の解決は其の法律行爲の解釋に依る。民法債權編總則は解釋標準として特定に關する補充諸規定を設けてゐる(四〇一條—四〇五條、四〇六條以下等)。而して(A)の場合には解釋出來ない場合を生じないが(11)、(B)の場合にはあらゆる標準を以てするも法律行爲を解明し得ざる事があり(12)、かゝる場合には行爲は不確定にして且確定し得ざるものとして債權の目的たる事を否定せられる。債權關係成立の際に於ては其の不成立を來す。次ぎに、(A)(B)何れの場合に於ても、問題の解決によつて債權關係の成立した後若し其の行爲が不確定にして確定不能となつた場合には、其の行爲は債權の目的から除外されるが、此の時債權關係は他の行爲を目的として存續するか否かは、其の行爲に付き既存利益が存續するか否かの一般問題である。

二　可能である事

實行の不能な行爲に付ては、法は其の保護を實現する事が出來ない。(13) かゝる行爲を以て債權の目的となす事も無意味である。故に債權の目的たり得る行爲は、此の第二段の法的批判を受けて實行し得るものでなければならない。

行爲が債權の目的たり得る迄に其の實行、可能であるか否かは、其の行爲を債權の目的として保護すべきか否かを決する爲めに其の行爲を批判する法の決する所である。かゝる法的批判を指導する者は何か。それは、彼の基礎社會に存する社會觀念によつて決定せられる法的理想である。從つて、可能・不能の觀念も亦相對的である。從來不能の分類として掲げられた各種の不能も、かゝる法的批判を受けて始めて、行爲をして債權の目的たり得ざらしめるか否かが決せられるのである。

A、物理的乃至論理的不能(或は理論上の不能)は、其の當時の物理學乃至論理學が可能性の絕無として把握する不能である。(14) かゝる限り於ては、絕對的不能である。(15) だが法上の不能は、前述の如く社會觀念上の不能である。社會觀念は債權の目的たる行爲の實行に要する努力に限界を附し、其の要求する努力以上の努力を必要とする時、物理學乃至論理學上存在するものと認められる可能性を默殺して、不能なる場合として取扱ふ。(16) 故に法上の不能は物理的乃至論理的不能である事を要しない(大正一一・五・一二大審院判例)。物理的乃至論理的不能は、法上の不能の認識

の一材料であり　法的批判の一標準であるに過ぎぬ。(17)

B、然し主觀と客觀との相對性は、從來の學者のあらゆる努力に拘らず、遂に此の兩觀念の限界を明確にする事が出來なかつた。即ち或は債務者のみに不能なるものと何人にも不能なるものと對立せしめ（Windscheid）(18)、或は債務者の身的事情に基き不能なるものと行爲自體の性質に基き不能なるものと對立せしめ（Biermann）(19)、更に然る時はその何れにも屬せざる行爲の生じること(20)とを理由として、債務者の身的事情に基き不能なるもの以外の一切の不能を客觀的不能として把握せんとするに至つたが、債務者の地位・身的事情は決して債務者のみに固有なものでなく、何人でもその地位につきその事情の下に置かれ得るから、かゝる意味の主觀的不能も又客觀的なものであると云ふ事が出來る。然らば主觀的不能として一體何が殘るか。又他方此の分類說に反對して、債權の目的は債務者の行爲であるから、行爲の可能不能は行爲主體たる債務者の側より觀て之を定めなければならぬとする說も不充分である。固より行爲の可能不能は、債務者の側より觀て之を定めなければならないであらう。然し既に述べた如く、行爲が債權の目的たる意味に於て可能なりや否やは、社會觀念により決定せられる法的理想に從つた法的批判を仰いで始めて決せられるのである。從つて此の債務者より觀て所謂主觀的に不能な行爲は、更に社會觀念により法的批判を仰いで不能と決定せられねばならない。而して彼の分類說上の主觀的事情・客觀的事情は、唯此の法的批判に於ける不能の認識の一材料であり、批判の一標準であるに過ぎぬ。而も一度び法によつて不可能なりと解決せられた時は其の不能理由の如何を問はず等しく不能であり、主觀・客觀兩事情は認識材料・批評標準としては同價値である。この樣に所謂主觀的不能をして法的批判なる云はゞ客觀的批判を受けしめる事によつて、彼の分類說が其の分類により主觀的不能を見出し不能より之を排斥し以て個人の單なる主觀的事情によつて債權法の保障する動的安全の亂される事を防止せんとする目的をも亦、達する事が出來るであらう。

C、法律的不能は、形式的に云へば法によつて其の實行の是認されざるに因る不能であつて、不法の一面と見る事が出來る。(21) 法の禁止如何に拘らず不能なものを之に對して事實的・或は自然的不能(22)と云つてゐる。法によつて實行の否認せられる行爲は法的保護を求め得ぬ。故に、債權の目的たる行爲としては他の原因による不能と同樣に不能である。唯、法律的不能に於ては、其の禁止規定の解釋が法的批判に於て重要な役目を有してゐるに過ぎない。(23)

D、行爲の一部、特に行爲を形成する諸構成分子の中の量——時間・空間・行爲物體によつて範圍づけられてゐる行爲——の一部の不能なるものが一部不能として理解せられ、全行爲量に於て不能であると云ふ意味の全部不能と對立せしめらる(通說)。元來此の一部不能なる觀念は、其の不能な部分の爲めに行爲全體が不能となるか否かの問題が生じた爲めに作られたのであるが、然りとせば、行爲の他の構成分子に於ける不能、卽ち其の時期に於て實行する事の不能(24)又は其の場所に於て實行する事の不能なるもの(25)に對しても亦同樣な問題を生じるであらう。故に一部不能の觀念は之を擴張して、單に量的一部不能のみならずかゝる時期的並びに場所的不能(26)をも之に包含せしめるべきである。次に然らば上述の問題は如何にして解決せられるか。要するに之も亦法的批判の決定する所であつて、然も此の場合には、法の保護せんとする利益が不能の存する構成分子に於ては存在してゐるか否かが其の批判の標準となる。卽ち若し中心的利益が其の行爲量、其の時期、又は其の場所に付き存在する時は(27)、夫等各構成分子に存する不能は、法の保護すべき利益を失はしめるが故に、かゝる行爲は債權の目的としては不能であるとの批判を受けるであらう。然らずして中心的利益が不能の存する構成分子以外の構成分子に付き存在する時は(28)、一部不能の爲めに法の保護すべき利益を失はないから、行爲は殘餘の行爲量、不能の存する以外の時期又は場所に於て尙可能なるものとして債權の目的とせられ得るであらう。

不能が行爲をして債權の目的たり得ざらしめるは、既述の如く、其の行爲に付ての法的保護の實現を妨げるが故である。從つて、不能は法的保護の實現される所、換言すれば行爲の實行される時に存するに於て法上の意味を有する。かくて不能は更に時との關係に於て、換言すれば或る時に存する不能が法上の不能であるか否かに付て、又法的批判を仰がねばならぬ(29)。卽ち、先づ行爲が債權關係の當事者たるべき者の法律行爲に基いて債權の目的とせられる場合（所謂債權關係が當事者の法律行爲により發生する場合）(30)に於て(31)其の行爲が債權關係の成立の時に(32)不能な場合があり、之を原始不能と稱し、當事者の法律行爲に基き又は直接に法の規定によつて（所謂債權關係が直接に法の規定に依り發生する場合）債權の目的とせられた行爲が債權關係の成立後不能となる場合を後發不能と稱してゐる。然し不能は行爲實行の時に不能なる所に法上の意味があるのであるから、たとへ債權關係成立の時に可能であつても行爲實行の時に不能となる事が確定してゐる場合には、法上可能とすべきでなく、反對にたとへ債權關係成立の時又は其の後に於て不能であつても、行爲實行の時可能となる事が確定してゐる報合には、法上不能とすべきでない事は法の理想の要求する所である。(33)故にかゝる法的理想に從つた批判の下に於ては、原始不能は行爲實行の時に於ける不能が債權關係成立の時に既に確定してゐるもの、又後發不能は行爲實行の時に於ける不能が債權關係成立後に確定したものとして把握すべきであらう。次に不能の存在が一時的であるか、永久的であるか又は反覆的であるかに從つて、一時的不能、永久的不能及び反覆的不能なる夫自體相對的な諸概念が生れた。然し之等諸不能も、行爲實行の時に於て不能なる限り法上不能としての意味を有し、而して若し然る時は、行爲實行の時に於ける不能が債權關係成立の時に確定してゐるか其後に確定するかに從つて、上に述べた意義の原始不能又は後發不能として之を觀る事が出來るであらう。唯不能の永久的な存在は、一時的乃至反復的存在と異り、行爲實行の時に於ける不能の確定の認識の重要な材料であるといふ所からかゝる諸概念が作られたに過ぎぬ。――以上何れの場合を問はずかゝる意味に於て原始不能なる行爲は債權の目的たる事を否定せられ、債權關係の不成立を來す。後發不能なる行爲は債權の目的から除外せられ、債權關係が他の行爲を目的として存續するか否かば、之亦其の行爲に付き既存利益が存續するか否かの一般問題である。(34)

三　適法である事

行爲の實行が法に依つて是認せられざる場合には、其の行爲に付て法の保護を求める事が出來ない。かゝる行爲を以て債權の目的と爲す事も亦無意味である。故に債權の目的たり得る行爲は、更に法的批判によつて其の實行が是認せられるものでなければならない。

然らば法は何を標準として或る行爲の實行を是認し又は否認するか。人と人との關係が社會的である時、(35)其の關係を保護すべき社會は、單に個人の利益と個人の利益との調和的保護に止らず社會的利益との調和を圖らなければならないので、其の爲め個人意思を抽象し、此の抽象的意思と異る個人の具體的意思の保護を否定して、自己が與へた抽象的保護を單に個人の具體的意思を以て變更する事を許さない。かゝる狀態が其の當時の社會秩序である。(36)此の社會秩序は、其のまま基礎社會に存在すると共に、各種の社會規範に現はれて、確保されてゐる。法は社會秩序を維持すべき任務を果す爲めに、此の社會自體に存する社會秩序及び他の社會諸規範殊に法的規範に最も接近せる道德規範に現れて確保されてゐる社會秩序を法的規範自體に現れしめる。此の法的規範に現れた社會秩序の中、前者は所謂「公の秩序」であり、後者は所謂「善良の風俗」である。更に法は、基礎社會に存在する社會秩序そのものの中、法的保護の必要あるものを選んで法的規範自體によつて確保しようとする。かゝる規定が强行法規なのである。從つて、或る行爲を實行する事が「公の秩序、善良の風俗」乃至强行法規に反せざる時は其の實行は法によつて是認せられ、其の何れかに反する時は法によつて否認せられる。實行が法によつて是認せられる行爲を適法の行爲と呼び、否認せらるる行爲を不法の行爲と呼ぶ。適法不法の觀念は、だから社會秩序及び道德其の他の社會諸規範と法的規範との理想の變移に伴つて變化する點に於て之亦相對的なものである。(37)

不法に付ても、行爲量の一部の不法が行爲全體を不法にするかの問題の生ずる爲めに一部不法なる觀念が作られ、然らば同樣な問題を生じる場合、卽ち其の時期に於て實行する事或は其の場所に於て實行する事の不法な場合をも、此の一部不法の場合に包含せしむべきは不能に付てと同理であるが、元來法は、或る行爲が全體として、換言すれば其の何れの構成分子に於ても、公序良俗・强行法規に反せざるや否やを標準として其の行爲を適法・不法と批判するのであるから、觀念上は存し得る一部不法は、事實上存在し得ない。(38) 然し行爲は、不法なる部分を除却される時、即ち殘餘の適法量又は他の適法なる時期或は場所を其の構成分子とする時適法なる行爲となり得るのであるから、所謂一部不法の場合には、其の不法な部分が除却されて適法な行爲として債權の目的たり得るや否やの問題が生ずる。一部不法の觀念は此處に實益がある。而して此の問題は、一部不能が行爲全體を不能ならしめるか否かの問題と同樣、法の保護せんとする利益が不法なる構成分子に於て存在してゐないか否かによつて解決せられるのである。

行爲が債權關係構成の時に於て不法であるか、――從つて其の行爲が債權關係の當事者たるべき者の法律行爲に基いて債權の目的とせられる場合（即ち所謂債權關係が當事者の法律行爲に因り發生する場合）に限る――又は其の後に於て不法となるか(39)――從つて其の行爲が直接に法の規定に依り債權の目的とせられる場合（即ち所謂債權關係が直接に法の規定に依り發生する場合）をも含む――に從つて、不法にも原始不法と後發不法とがあるとせられてゐる。だが不法が行爲をして債權の目的たる事を得ざらしめるのは、其の行爲の實行が法によつて否認せられ、其の行爲に付ての法的保護の實現を不要ならしめるが爲めである。故に原始不法・後發不法も亦、行爲實行の時に於ける不法が債權關係成立の時に確定してゐるか、又は其の後に於て確定するかに從つて區別すべきである。而してかゝる意味に於ける原始不法は其の行爲をして債權の目的たる事を否定し、後發不法は其の行爲を債權目的より除外する。此の後の場合に債權關係が適法な他の行爲を目的として存續するか否かは、之亦其の行爲に付き既存利益が存續するか否かの一般問題である。(40)

四　債權者の利益の存する事

法が、請求關係を基礎として債權關係を構成するは、請求の對象に付て存する請求者の利益と被請求者並びに其の請求關係に關與する第三者の利益とを調和的に保護する爲めである。故に、請求者即ち債權者が全く利益を有しない行爲を以て債權の目的と爲す事も亦、全然無意味だと云はねばならない。從つて行爲は、最後に、法により保護せらるべき利益が存するや否やの法的批判を受けねばならぬ。

では法は請求者の如何なる利益を保護するか。それは、法的理想を決定する社會觀念が法的保護の必要・價値・可能ありとする利益(41)であることは云ふ迄もない。(42)而して債權關係の構成に於ける法的保護は、先づ債務者との關係に於て債權者の請求を國家的强力を以て保障し、請求その效なき時は債權者は此の國家的强制力によつて行爲の實行を强制し得る事を其の内容とする。(43)だから、社會觀念がかゝる國家的强制力による保護の必要・價値・可能ありとする利益こそ法の保護すべき利益である。かつてローマ法の時代に於ては、債務者が請求に應じない時債權者が國家の力で强制し得たのは、唯利益の侵害に因つて生じた損害を金錢で賠償せしめる事だけであつた。(44)從而も當時の經濟社會は、經濟的價値なき利益の侵害に因る損害を經濟的に評價するに至らず、從つて社會觀念上法的保護の必要・價値・可能ありとせられた利益は、唯經濟的價値あるものにかぎられてゐた。かくして、債權關係と他の社會規範の保護に一任せられた請求關係とは、其處に存する請求者の利益が經濟的價値ありや否やによつて區別せられてゐたのである。此の思想は佛法を經て我舊民法(財產篇三二三條一項)に繼承せられた。然るに法的社會の發達は、經濟的價値なき利益に付ても其の法的保護の要求を盛ならしめ、(45)請求關係に於ける法的規範の支配範圍は漸く他の社會規範の領域に侵入して來た。此の要求に從ひ、法的保護の內容卽ち請求に對する國家的强制力による保障の內容は愈〻充實せられ、債權者は國家の力によつて單に金錢の賠償のみならず或は他の方法による賠償をも强制し得、更に或は請求の對象たる行爲そのものの實行をも直接間接に强制する事が許され、而も他方經濟社會の發達は、如何なる利益殊に經濟的價値なき利益の侵害に依る損害をも經濟的評價を受けしめて、此の要求を助長するに至つた。此處に於て社會觀念上法的保護の必要・價値・可能ある利益は經濟的價値あるものに限らざる事となり、既に此の制限を廢止した獨法の下に於て少數の反對說(Dernburg, Endemann 等)あるも、此の社會觀念は通說として現れ、又我現行民法は債權編の冒頭に明文を以て「債權ハ金錢ニ見積ルコト得サルモノト雖モ之ヲ以テ其目的ト爲スコトヲ得」(一七)せしめたのである。然し、社會觀念上法的保護の必要・價値・可能の有無が單に其の利益の經濟的價値の有無によつて決せられるものでない事は、決して如何なる利益でも法的保護を受ける事を意味するものではない。法的規範は決してあらゆる請求關係を支配してゐるのではない。唯、過去に於ては、經濟行爲に於ける請求關係を規律すべきものとして現れた債權法的規範が、漸く社會の要求に從つて他の請求關係にも侵入し來り、その結果、利益の經濟的價値の有無が、法的保護の必要・價値・可能の有無決定の標準たらざるに至つたに過ぎぬ。法の保護すべき利益は、たとへ可變的・相對的とは云へ、飽くまで當時の社會觀念によつて定まる。法の保護すべき利益に經濟的價値を要求しなければ、法の保護すべき利益の範圍を、從つて、債權關係と其の他の請求關係との區別を決定する事を得ないとする反對說(Colin et Capitant)は、かゝる事實を認識せざる謬說たるを免れぬ。あたかも、確定・不確定、可能・不能、適法・不法の諸概念の相對的なる如く、法の保護すべき利益の範圍の相對的なる事、從つて債權關係と其の他の請求關係との限界の相對的にして絕對標準の存せざる事もまた、債權法が其の基礎を發展してやまざる現實社會に有してゐる事の一表現現象に過ぎないのである。

然らば次に、法は具體的の請求關係に於て法の保護すべき利益の存否を如何にして認識し批判するか。行爲が直接、法の規定に依つて債權の目的とせられる場合には問題を生じないが、行爲が債權關係の當事者たるべき者の法律行爲に基いて債權の目的とせられる場合には、其の法律行爲の解釋に依り、請求者の利益の存否及び如何なる利益が存するかを明かにし（主觀的利益の認識）、更に認識せられた利益が社會觀念上法の保護を受くべきものか否かを見なければならぬ（主觀的利益の客觀的批判）。此の批判に際しては、其の利益に付き法の保護を要求せんとする當事者の意思表示を必要とせず、また之に拘束される必要はない。(47) 蓋し民法第三九九條は、上述の沿革的理由に基く規定であつて、債權の目的を當事者をして自由に決定せしめる意味の契約自由の原則を示してゐる規定と爲すべきではないからである。(48) 然し、當事者のかゝる意思表示は主觀的利益を認識し得る重要な材料と爲し得るから、かゝる意思表示を全然無視するのもまた誤である。(49)

以上によつて認識せられた法の保護すべき利益が、行爲の不能・不法なる構成分子に付き存するか、可能・適法なる分子に付き存するかによつて、所謂一部不能・一部不法な行爲が如何なる影響を受けるかは既に述べた。尤も利益は必ずしも行爲の一分子のみに付き存するとは云へないが、此の問題に付いては夫等各分子に付き存する利益を比較して、(50) 相對的重要なる云はゞ中心的利益によつて解決すべく、相對的重要ならざる云はゞ附隨的利益は、たとへ可能・適法な分子に付き存するも默殺され、たとへ不能・不法な分子に付き存するも可變的に存續せしめられるのである。

（註1） 作爲・不作爲、可分・不可分等。

（註2） 保護すべしと言ふ點に於ては同樣であり、唯如何に保護すべきかが異るのみ。

（註3） 種類の問題であつて要件は別の問題である。

（註4） 他の行爲例へば賠償が問題となり、變更のまゝ存續することがある。この問題と、かゝる債權關係の發生を目的とする法律行爲の效力の問題とは別であるが、多く混同されてゐる。

（註5） 例へば家を建築すると定まつた上では、更に如何なる家を如何なる時如何なる場所に建てるかが定まらなければ、保護の實行は出來ない。

（註6） 特定してゐなくてもよいからである。

（註7） これが保護の實現される時である。

（註8） その行爲が債權の目的である。構成分子といつたのは、條件といつたよりも廣い意味である。

（註9） 確定 ⎰ 特定—Individualisierung, Spezialisierung.
　　　　　⎱ 全條件の確定—Bestimmtheit.

（註10） 債權・債權關係・債權の目的が法律行爲から發生するのではなく、法律行爲に於て示された意思に於ける力・關係・對象が法により債權等とせらるるのである。

（註11） 保護の實現を目指して規定を設け、この規定を解釋すればよいのであるからである。若し社會觀念上解釋し得ない

とすれば、それは債權關係の否定であり、債權の問題ではなくなる。

（註12）民法四〇一條以下に該當せざる不特定・不確定の債權の場合であつて當事者の意思の明かでない時の如き。

（註13）請求はその被請求者の行爲の實行を俟つて目的が達せられる。實行し得ない時には何等の利益もない。

（註14）物理學、論理學自體の相對性は不能をも相對的ならしめるが、かゝる學を前提とする範圍では絕對的である。

（註15）Hartmann の Notwendigkeit des Geschähens.（不發生の必然性）。これに對して rechtliche Notwendigkeit des Geschähens があるわけである。

（註16）通常用ひられる例、海洋中の寳石の給付。

（註17）物理的乃至論理的不能の場合は法上も不能となるが、前者は法的に不能である事を示してゐる材料たるに過ぎない。

（註18）獨普通法より獨法時代の通說。

（註19）少數說、我國の通說。

（註20）盜まれた物の給付。

（註21）反對（不法と異る）——Savigny. 强行法に反する行爲も夫自體不能ではない（輸出禁制品の輸出行爲）とすれば、債權者の所有物の所有權を債權者に與へることも不能ではなく、唯法が一物に二箇の完全な所有權を認めないから不法となり從つて不能となるに過ぎない。

（註22）給付の物體の燒失など。können nicht に對する dürfen nicht.

（註23）不能としたのではなく、唯不法としてゐるに過ぎないから、既に不能なりや否やにつき批判濟みであるとすることは出來ない。

（註24）債權成立前が履行期であるとき又は履行期が空過した場合。

（註25）例、交通遮斷、家を建てる場所が沼地になつたとき。

（註26）時間的一部不能及び空間的一部不能は量的一部不能である。

（註27）全部なるが故に利益あり、故に保護すべきである。

（註28）時が重要で量はどうでもよいとか、場所が重要で時は重要でないとかいふ場合。

（註29）不能と時との關係。

（註30）實は法律行爲に基き法が債權關係を形成するのである。

（註31）直接に法の規定による場合には、原始不能はない。法は其の實現を期して即ち行爲の實行の可能を前提として債權の目的としたからである。若し原始不能ありとすればそれは債權關係の否定である。

（註32）「法律行爲の時」とする説があるが、之は法律行爲の目的の可能・不能（效力）の問題と債權の目的の可能・不能（效力）の問題とを混同するものである。

（註33）不能となる事が分つてゐるのに履行期迄待つ必要がないし（今や破損せんとする家の給付）、可能となる事が分つてゐるのに直ちに不能を理由として不能の效果を主張せしめるべきではない。これは債權法の理想（信義則等）の現れである。

（註34）履行不能の問題。

（註35）社會員としての個人間、個人と團體間、社會員としての個人と團體間等。その個人は社會の代表者であり、その利益は社會的利益の代表である。

（註36）個人意思で攪亂してはならぬと一應固定せるところに秩序が生ずる。

（註37）適法・不法の階級性。

（註38）即ち一部不法は全部不法である。一部不能は實際上もあり得るけれども。

（註39）法令の變更・改正、公序良俗の變化（法的批判の變化）。

（註40）結局不能の問題であり、不能原因は問はない。

（註41）社會が法によつて保護して呉れと要求する此の要求の現れである。

（註42）社會が國家である時、即ち債權法が國法である時に國家的强制となり、社會即ち國家が强制するのである。

（註43）强制執行。國家が强制を爲すのであるが、此の國家的强制を要求し得るが故に此の力を借りて債權者が强制する事となる。

（註44）物を引渡す事を强制したり、勞働を强制したりする事は出來ぬ。未だ直接的支配の補充としてのみそれが認められ、更に金錢的滿足で充分であつたのである。金錢的强制以外は法外の規範上の事であつた。

（註45）こゝに述べたことについては、Stammler, Das Recht der Schuldverhältnisse in seinen allgemeinen Lehren. 1897. 參照。

（註46）かゝる規定があり又上述の制度あるが故に金錢的利益に限らぬとするのではない。金錢的利益以外の利益保護の要求（事實）が制度及び規定を生み、その結果として金錢的利益に限らぬ事となるのである。

（註47）通說はこれに反する。

（註48）石坂博士は此の說を一部分的にとられる。

（註49）末弘博士、現代法學全集。

（註50）比較者は法、法的理想、社會觀念であり、比較の標準は法律行爲及び法規の解釋である。

第二款　債權關係の構成に於ける法的保護の內容

法が債權關係を構成して、夫に關與する人々（債權者・債務者・第三者）の利益を調和的に保護する爲めには、債權者をしてどの程度迄請求を實現[1]せしめるか[2]、債務者をしてどの程度まで拘束を受けしめるかを法的理想に從つて決定するを要し、此の決定は先づ債權者對債務者の間に於て爲されたが、次いで債權關係に第三者の關與するや、此の第三者との關係に於ても爲される必要を生じ、然も此の必要は債權の財產化に由つて第三者の關與を增進するに至つて益々顯著となつて來た。かくして法律關係として表現せられた社會關係は、債權關係を中心として債權者と債務者との間の內部關係、及び債權者債務者と第三者との間の外部關係に岐たれてゐる。

近代個人主義民法は、權利本位の立場に立ち先づ權利者の利益保護に出發した。從つて我が債權法も主として債權者の側に立ち、以上の法的保護の內容を多くの場合債權の效力乃至內容として展開してゐる。法的理想の變移はかゝる規定態度に對する再批判を要求しつゝある。


(註1) 請求に對する保障(確保)並びにその實效。

(註2) その程度迄實現し得る所に債權者の利益の保護がある。

(註3) それ以上には拘束を受けない所に債務者の利益の保護がある。

(註4) 詐害行爲取消權、代位權(債權者が債務者に代つてその權利を行ふ)。

(註5) 一般財產不可侵と同樣なる不可侵。第三者の利益はその程度の干涉迄責任を負ふと云ふやうに消極的に保護されてゐる。

(註6) 民法總則は權利論である(主體・變動・取得等)。

(註7) 債務者及び第三者は、どれだけ債權者の請求に服從すべきであるかといふ態度。

第一項　債權關係の内部關係に於ける法的保護の内容

第一、債務者に對する請求的利益の保護

債權關係の構成に於ける法的保護は、先づ債權者が債務者に對する請求に於て有する利益に向けられる。

一　法は、債權者の請求的利益を保護する爲め其の利益を實質とする請求力(1)を基礎として債權なる權利を作る。だから、債權は請求權能(2)を其の内容とする。此の點に於て債權は、支配權能を内容とする支配權殊に物權や、形成權能を内容とする形成權に對し、權利概念中特殊の領域を有してゐる。

あらゆる目的の爲めに存する請求的利益の保護の爲めに、請求力を獨立の權能として構成せられた一切の權利は、請求權なる概念に統一せられてゐる。(3)然らば請求權は、單に債權をその内容より觀た別名に過ぎぬ。何故なら、構成に於て保護せられるべき請求的利益も社會的必要上如何なる目的の爲めに存するかを問はないからである。卽ち、

A、債權はつねに請求權である。債權に尙請求の結果得たものを保持する消極的な内容ありとし、債權は請求權なくして存すと爲す學說(4)は、請求的利益ある故に債權が構成せられた事實を沒却し、債權を觀念的に先在せしめる觀念論的誤認である。(5)其の所謂消極的内容は、請求の結果得

た權利の效力に過ぎない。

B、請求權ある所につねに債權がある。(6) 請求關係は各種の生活關係に於て認められ、從つて請求權は物權、親族、相續の諸關係からも發生する。即ち或は物權的請求權、或は身分上の請求權。之等の諸請求權は、或は支配の妨害を排除する爲めとか、或は親族・相續關係に基礎し之を維持する爲めとか夫々特殊な目的の下に夫等諸關係に基いて派生的に發生するものである。然し目的の特殊性は、單に請求自體の爲めに存する請求權に於けると法的保護の內容を異ならしめるに止まり、(7) その爲め之等の請求權を債權概念から排斥して、存在目的如何に拘らず請求的利益を保護する爲め構成せられた債權に於ける法的保護を全く否定する必要はない筈である。否却つて目的の特殊性に基く特殊な保護の存せざる限り債權としての保護を受けしめる必要があり、其の爲め唯夫等の請求權を債權概念中の特殊なものとして認めれば充分である。かくする事によつて債權に關する規定は特別の規定なき限り夫等の請求權にも適用せられ、かくて夫等諸求權に於ける法の保護は完備する。

法により保護せられる請求的利益は、既述の如く必ずしも經濟的價値ある事を要しない。然らばかゝる利益を保護する爲めに作られた債權は財產權であるか。此の問題は、財產權と非財產權との對立の不明瞭の爲め爭はれて來た。(8) 然し此の對立概念も、單に觀念上でなく如何なる社會的要求に從つて作られたものであるかを觀る時、自ら明かとなるであらう。財產權は財產保護の爲めに作られた權利である。此の財產の保護を求める社會的要求は、財產をして如何なる法的保護を受けしめてゐるか。それは結局財產の經濟上の價値乃至使用價値に着目して、かゝる價値なき利益に對すると異なる法的保護である事は容易に認め得るであらう。(9)卽ち財產權と非財產權とは、其處に存する利益に經濟的價値あるか否かによつて、差異ある法的保護を要求せられた結果作られたものと云はねばならぬ。從つて經濟的價値なき利益保護の爲め作られた債權は當然非財產權の範圍に包含せられるべきである。債權を凡て財產權なりとする說は、債權夫自體が、たとへ經濟的價値なき利益を實質とする時でも、一種の財產として經濟的價値を有する事あるの事實と混(10)同してゐるものである。(11)卽ち債權も財產として保護せられ財產權の客體となる事あり、此の意味に於て債權には財產的性質があると云ふのはよいが、債權は凡て財產權であると云ふ事は出來ない。而してかゝる非財產權たる債權に付ては、利益の經濟的價値なきにことに基く特殊な取扱を除く他、財產權たる債權と同樣な法的保護を受けしめるべき事は之亦云ふを俟たない。(12)

二　請求的利益は、債權者が債務者に對する請求に於て有する利益である。故に請求的利益の保護は當然に請求力に對する債務者の被請求拘束を基礎とする債務なる義務の構成を來す。(13)從つて債權は先づ債務者たる特定義務者に對する權利である。卽ち、債權の充實性は此の特定義務遂行に因つて發揮せられる。此の意味に於て、換言すれば一般人が不可侵義務を負ふ事は別問題として(14)、債權を相對權であるとすることは差支へない。此の點に於て債權は、唯、不可侵義務を負ふ一般人に對すると云ふ意味に於ける支配權殊に物權と對立して、權利概念中特殊な領域を占めてゐる。

債權(15)と物權との相對權對絕對權の對立は、一方が請求權能を內容とする請求權であり、他方が支配權能を內容とする支配權である所から生じるのである。即ち債權は人を客體とし其の人の行爲を請求する力であるに對し、物權は物を客體とし其の物を直接支配する力であるからである(16)。然も此の對立は債權と物權とに於ける法的保護の內容を次の如く異ならしめてゐる。即ち、(A)支配の保護は、獨占的卽ち排他的保護なる事を要求される。從つて同一物に付き同一內容の複數の物權の同時存在(17)を認め得ない。之を物權の排他性と云つてゐる(18)。私有財產制度維持の爲めである。かくの如く物權に付いてはその存在の時が重要となるから公示制度が設けつれてゐる。債權にはかゝる意味の排他性はない。同一債務者の同一行爲を目的とする複數の債權が同時に存在し得る。請求は他人の共力を仰ぐ自己の生活發展の努力であり、かゝる努力は人々の自由競爭に於いて爲さしめるが社會發達に適すとする思想の要求した所である(19)。從つて、(B)同一物に付ての同一內容の複數の物權には、成立の時に從つて順位を生ずる。之を物權の優先效(Vorzugsrecht)

と云つてゐる。債權にはかゝる優先效なく、同一債務者の同一行爲を目的とする複數の債權間には成立の時に從つた順位は存しない。自由競爭を支持する制先主義[20]が認められ又同時に行使される時は、債權の目的の割合による比例主義（配當主義）が行はれる。更に、（C）物權に於ては支配するものの所在迄其の支配が延びる。之を物權の追及效（Verfolgungsrecht）と云つてゐる。これ物權の排他性・優先性の結果であつて、法的保護上物權的請求權となつて現れてゐる。排他性・優先性なき債權は從つてかゝる意味の追及效を有しない。給付の物體が債務者以外の者の支配する所となるも、其の者に對して請求する事を得ない。唯後述する如く、不可侵性として現れた排他性に基き債權を侵害する者として第三者にその物の支配を債務者に移轉せしめ得るに過ぎぬ。最後に、（D）同一物に付き、夫を給付の物體とする債權と夫を支配する物權とが同時に存在する時物權は債權に對して優先する。卽ち物權の優先效は、更に債權との間に於ても存する（破產法九二條以下の別除權、八七條以下の取戾權。民訴五六五條、五四九條）。物權は現在の且つ直接の支配であるが、債權は將來の支配努力であり、現在では他人を通じての間接な支配であるからである。——以上の債權と物權との對立は元より相對的なものである。卽ち占有權は純然たる靜的支配であつて利用的支配[21]をなすものでない事を理由として排他性を認める必要がなく、從つて優先效を有しない。又先取特權は債權の確保たる性質殊に強く、從つて其の順位は必ずしも成立の時に從はない(三二九條以下、殊に三三二條)。他方經濟社會の發展は益々債權と物權との概念的對比を失はしめて行く。即ち一方に於て、用益物權は元來物權者たる不動產利用者の利用的支配保護の爲め設定せられたものであるが、次第に小作料・地代等を利用者より取得せんとする事が重んぜられ、(22) 土地を利用的に支配せしめるよりもかゝる債務を負はしめる事に於て意義を生じ、又擔保物權も債務者に債務の目的たる行爲實行の心理的强制を加ふる爲めに債務者の財產を支配すると云ふ擔保的意義より進んで、其の財產に付き優先辨濟を受けようとする事が重要となり、(23) 物權の債權的性質は極めて濃厚となつた。他方に於て、法上對當なるべき經濟的支配者たる土地建物の貸主に對し借主の地位を保護する爲め、債權的な利用を支配的利用たらしめる目的を以つて、不動產賃借權に排他性を與へ、物權をして之に優先せしめざらしめるに至つた。(五八一條二項、六〇五條。建物保護法一條。借家法一條)。かくの如く物權の債權化・債權の物權化により、概念上區別せられた債權・物權は事實上漸く接近せしめられつゝある。殊に此の後の現象は、物權たる地上權と賃借權とを統一した「借地權」なる概念の發生に於て現れてゐる(借地法一條)。

(註1) 請求力は請求的利益を主張(保護を求める)する力である、力は形體であり、利益は實質である。

(註2) 權能 Rechtsbefugnis (法的力)――但、獨立的な即ち統一的な力とせられてゐるのではない力。例、所有權――使用權能。

(註3) Anspruch――Windscheid がローマ法の actio の分析より發見したものである。

（註4）　獨法上の自然債務は請求權なき債權ではなく、國家的强制力ある請求權なき債權である。請求權なくして單に給付（利得）保持の力なりとするけれどもこの力は請求保護の確保である。

（註5）　債權觀念を先在せしめ、之を分析するのみ。歷史性の沒却である。

（註6）　債權以外の請求權を認めるのは通說であるが、之は夫等の請求權が他の特殊な關係に基礎する故特別な性質を有し從つて觀念上これを債權と同一視しないからである。しかし問題は保護の必要にある。

（註7）　物權的請求權は原狀回復を內容とし、從つてそれは物權者に從屬する。

（註8）　財產權は人身權以外のもの（身分關係を除く一切の法律關係）と金錢的價値を有するものとを含むとする。

（註9）　損害賠償額を決定したり、强制執行をしたり、訴訟物の價額を算定したり、裁判所の管轄を定めたりするに付て此の經濟的價値の有無が標準になつてゐる。財產權が處分し得るとか、讓渡し得ると云ふのは、かゝる交換價値・使用價値ある結果である。然も財產權に於ても特殊の理由により讓渡し得ないものがある（四六六條但）。從つて上の事柄は標準となし得ず、單なるその認識の材料に過ぎない。

（註10）　物權でも同樣である。經濟的價値なき利益から作られた債權が債權としての存在を持ち、それから經濟的價値を生ずる事がある。

（註11）　獨逸では債權は財產權に限られてをり、而も債權中には金錢價値無きものも入れなければならぬから、そこで財產權の概念が、處分云々とか身分關係以外だとか說かれたのである。

（註12）　强制履行、金錢賠償、擔保等凡てこれをなし得る。

（註13）　權利には充實性（物權では支配してゐること自體でよい）と排他性とがある。

（註14）　唯、先づ特定義務者の存する點に於て相對的と稱ぶことは正當である。一般不可侵義務者に對抗し得ることは別のことである。

（註15）債權と物權との比較。

（註16）客體と內容との差、殊に給付の物體が物である場合に注意しなければならぬ。

（註17）こゝに存在を明かにするための公示制度が生じる。

（註18）故に相容れる內容の物權――所有權と制限物權――は許される。所有者が自己の所有物を勞せずして利用する故私有財產制に反せず。

（註19）單に債權に排他性なく、物權に排他性ありとの認識のみでは不充分であり、更に何故さうでなければならぬかを探求しなければならない。

（註20）Prinzip der Prävention.

（註21）用益、擔保何れも利用である。所有權は現在に於ては靜的であらうが夫自體使用・收益・處分する事を將來的に含んでゐる。

（註22）支配と債務との結合したものであつて、次第に後者が重要となる。

（註23）支配と優先辨濟との結合したものである。以上何れも、地主・債權者の經濟的强者の立場から生ずるところである。

第二、債務者に對する請求の確保

一　次に請求的利益の法的保護は、先づ債務者をして出來るだけ請求に應じて債權の目的たる行爲を實行せしめ以て其の請求を確保する事を內容としてゐる。此處に各種の制度が生まれ、何れも債務者に對する心理的强制の作用を有する。(1) 請求關係が債權關係に構成せられる意義は、先づかゝる諸制度を背景とすることに因つて、請求が心理的强制を包含するに至る所にある（所謂債權の形式的保護)。之等の諸制度の中主なものは次の如くである。

A、直接的に心理的强制の作用を有する制度として、(a)違約金、重利(四〇五條)、契約解除權(五四一條、五四二條)等がある。契約又は直接法の規定上これ等の制度が具體的に存在する時、債務者は、違約金の請求、重利の負擔を免れ又は契約の解除を受けざらんが爲めには債權の目的たる行爲を實行せざるを得ざる心理的强制を受ける。更に、(b)或る種の物的擔保がある。契約又は直接法の規定によつて具體的な夫等の擔保物權の存在する時、債務の目的たる行爲の實行なき限り、債權者の支配(留置)を解く事が出來ない(二九五條、三四七條)[2]場合がある。

B、やゝ間接的な心理的强制作用を有する制度に、同時履行の抗辯(五三三條)、相殺(五〇五條以下)等がある。之等の抗辯を受けざらんが爲めには、債務者は先づ自己の負擔する債務の目的たる行爲を實行すべきは云ふを俟たぬ。

C、更に心理的强制の間接的な制度として、損害賠償と、次段に述べる國家强制力による保障制度とがある。債務者は債務の目的たる行爲を實行しない事によつて當然に債務を免れるものではない。債權を侵害したものとして損害賠償なる民事責任を負ひ、更に本來の債權の目的たる行爲自體又は損害賠償たる行爲の實行を國家的强制力によつて强制せられる。此の責任を免れ此の强制を受けざらん爲めには債務者は債權の目的たる行爲を進んで實行しなければならないが爲め、債務者は此の兩制度によつて極めて間接的ながら、又、心理的强制を受ける。

二　法は請求的利益に對する法的保護としての請求の確保の爲めに、上述の如く、債務者に對し債權の目的たる行爲を實行すべき心理的强制を加へるのみならず、他面債務者の債權の目的たる行爲の實行力（卽ち辨濟力或は履行力）を充實して債權保全を圖つてゐる。(3) 何故なら、實行力の充分でない債務者に對して其の行爲の實行を請求し又强制しても、結局充分なる實行を得られない故に、かゝる債務者に對する請求的利益をたとへ形式的に保護しても無意味であるからである。かくして此處に又各種の諸制度が生まれ、請求關係が債權關係に構成せられる意義もこの保全作用によつて充實する（所謂債權の實質的保護）。之等の諸制度の中の主なるものに、

A、先づ、債務者が其の實行力を不充分ならしめる場合にそれを防止する爲め債務者と第三者との間の生活關係に干涉する必要上認められた債權者代位權（四二三條）と、債權者取消權（四二四條以下）がある。かくて、債權關係の構成に於ける法的保護は內部關係より外部關係へと延びて來る。

B、次ぎに、他の債權者に對する實行を排斥して自己のみ優先的に實行を得る必要上認められた物的擔保（三〇三條、三四二條、三六九條）がある。尙社會的必要上其の要求に從つて漸く法上認められ來つた賣渡擔保(4)も之に屬する。

C、更に、同一行爲に付き複數の債務者をして債務を負擔せしめ實行力を擴張する必要上認められた連帶債務、保證債務の如き對人擔保(四三二條、四四六條、四五四條、四五六條等)がある。

三　請求的利益の法的保護は、請求の確保に於て以上の二方向に其の內容を展開してゐる。かくて本來の債權の目的たる行爲に付ての請求權のみを內容としてゐた債權から、其の效力として、違約金請求權、重利請求權、契約解除權、同時履行の抗辯權、相殺權、債務不履行に因る損害賠償請求權、訴權、强制執行請求權、債權者代位權、債權者取消權等が生まれる。而して最後に債權者が請求の結果取得した物を保持する力は、たとへ請求により得た權利自體の效力とは云へ、尙債權の延長されたる效力として請求的利益の法的保護の內容に加へる事によつて、請求の確保はその終を全うする。(5)

(註1)　請求夫自體は强制でなく、拘束を生じるのみ。請求にその確保（背景）が加つて心理的强制となる。

(註2)　抵當權は占有をうつさない。

(註3)　いくら履行せしめんと努力しても、履行する力が爲ければ役に立たぬからである。

(註4)　明治三九・一〇・一〇大審院判はこれを否定し、大正四・五・一二大審院判例はこれを肯定する。この制度の認められる理由は、(イ)不動産以外に抵當權を設定せんとするため(賣渡擔保)、(ロ)占有の移轉なくして質權を設定せんとするため(賣渡質)、(ハ)物權法の規定の窮屈なるため、又は(ニ)所有權移轉により債權をより確實にするためである。

(註5)　この利得保持力を債權そのものの內容とするのは謬說である。

第三、債務者に對する請求の國家的强制力による保障

請求的利益の法的保護は進んで債務者に對する債權者の請求を國家的强制力によつて保障する事を必要とする。

一　法は社會的（＝團體的）强制力によつて服從を强制する社會規範であり、法が國法即ち國家の法である限り、それは國家的强制力によつて維持せらるるものである。規範としての法の内容に於ける特異性は、此の强制的性質にある(Kruilenko)。[1]法的保護とはかゝる國家的强制力を以つてする保護であり、請求的利益を保護する爲めに請求力を基礎として債權を作る事は、かゝる國家的强制力を以つて債權者に對する請求を保障する事に他ならぬ。[2]此處に法的保護の法的保護たる主たる特色があり、債權と、社會觀念が未だ法的保護の必要・價値・可能なしとする單なる請求力との差異がある。否、此の國家的强制力による保障の必要・價値・可能の有無こそ、請求力を以つて債權とすべきか否かの決定的標準なのである。[3]

然らば請求に對する國家的强制力による保障は如何なる程度迄爲されてゐるか。强制は夫自體否定（法違反、權利侵害）を前提とし、此の否定を否定する（違反、侵害の排除）作用である。故に先づ此の保障は債務者が請求に應ぜざる場合に始まる。かつてローマ法の時代に於ては自力救濟に放任せられ、債務者が請求に應じない時でも債權者は唯自分の力で强制する事が出來たに

過ぎなかつた。即ち請求は單なる私的强制に轉化したのみであつた(十二表法參照)。此の思想は一時佛法に繼承された(民事拘束制度 contrainte par corps)が、國家の力が漸く强大なるに從ひ、現代に於いては、自力救濟制度の廢止と共に、債權者は國家の强大なる力を借りる事を許されるに至つた。權利保護請求權(Rechtsschutzanspruch)(4)が之である。國家は此の請求に從ひ、債權者の請求に應ぜざる債務者に對して實行すべき行爲を命じ(裁判)、更に此の命令に基いて(5)、債務者の意思如何に拘らず國家公力に依つて執行する(强制執行)。かくて私法は公法により、實體法は手續法により支持せられ(6)、請求が常に公的强制を伴ふ事により、單なる私的な請求力であつた債權は、民法、民事訴訟法のみならず、刑法、刑訴訟法、其の他の公法、更には憲法による保護を受け、かゝる國家的强制力の保障によつて一個の武裝せる公的强制力として把握せらるるに至つた。即ち社會的力たりし請求力も亦、決して其の儘の姿で法的規範に現れたのではなかつたのである。

二　上に述べた所より明かな如く、債務は決して社會的拘束が其の儘の姿で法上に現はれたものではなかつた。社會に於ては單なる被請求拘束として、實行當爲(Leistensollen)に過ぎなかつたものが(7)、法上は更に其の實行なき場合債權者の力とか、國家の力とかで其の實行の强制せられるものとなつた。此處に於いて或る當爲に對しかゝる强制を爲すべきか否か、どの程度迄爲すべきかを決定せん爲め、此の被强制狀態から一種の責任(8)(Haftung)なる概念が生れた。卽ち實行せざる者に對して實行を强制する爲めには、其の者自體又は其の財產に對し、侵犯(9)(又は攻擊)を加ふるを要し、强制せられるとは自己又は其の財產がかゝる侵犯に服してゐる事であり、かくてかゝる人又は財產は、債務の目的たる行爲の實行なき場合に之に代り立つもの(10)(Einstehen)或は債務の擔保(廣義)となつてゐるものと認識せられ、かゝる狀態が責任として把握せられて債權觀念から分離するに至つた(古代ゲルマン法)。而して現代に於ける法的强制は、國家の力により卽ち裁判に基く强制執行により爲され、而も對人執行は原則として之を認めないから、かゝる責任概念は、或る財產が强制執行を受けるべきものとして或る債權の擔保になつてゐる事との內容を與へられてゐる(11)。

然らば債務と責任との上述の如き沿革的理由に基く觀念的分立は、現代の法的現象に於いて如何に現れてゐるか。此の認識に關しては、從來相矛盾した二學說が存在してゐる。而して此の矛盾は、法的現象に於いて債權と責任とが分離しつゝ結合せんとし、結合しつゝ分離せんとする矛盾した事實(12)そのものの現れに他ならぬ。先づ債權と責任との觀念的分立を前提とする學說は、(a)先づ主體に關して債務と責任とが同一人に歸屬してゐる通常の場合のみならず、甲は債務のみを負擔し責任は乙にある場合(例へば、後に述べる甲の自然債務を乙が擔保してゐる場合(13))と、甲は責任のみを負擔し債務は乙にある場合（例へば、乙の債務に付き甲が質權を設定した場合(14)）とを認める。之等の場合には、何れも少くとも主體的に即ち主觀的に債務なき責任、責任なき債務の存する場合と見られ得るが、進んで、（b）客觀的にも責任なき即ち何人も責任を負はざる債務の存在を認めやうとする。即ち、（イ）債務と責任とが其の範圍に於て一致し、債務者は債務の全範圍に付き其の全財産(15)を以て責任を負ふ原則の場合（佛民二〇九二條參照(16)）のみならず、債務と責任との範圍の一致しない場合をも認める。前の責任を無限責任、後の責任を有限（限定）責任と稱してゐる。有限責任には、量的（又は人的）有限責任（又は定額責任）、即ち債務者が債務の一部に付き其の全財産を以つて責任を負ふ場合の責任（例へば、有限責任社員の責任商法一〇四條、一〇八條、一四四條、鐵道運輸規定四八條、郵便規則八九條等の責任など）と、物的有限責任、即ち債務者が債務の全範圍に付き唯特定の財産を以つて責任を負ふ場合の責任（例へば、限定承認を爲した相續人の責任一〇二五條、其の他、商法二七七條、三六七條ノ二、五四四條等の責任など）とがある。かゝる有限責任の存する場合には、債務は少くとも其の一部範圍に於て客觀的にも責任を伴つてゐない場合が生じる。更に、（ロ）債務が其の全範圍に於て客觀的に責任を伴はない場合をも認めようとする。而して既述の如く、現代に於ける責任は、裁判に基く强制執行を受ける事を其の内容としてゐるのであるから、客觀的に責任を伴はない債務とは、夫に付て強制執行を爲し得ざる債務、更に遡つて國家に訴へる事の出來ない債務であり、畢竟訴權、强制執行請求權の伴はない債務に他ならぬ。換言すれば國家的强制力を以つて保障せられざる債權に對する債務である。此處に遠くローマ法以來かゝる保障の存する所謂法定債務に對する自然債務(obligatio naturalis)なる概念が作られ(17)、佛民法(一二三五條)獨普通法、我舊民法(財產篇二九四條、五六二條以下)に於て認められた。而して此の說に從ふ學者によつて從來自然債務に屬するものとして揭げられた例に次の如きものがある。時效完成後の債務(七〇五條、五〇八條、獨民法一九四條一項(18)、ロシア民法四四條以下參照(19))、利息制限法の制限超過の利息、不法原因の債務(七〇八條參照)及び債權關係の當事者の特約に因り、訴權、强制執行請求權の拋棄せられた債務。然も之等自然債務に對する債權は、たとへ國家的强制力による保障なしとするも尚其の他の法的保護を受けるが故に、自然債務も亦債務であるとする。最後に、(c)客觀的にも債務なき卽ち何人も債務を負はざる責任をも、根抵當卽ち將來の債權の擔保に於て認めようとするが(20)、觀念上たとへ債務と責任とは分立するとは云へ、責任は債務を伴ふものとして既に責任觀念の中に債務の存在が前提せられてゐる事を理由として、法的現象上かゝる客觀的に債務なき責任の存在を否定するのが通說となつてゐる。而して彼の根抵當に於ける責任自體も、將來の責任、換言すれば未だ現實に存せざる責任として解してゐる。卽ち現在存するは、債務發生の客觀的基礎とそれに伴ふ責任發生の客觀的基礎とに過ぎぬ。以上の學說に對し、債權は債權たる以上公的强制力であり、從つて債務は當然觀念的にも責任を包容するとの前提の下に立つ學說は、先づ、（a）兩主體の異る事のあるは之を認めるが、之は例へば第三者の擔保によつて債權の擔保力を强大にする如き特別な理由に基くので決して責任をして債務から遊離せしめるものでないとし、進んで、（b）有限責任の存する場合は債務自體制限せられてゐるのであつて、其の制限外に於いて客觀的に責任なき債務部分が存在するのではないとし、從つて客觀的に全然責任の存せざる自然債務の存在の否定に努力する。卽ち、時效完成後の債務に付ての實行は時效の拋棄であり、其の債權を以つて相殺し得るは公平の爲めであり、制限超過の利息、不法原因の債務に付て實行したものを取戾し得ぬは不法原因者を保護せぬ趣旨による。(21) 所謂自然債務は、法定の債務であるか又は全然債務でなく、此の後者に於て債權的な效力を生じるのは、上の如き特殊な理由に基くのであるとする。唯當事者が特約を以つて訴權・强制執行請求權を拋棄するは有效であるとせざるを得ずして、此處に此の學說が矛盾乃至不徹底を示してゐる。惟ふに、法が單なる請求力を其の儘の姿でなく、之に公的强制力を附加して法上に現はしめるのは、其の基礎社會に於いて債權者の請求的利益を法によつて保護する爲めには其の請求を公的强制化せしめる必要ありとして、それを要求するからに他ならぬ。故に又、法は社會的要求ある限り、請求力の一部又は全範圍に付て公的强制力を否認しなければならぬ。かゝる法の任務が、法的現象上責任が或は債務の全範圍に付て存し、或は其の一部又は全範圍に付て存せざる事實を發生せしめるのである。[22] 而して現代の具體的な法的現象に於いて、請求力が訴權・强制執行請求權を伴はずして法上現れてゐるのは事實である。[23] 之等の請求力は何であるか。若し、觀念上爲され得る債務と責任との分立を前提として之等の請求力も當然債權であるとするのが觀念論であるなら（第一の觀念論）、債權は必ず公的强制力でなければならぬとの前提より、之等の請求力を當然債權概念から放逐するのも亦單なる觀念論に過ぎないであらう[24]（第二の觀念論）。何れの論を採るも、かゝる具體的事實に對する說明はつく。[25] 然しその說明は、既に出發點に於て誤つてゐる以上無益な觀念の遊戲に過ぎぬ。われわれは、かゝる事實の基礎を爲す社會的要求の認識から出發しなければならぬ。而してかくしてこそ容易に正しい結論に達するであらう。卽ち、夫等の請求力がたとへ公的强制力なしと雖も尙法上に現れてゐる事實は、社會觀念が、夫等に付て法的保護の必要あり・價値あり・可能ありとして法の保護を求めてゐる事を示してゐる。然らば、夫等の請求力は尙ほ法的保護を受けるものであるから、而して債權と單なる請求力との區別は法の保護の下に於かれてゐるか否かによつて定まるのであるから、他の社會規範の下にある請求力と對比して、たとへ第一論に云ふ意味に於いてでなくしても、第二論に於けるが如く之を債權概念から排除する事は出來ないであらう。[26] 第二論が非債權とする請求力から債權的效力の生ずる理由として掲げた特別理由こそは、社會が法的保護を要求するに至らしめた理由であり、又第二論が訴權・强制執行請求權抛棄の特約を有效とせざるを得ざるに至つたのは、かゝる特約の集積に基いて法的保護の社會的要求が發生したからである。而して以上の債權は、社會が公的强制力を要求する時其の保護が完備し、社會が法的保護を要求せざるに至る時單なる請求力となり、恰も債權と社會的力としての請求力との中間にあるものである。社會的要求に從つて、法的保護の手が此處迄延びたのである。[27] 卽ち債權の擴張、法規範の擴張である。[28]

（註1）　その發生・發展に於ては、上部構成として卽ち生產關係の反映として、他の規範に於けると大きな差異はない。

（註2）　法から强制力を除けば何が殘るか。それをしも法と云へるか。違反ある所に法があり（法の否定）違反を除く力（否定の否定）がなければ法と云へぬ。——此の問題は何が强制力によつて保護されて來たかの問題に轉化する——法の階級的內容。

（註3）　此處に法の階級的內容がある。何者が此の必要ありと見るのか。何を保護する爲めに必要と見るのか。法を支持する者は誰であるか。

（註4）　訴權及び强制執行請求權。

（註5）　各種の執行名義（確定判決等）。

（註6）　其の歷史性に於て把握する時、先づ私法が生れ、之を擁護する爲め公法が生まれた。

（註7）　從つて債務者が實行せざれば sollen として何時迄も續く代りに債權者は如何ともなし得なかつた。

（註8）責任は之に限らぬ。民事責任の他に、各種の義務負擔責任、刑事責任等がある。故に一種の責任（不利益を蒙るべき狀態）である。

（註9）Zugriffen (Zugriffsrecht).

（註10）Stare et obligari pro debito

（註11）國家の侵犯を受ける財産。

（註12）社會的要求に從つて、請求力（＝債權）に公力（＝責任）が加へられた。故に債權は責任を伴ふものとなつてゐる。「債權は責任を伴ふものである」と見るは此の事實を轉倒したものである。

（註13）自然債務には責任がない。擔保設定者は責任を負ふ。債務を負ふか否かは別である。

（註14）甲は其の質物が債務の擔保になつてゐるから其の質物の範圍で責任あり。乙に責任あると否とを問はない。

（註15）現在及び將來の財産。

（註16）原則であるため我民法等には明文の規定がない。

（註17）だから自然債務は、訴權なき債務、强制執行し得ざる債務、訴により强制せられざる債務、又は責任なき債務などと言ふも何れも同樣である。

（註18）時效にかゝるのは債權でなく Anspruch（訴權）である。

（註19）時效で消滅するのは訴權である（訴權の時效なる節を設け、權利の時效とせぬ）。殊に四七條は時效完成後の辨濟は債務者その完成を知らなくても返還を求め得ぬものとする。

（註20）先づ擔保即ち責任の存する場合である。

（註21）かゝる理由は學説によつて必ずしも一致してゐないが、努力の方向は同じである。時效の拋棄であるから債務は從來のまゝ存續する。この説は債務を存續せしめる爲めの努力であり、時效援用論より出發

するのでなくて、却つて時效援用の制度をかく解せしめたのである。尙利息の場合には取戾し得る（無效）とする說もあるが、然らば責任なき債務はないこととなる。

（註22）　社會的要求 ｛公力を以て保護すべし――請求力＋公力→債務＋責任
公力なくして保護すべし――請求力＋公力以外の保護→債務

（註23）　自然債務、有限責任といはれてゐる事實の存することは否定し得ない。

（註24）　（註23）の事實を逆に見て、第一、「債務は孤立であり得る」から出發し、又は、第二、「債務は責任を包含する」から出發するのは、結論こそ異れ夫々何故に然るかを見てゐない。

（註25）　第一論、時效にかゝつた債務の履行を取戾し得ず、又相殺し得るのは――債務であるからと說明する。が何故債務であるのか。

第二論、時效にかゝつた債務の履行を取戾し得ず、又相殺し得るのは――特別の理由に基く（債務でないから）と說明する。が何故債務でないのか。

（註26）　第一論では、債權は公力なくしてもあり得るから債權であるとせられるが、私見では、公力を與へざるも尙法の保護が必要である故、他の請求力と區別されて債權であるとするのである。兩者は結論は同じであるが、認識が全く異つてゐる。

（註27）　佛・獨で自然債務が廣く認められてゐるのは、法的規範の他の社會規範への侵入である。

（註28）　尙「裁判上の救濟を求める力（訴權）は缺けてゐるが法律上無效とはせられてゐない債務を履行した者は、支拂つたものの返還を求める權利を有しない」と規定するロシア民法四〇一條參照。

第二項　債權關係の外部關係に於ける法的保護の內容

第一、第三者との關係に於ける債權の保全

既に述べた如く、法は、内部關係に於て債務者に對する請求確保の一としての債權保全を圖る必要上、債務者が債權の目的たる行爲の實行力を不充分ならしめる場合に之を充實する爲め、債務者と第三者との間の生活關係に干渉する事を債權者に許し、法上債權者代位權（四二三條）・債權者取消權（四二四條以下）を作つて、債權者の請求的利益の法的保護を充實せしめてゐる。之等の權利に基き債權者は必要ある場合に、或は債務者に屬する權利を行使し（代位權）、或は債務者の爲した法律行爲を取消す（取消權）事が出來、かくて債權關係の構成に於ける法的保護從つて債權の效力は、債務者を通して間接に其の請求關係に關與してゐる第三者へも直接に延びてゐる。(1)

（註1） 第三者は、或は權利行使の效果を受け、或は行爲取消の效果を受ける。

第二、債權の排他性

法は社會的必要上不動産利用者を特に保護せんが爲め、不動産賃借權に排他性を與へ、其の爲め不動産賃貸借の登記を認めてゐる（不動産登記法一條）。元來物權に於いても排他性の認められたのは、支配の保護と云ふよりも利用的支配（利用の爲めの支配、支配を以つてする利用）の保護の必要からである。賃借權も亦利用權であり、然も利用の爲め支配する事も内容としてゐる

が、唯利用せしむべき事を貸主に對し請求し得る點から、[1]之を債權としたものであるに過ぎぬ。給付の物體たる不動産の性質上、[2]經濟的弱者たらんとする賃借人を保護する爲めには、其の利用を支配的即ち排他的に迄保護すべき要求が社會に起り、法は此の要求に從つたのである。蓋し法上は兩當事者に對し調和的なる保護が、社會に於いて經濟的支配・被支配の情勢を生ずるに及んで、漸く一方の保護に偏する保護となり、かくては社會秩序を維持するを得ないこととなつたからである。法は當時に於ける「力の均衡の反映に他ならぬ」[3]（Krmilenko）。かくして登記したる不動産賃借權は、其後に其の不動産に付き生じた物權に優先し、賃借權の效力が其の物權取得者たる第三者に迄延びてゐる[4]（六〇五條）。然も不動産賃借人の利用の保護に對する社會的要求が益々强大となるに從つて、此の保護を確保・充實する爲めの新しい立法が次第に生れて來た。[5]

（註1）　他人の物を支配しなければ利用出來ぬ場合には支配をも含む。即ち貸主は利用し得る樣にせねばならず、その爲め支配をゆづる必要ある時は支配を與へねばならぬ。これを與へぬ時は債務不履行となる。

（註2）　土地の狹少、家の僅少（船舶についても同樣）、獨占的であること。

（註3）　經濟的支配者の法であつても、餘り他の階級に酷なる時は力の均衡が破れ、均衡點が動く。

（註4）　勿論賃借權相互間でも、登記の前後による優先效が認められる。

（註5）　建物保護法（明治四二年）一條、借家法（大正一〇年）一條、借地借家臨時處理法（大正一三年）七條。尙獨民法五七一條及びロシア民法一六九條は登記を要せずとしてゐる。

第三、債權の不可侵性

元來請求は債務者たる特定人に對するものであるから、債務者が請求に應ぜずして債權の目的たる行爲を實行しない事は、債權者の請求的利益に對する法的保護を否定するものであり、請求的利益保護の爲めに法の作つた債權を侵害するものである。從つて法は保護の否定を更に否定する爲め、換言すれば債權の侵害から債權者を救ふ爲めに、被請求拘束を債務なる法上の義務として債務者に之を負擔せしめ、此の義務の違反なからん事に努力してゐる。かくて債權は先づ債務者たる特定義務者に對する權利となり此の處から相對權であると呼ばれてゐる。然し以上の事と債權が更に第三者によつても侵害され得るか否かと云ふ事とは別問題である。そして若し第三者による債權侵害があるとすれば、債權者を保護する法は、更に債權を侵害してはならぬ義務卽ち不可侵義務を第三者に負擔せしむべきであらう。(1) 先づ事實から見よう。ローマ法の時代に於ては、事實上第三者による債權の侵害なる事實なく、從つて法上も第三者の不可侵義務を構成する社會的要求なく、唯債務者に債務なる義務を負はしめるだけで債權者の保護は充分であつた。(2) 然るに其の後、例へば第三者が債權を行使して之を消滅せしめ、或は債務者を誘拐して實行を妨げ、或は給付の物體を滅失せしめる等の事實が生じた。債務者が其の爲すべき行爲を實行しない事が法の保護の否定として債權の侵害であるなら、かゝる諸事實も、其の實行を妨げ又は不能ならしめるが故に、法の保護を否定するものとして債權の侵害と認めるべきであらう。然らば次にかゝる諸事實は、第三者の債權侵害を法的現象として認めしめ、第三者の不可侵義務の法的構成を求むる社會的要求を生じたか(3)。英國に於ては彼の一八五三年 Lumley v. Gye 以來、(4)法上第三者の不可侵義務が認められるに至つた。然るにかゝる社會的要求の明かに表はれてゐない我國及び獨逸債權法の下に於いては、從來積極・消極の兩説に岐れてゐた。然し先づ債權は相對權なる故に不可侵義務なしとする消極説及び凡て權利には不侵性ある故に債權も亦不可侵義務を伴ふとする積極説は、何れも單なる觀念論として之を排斥しなければならぬ。(5)次ぎに現在の成法を解釋して、或は第三者は債務者より責任が重くなる故に、(6)或は第三者は債權者と債務者とに、(7)即ち二重の責任を負ふ事となる故にといふ理由から消極説を採り、之に對して其の反對の理由から積極説を採るは、法の保護態度を其の基礎たる社會的要求から遊離せしめて觀察する學説であつて、唯逆に當時の社會的要求を推知するの手段として價値あるのみである。此の問題も社會的要求の認識から解決しなければならぬ。社會の發達に伴ひ、債權は次第に財產化せられ第三者の請求關係に關與する事漸く多くなり、第三者による債權侵害の事實も益々增加して來た。かくして社會に於いて債權は單に債務者の侵害に對して許りでなく、第三者の侵害に對しても法の保護を要求するに至つた。第三者の侵害に對し債權者保護の爲め周到な規定を受けてゐる獨法（例へば獨民法二八一條）の下に於ても、尙少數說ながら第三者の不可侵義務を認むる者あり、(8) かゝる規定なき我民法に於いて漸く積極說が優勢を占め、大審院も明治四十年以來積極說を支持してゐる事は這般の事情を示すものである。(9) かくて現代に於いては債權は事實上許りでなく法上に於いても第三者により侵害せられる事が認められ、債權の法的保護の爲には、第三者の不可侵義務を構成しなければならなくなつた。所謂相對權たる債權も不可侵性を有し、絕對性を有することとなる。そして所謂絕對權たる物權との對比は愈〻失はれてゆく。然し此の事自體が社會情勢の反映であり社會的要求の表現であつて、其の爲めに債權の不可侵性を否定するは、社會の發達を無視した極端な謬見である。

然らば法は第三者の侵害に對し、債權者を如何に保護するか。（A）先づ既存の法的保護を借り、一般權利侵害と同じく第三者は不法行爲の責任を負はねばならぬ（七〇九條）。(10) 勿論其の爲めにはその債權侵害行爲が不法行爲たる要件を具備する事は必要である。然らざる時はたとへ事實上債權の侵害があつても、唯債務者の不履行の責任を問ひ得るのみ。（B）更に物權に於ける保護を借りて、債權に對する侵害の停止・排除・豫防を侵害者に對して請求する事が出來る（一九七條以下）。(11)

かくの如き債權の不可侵性は、靜的には他人の干涉を排斥すると云ふ狀態に於いて廣義の排他性となつて現はれてゐる。而して債權關係の構成に於ける法的保護從つて債權の效力は、最後に此の債權の不可侵によつて亦第三者に迄延びてゐる。

（註1）債務者が債務を履行しないことは事實上あり、それは債權の侵害となるから債務者の履行義務が認められる（相對權）。第三者による債權侵害の事實があり得るか、若しそれがあれば不可侵義務が認められなければならない。故に債權の相對權なることを根據として第三者の不可侵義務を否定することは出來ない。

（註2）債權の發達は内部關係より始まつてゐる。當時既に債權の保全（例へば actio pauliana）は存したが、それは債權の延長であつてその內容ではない。

（註3）事實の存在より社會的要求が生れ、それが法に採上げられる。事實及び社會的要求があつても、それを法が採上げるまでは法上の問題とはならない。

（註4）一八八一年 Bowen v. Hall, 一九〇一年 Quinn v. Leathem.

（註5）問題は法的現象として、從つて亦法上存するか否かの具體的問題である。

（註6）不法行爲の責任（七一〇條—財產以外）は不履行の責任（四一六條）より重いと見る。

（註7）重くない——責任は同樣であると解釋上定め、二重の責任ではない——債務者に對する責任は債務者が債務を免れた部分を控除すると解する。

（註8）Stammler, Lisst, Cosack, Kokler. u. s. w.

（註9）明治四〇・六・二二大審院判例。

（註10）廣く權利を侵害するといふ權利の中に債權が入るものと解する。

（註11）大正一〇・一〇・一五大審院判例。

契約と條約との關係に就ての二三の考察

宮　崎　孝　治　郎

人間の一切の欲求は、法的形式を藉りて初めて社會的に實現せられる。

此の意味に於て、契約は國民經濟中に存する貨財及び個人的能力の分配及び使用に對する法律的形式であり、條約は國際團體に屬する國家間の利害の調整に對する法律的形式である。

表面的に觀察する時、兩者の間に差異の存することは勿論である。然し其の實質に就いて觀れば、契約は私人間に於ける意思の合致であるとすれば、條約は國家間に於ける合意である。

更に沿革的に見ても、世界の最初の條約と稱せらるるヒッタイトの王 Hattusili とエヂプト王 Rames 二世との間に締結せられた條約も、後に詳述するが如く、兩國間に於ける平和の維持と政治犯人の相互的引渡、攻守同盟の締結等、爭鬪を終止して平和を維持することを、其の目的とするものであつたが、近代に至つては、幾多の經濟的・文化的意義を有する條約の成立を見るに至つた。

他方契約の起源を説く者も、人類の原初の狀態に於ては、「萬人の萬人に對する戰」"bellum omnium contra omnes" (Thomas Hobbes, Elementa Philos. de Cive, Praefatio) が、その實相であるとし、或は Ludwig Gumplowicz の如く Rassen kampf（種族闘爭）を以つて、社會の自然的推移の第一義とする。而して、かかる原始的な爭闘狀態は何によつて終止したかといへば、各個人の協力によつたものであるとする。卽ち人間は新しい力を生み出すことは出來ないから、換言すれば、人間の可能なことは既存の力を結合して之を統制することより他には存しないのであるから、自己を保存するためには力を合一して總和とし、それによつて抵抗に打ち勝つより他に道はない、この合成力を一つの原動力によつて動かし、全體をこれに協力せしむる方法が契約であつたといふのである。衣食住に對する資料も、初めは暴力によつて掠奪したものを、後には契約によつて、平和的に獲得し得るに至り、かくて經濟上の欲求は平和裡に充足せらるるに至つた。又婚姻の如きにあつても、初めは異性を腕力と詐謀によつて得たのであるが、後には一定の儀式を以つて兩當事者又はその親族の同意によつて行はるるに至つたと說く。

從つて條約も契約もその發達史は同一の形相を持つのである。

斯る觀點よりすれば條約と契約とは其の本質を同じくするものであらうか。

さあれ現在、私法上に於ける取引の大多數が、契約てふ形式を藉りて行はれる如く、國際法上條約が其の主要なる一法源を成すことは看過し得ないのである。而して私法上の契約に於ても、國際公法上に於ける條約に就いても、pacta sunt servanda なる原則が妥當するとすれば、契約と條約との關係、その間に差違ありや否や等の點を明かにすることとは、私法を專攻する者にとつても契約の本質の究明上必要缺くべからざることと信ずる。

私は斯る意圖の下に、先づ條約の最も古き形態に就いて研究し、次いで一八九八年北獨逸聯邦の建設を契機として、Binding, Triepel 等に依つて提唱せられた條約と契約との差別論に就いて略述し、次に此等の學者によつて主張せられた學說の當否に就いて批判を試み度いと思ふ。

a 古代の條約

古代ヨーロッパ及び東方地方の諸國の國際關係及び其等の諸國間に締結せられた條約等に就ては Walsh, The History and Nature of International Relations, 1922 の四〇頁以下, Ancient Treaties なる題下に述べられて居る所が、最も適切な表現ではないかと思ふ。

「古代世界に於て、バビロニアのスメリア人及びエヂプトの土民に依つて建設された小さな種族的都市國家たる、バビロニア及びエヂプトの最初の諸國家に於て、野蠻の域を脫した、組織ある政治的社會的生活を創始せんとする原初的企圖は、又此等の相異れる獨立せる諸國家間に於ける國際關係を規整せんとする最初の試みを生ぜしめたのである。旣に紀元前四千年に於て Lagash

及び Umma 兩市間に於ける境界確定の條約が存して居たことは、最近發見された Lagash 市の Entemena 王の圓錐形物の上に刻されて居る所のものによつて知り得るのである。而して此等の都市の諸王が、此の紛爭の調停者として隣市 Kish の王たる Mesilim を選定して居たことは注目に値するのである。

此の初期の「勢力の均衡」の時代は永く續かなかつた。バビロニア及びエヂプトの幾多の都市國家は、やがて夫々巨大な王國に結合したのであつて、此等の王國の先づ最初に爲すべき仕事は蠻族の攻撃に對して、自己を防衛するといふことであつた。然し次第にバビロニア及びエヂプトの二國と相伴うて、他の一群の開化した且つ獨立の諸國家が勃興したのであつて、再び一種の「勢力の均衡」を實現したのである。

エヂプト、小亞細亞に於ける Hittites の國、地中海に於けるクリート島を中心とする海上國、イウフラテス上流の Mitanni の强國、アッシリア、バビロニア、エラムが此の國家系の主たる構成者であつた。而して此等の諸國の周圍には、多數の小國家——パレスチン、シリア海岸のフェエキア人の諸都市、フィリスチン人の國、シリアに於けるアラム人の幾多の國家、及びさうした種類の小國家が存在して居た。

大國家は其の國力に於て、ほとんど等しかつたのである。小國は、時として大國の爭を巧みに利用して其の獨立を保つて居たのである。長い激しい戰爭が行はれたが、大國中の何れかの一國が決定的勝利を得るといふ結果にはならなかつた。大國の何れもが、上述の諸國家の各種の政治的結合、幾多の攻守同盟條約及び各國の活潑な外交的活動によつて其の進出を阻まれて居た。斯る系統の東方諸邦の歷史中に於ける相異れる諸相を一歩一歩跡づけ得る樣になつたのは、全く最近の事である。エヂプト王國の首都だつた、Tell-el-Amarna の國立記錄保管所が先づ發見せられ、稍〻後になつて Boguz-Kevi に於けるヒッタイト諸王の外務省の文庫が發見されて、其の當時數十年間に亙つて書かれた種々の外交文書を讀む機會が與へられ、且つエヂプト王 Rames 二世とヒッタイトの Hattusili 二世との間に締結せられた基礎的にして且つ全く入念に出來て居る同盟條約を研究する機會が提供されたのである。此の條約の形式は非常に精緻なものであり、且つ政治的逃亡犯人の相互的引渡の條項をすら包含して居るのである。此の條約は紀元前一二八〇年のものである。

此の條約が如何に精密なものであつたかといふこと、及び、それが必要な變更を加へて見れば如何に同型の我々の文書に類似して居るかを示す爲めに、此の尊敬すべき文書から二三の拔萃を爲すことを許され度い。

(1) 緒言的條款

「强力なるヒッタイトの大王 Merasar の息にして、强力なるヒッタイトの大王 Sapulul の孫たる、强力なるヒッタイトの大王 Hattusili が、强力なるエヂプトの大王 Men-more (Seti 一世) の息にして、エヂプトの大王 Osymandyas (ラメス二世) と銀書牒に銘して締結したる條約。此は兩者の間に永久に平和(と同盟と)を設定する平和と同盟との眞正なる條約たり」

(2) ヒッタイトとエヂプトとの間に於ける前存關係の歴史の梗概。卽ちヒッタイトの王 Mutalla 四世との戰爭と和睦。

(3) 平和

「兩者の間に永久に敵對行爲無かるべし。ヒッタイトの大王は、エヂプトの土地に、其處より、何物かを獲得する目的を以つて永久に侵入することなかるべし。エヂプトの大王ラメスはヒッタイトの土地に、其處より何物かを奪取する目的を以つて、永久に侵入することなかるべし」

(4) 攻守同盟

敵若しエヂプトの大王ラメスの土地を侵すに當り、大王語をヒッタイトの大王に寄せ、兵を率ゐて來り救へと謂はば、ヒッタイトの大王は來りて敵を打滅すべし。ヒッタイトの大王自ら來るを欲せずんば、其の步兵及び戰車隊を遣はして其の敵を打滅すべし。

又若し(ラメス王の)臣下にして、何等かの他の(謀反以外の)過失を王に對して犯したる時、エヂプトの大王、其の罪過ある臣下に對して怒りて、彼等を殺さんとして（ヒッタイトの地に）來りたる時、ヒッタイトの大王はエヂプトの王と其の行動を共にすべし。」

同一の條款がヒッタイトの見地よりして繰返されて居る。

(5)　政治的亡命者の引渡

「若しエヂプトの要人逃れて、エヂプトの大王ラメスの土地の何れの都市よりにても、又は……よりにても、ヒッタイトの大王の許に來たらば、ヒッタイトの大王は、彼等を受入るることなく、ヒッタイトの大王は、彼等をして彼等の主エヂプトの大王ラメスのもとに連れ歸さしむべし。」

同様の條項はヒッタイトの爲めにも存する。

(6)　宗教的制裁　「諸の男神、諸の女神、幾千の神々」の照覽。

然し乍ら、更に此の勢力均衡の時期もほんの短い間しか續かなかつた。外部よりの侵寇が大概の諸國家を弱め、而して此の弱さは先づアッシリア人に依つて、後にはペルシャ人に依つて、一系の諸國家の廢墟の上に、二つの相續いで起つた巨大なる世界國家卽ちアッシリアとペルシャてふ國家を建設するために利用せられたのである。劍と矢が、諸種の條約や國際調停に代つた。而してペルシア人の統治が續いた間、東方の世界を支配して居た平和は、唯數回の野蠻人（ペルシャ人の觀點より）に對する遠征及びペルシャ人に依つて內亂と看做された二三の國內の暴動に依つて中斷されたのみである。ペルシャの世界國家は古代の文明開化せる世界の將來を決定したるが如く思はれたのだつた。

古代の世界の進化に於ける此の點で暫く立止まらう。國際關係の進化に於ける第一歩が此等の國際關係を規整する目的で、近代世界に於てすら、一般に利用される最も異彩を放つ諸形式即ち外交交渉、條約、調停等の諸方法を生ぜしめたことを看取し得るのである。然し此の時代に於てその形式は如何にもあれ、何等かの國際法に關して云爲することが可能であらうか？　ほとんど不可能である。何となれば、既に指摘したるが如く、國際法は其の性質が法律的なものであれ、道徳的なものであれ、宗敎的なものであれ、ある原則に關する一種の一般的合意を前提とするものである。東方世界に於てはさうではなかつたのである。唯一の決定權は力だつたのである。勿論條約の宗敎的制裁は東方諸邦の條約の恆常的現象として現はれて居た。而して私はこの宗敎的制裁はまことに一の重大なる要素だつたと思ふ云々。」

古代に於ける埃及を含めての東方諸邦の間には幾多の興亡・離合の歴史を繰返したが、條約の本質究明の點から謂へば、さまで注目すべき事件は存しないのである。希臘・羅馬に於ては、自國民以外の者は總て之を蠻族と考へて居たのであり、外國人は卽ち敵人を意味する狀態であつたから、ギリシャ人、ローマ人は如何にして蠻族を征服、支配しようかといふことには腐心したが、彼等蠻族と對等の地位に於て、條約を締結することなどは考へなかつた樣に思はれる。北方蠻族の羅馬侵寇が頻りとなつて、羅馬帝國は衰亡したが、歐洲に眞の國際法が發生し、從つて條約に極めて重大なる意義が認めらるるに至つたのは、封建國家が對立して戰爭止む時なく、各國民の蒙る災害甚しきに至つて、Grotius が出でて、一六二五年に"De jure belli ac pacis, libri tres."「戰爭並びに平和の法、三卷」を發表するに至つた頃からの事で、自然法の理論の提唱及びその實現への努力に人々が驅り立てられた頃の事である。此の頃に於ても條約の主要なる任務は、大規模な戰爭を終結し、戰後に於ける交戰國間の諸種の權利義務を規定することであつたのであるが、次いで經濟的意義を有する通商條約や、文化的意義を有する國際無線電信條約、航空に關する條約、著作權保護に關する協約等が數多く締結せらるるに至つた。

β　獨逸に於ける條約と契約との法律的性質に關する學說

國家間に於ける合意であつて、種々の名稱を有するものがある。例へば、條約（treaty, traité, Staatsvertrag）協約（convention）協定（agreement）取極（arrangement）決定書（acte）議定書(protocol）宣言（declaration）覺書（memorandum）通牒（note）等である。此等は其の名稱の差こそあれ、國際法上の主體たる國家間に締結せらるる合意であり、其の構成要件に於て、其の法律的性質に於て私法上の法律行爲としての契約と極めて類似して居るものが存するのである。從つて私法上の契約の性質決定には、國際法上の條約の本質を究明することが必要になつて來る。而して條約の本質究明に關聯して爲された主張の中で、最も華々しく且つ今日にまで其の影響を及ぼして居るものは、北獨逸聯邦の建設を繞つて、其の法律的性質を明かにするため Binding, Triepel 等によつて主張せられた Vereinbarung の說である。

元來獨逸に於ては、一八七七年まで行はれて居た用語例に依れば、Vertrag は國民間に於ける合意の唯一の形式であつた由である。

而して後に詳述する如く、Binding, Triepel 等に依つて國際條約が Vereinbarung（合意）であり、私法上の法律行爲たる契約は Vertrag（契約）であるといふ說が唱へらるるに至つたのであるが、斯る條約と契約の性質上の區別を爲した最初の學者は、Bergbohm であつたのであつて、彼に依れば權利（subjektive Rechte）を成立せしむる諸契約（Verträge）より、法規（Rechtssätze）即ち「諸國家が、彼等の行爲の共同の規範として、將來に向つて、明示的に合意する抽象的諸規則」を設定する所の契約（Verträge）を區別すべきであるといふのである（Bergbohm, Statsverträge und Gesetz als Quellen des Volkerrechts, Dorpat. 1877, S. 78ff.）。

當時此の二種の「意思の合致」を尙 Verträge と稱して居た。然し後者の意義に於ける契約を Verträge im uneigentlichen Sinne" 「轉義に於ける契約」とも稱して居た。

從つて、Verträge は、全く性質の異る二種の法律要件を含むといふ考は、ベルグボームを以つて創唱者としなければならぬのである。

當時に於て國際法を法と觀た者は、又其の淵源を證明しなければならなかつた。慣習法が存する限りに於ては、さまで議論はなかつたのであるが、其の他の法規の生成を如何に說明するかが問題であつた。あらゆる國家に於ける、あらゆる人間に共通な法感情又は額の中に書き込まれた永久的な法の承認、其の他の自然法的な思想過程は、實證論者に對しては何等の把捉し得べき科學的な根據を示さなかつたのである。從つて人は國家の現實生活の中に身を曝して、其處で、國際法秩序の成立原因を探究したのである。斯くて研究者の方針は法規を基礎づけ得るのは如何なる契約であるかといふ問題の探求に向つたのである。國際間には種々の契約が存する。此等の契約は其の構成に於て私法上のそれと區別されなかつた。然し乍ら斯樣な研究を進めて行く中に、或る學者は法を造り得る特殊な契約を發見したと信ずるに至つた。當時典型的な債權契約は、法源たり得ないといふ感情が一般に行はれて居た樣に思はれる。卽ち當時の人々の法感情に於ては、法規は特定又は不特定の期間妥當しなければならぬし、其の概して抽象的な性質より或る種の恆久性が生ずる、之に反して典型的な債權契約は其の存續中に於ても尙ほ調停すべからざる利益の對立する事實に依つて、確かに不安定の要因を含む。更に他方に於て、契約上の諸種の義務は通常其の履行によつて消滅するのであり、契約は繼續的債務關係に於ても亦、常に其の消滅へと急き立てられて居る。從つて其の特性に基いて、何等かの動的なもの及び不確定な因子を包含して居るといふ風に考へて居たのである。

Georg Jellinek は、斯る諸種の思想傾向をベルグボームの學說中から拾ひ上げて、更に一歩を進めて、其の發見したと信ぜられた新契約を研究した。彼は本質的にはベルグボームの契約二分說を承繼したのであつて、契約者の對立する利益を內容とする狹義の契約を、其の關係者達が共同の利益に依つて導かれる所の契約に對立せしめたのである（Georg Jellinek, Die Lehre von den Staatenverbindungen, Wien 1882, S. 101ff.）。山田正三博士が臺法月報第三十卷第三號「訴の併合と併合の訴」なる講演中に述べられて居る合意と契約との區別は大體エリネックの所說と照應するものではないかと思はれる。

Binding はベルグボーム及びイェリネックに依つて發見せられた特殊の契約を始めて、Vereinbarung（合意）と呼んだ（Binding, Die Gründung des Norddeutschen Bundes, Festgabe der Leipziger Juristenfakultät für Windscheid, 1888, S. 69ff.）。

彼は斯る法律要件の構成問題を探究して、合意を以つて狹義に於ける契約に對して一の基礎觀念として對立せしめんことを求めたのである。斯る新概念の構成に導いた動機は、其の當時の國法學者間に非常な論爭を捲き起した北獨逸聯邦の成立問題であつた。この聯邦の構成に於ては、従屬的法秩序——法律的に見て一方の意思が他方の意思に從屬すべき關係——が無かつたので、少くとも平等の效果に於て、各構成員に對し法規的拘束力ある契約關係の存否が探究されたのである。北獨逸聯邦の法律的性質は、ビンディングの見解に依れば、一方に於て一八六六年八月十八日に聯合せる政府と、他方に於ては一八七七年二月二十六日にベルリンに集合した帝國議會との間に於ける合意であり、この合意は、參加せる個々の意思の融合によつて政府と議會との上に立ち、彼等を拘束する獨立なる共同意思を形成する所のものである。ビンディングの合意説は、更に彼によつて、一九二〇年に於て總括せられたのであるが、Triepel はビンディングの説を取上げて更に合意の觀念を構成的に且つ精密ならしめんことを企圖したのである。

Binding は獨逸に於て今日尙ほ契約と合意とを區別すべきものとして用ゐられて居る標準を既に一八八八年に於ける論爭中に發表强調したことは前述した所であるが、彼の見解に依れば、契約に於ては、兩當事者（Parteien）のみが對立するのであり、唯その當事者が時として數人によつて構成されることがある丈けである。之に反して合意は二人又は數人によつて爲され、其の數は不定である。契約の義務者及び權利者は當事者（パルタイエン）であるが、合意は唯に關與者（ベタイリヒテ）を知るのみである。それは單に名稱が異つて居るのみではなく合意と契約とは二つの獨立な概念であり、其の本質を異にするものである。而して合意のみが現實的な「意思の合致」に導くのである。ビンディングの意義に於ける「合致」は關與者意思の内容的同一を前提とするのである。當事者意思は内容的に對立である。

Binding は Vereinbarung に於ては、眞の Willen（意欲）の合致が存するといふのであるが其の意欲の何たるかは大いに問題である。彼に依れば「意欲は希望、期待、内心的是認とは絶對に異るあるものである。意思の合致（Willenseinigung）は意思疏通（Einverständnis）とは絶對に異るものである。私は私自身で爲し得ることのみを「欲する」。私ではなく、他のある人のみが爲し得ることを、私は「希望」するのだ。目的に關する契約當事者の所謂 consensus（同意、合意一致等の意）は精々意欲が相異れる場合に於ける希望共同である。之に反して、合意に於ける關與者意思の内容的同一は「共同意思」の成立を可能にする。合意（Vereinbarung）は、決して法律行爲ではなくて、「法律的に重要なる意思の特殊な主體」“ein eigentümlich geartetes Subjekt eines rechtlich bedeutsamen Willens” を生ぜしめるのであり、其の主體が優位を占めることから客觀的な法を生成せしめる能力が生ずるものであるとする。彼は又合意をあらゆる法領域に於て發見する。二三の例を擧げると、民法上の組合契約、總會の多數決、判事會議の決定は Vereinbarung であるといふ。

Triepel（Vgl. Triepel, Völkerrecht und Landesrecht, 1899）は Binding の合意説の影響を受けたことは勿論であるが、彼は

最初から Vereinbarung に於て國際法の法源を發見することに重きを置いて居たのである。彼ば法の本質を發生的に心理上の問題として探究したのである。法規は人間の意思範圍の限定のために宣言せられたる一の意思の内容であり――それは人間の意思を其の狀態に於て確定すべきものである。斯る意思が法源となるであらう。意思の合致によつて、諸意思の統一にまで結合せしめられた數個又は多數の國家の共同意思のみが國際法の淵源たり得る。ある意思表示が「成立淵源」"Entstehungsgrund"（法源の意であらう）たる能力を有するや否やは、其の意思表示の性質如何によるのである。斯ういふ志向を以つて、トリーペルはビンディングの合意の研究を爲し、其の結果、契約と合意とに於ける意思表示の非常に込入つた分析に達したのである。

ビンディングが其の說の基礎とした所のものは、前述の如く「法律的に重要なる意思」としての「意欲」であるが、トリーペルは契約意思と合意意思なるものを分つて居るのである。契約は契約意思の固有なる構成によつて、單に當事者（パルタイエン）の兩個なることを知るのみである。契約者の意思は內容的には、自己行爲意欲（Selbsttunwollen）――卽ちこれは、ビンディングが主張した意欲（Wollen）に相當し、且つ意思主體の自身の行爲に向けられて居るものである――及び、生起知覺意欲（Geschehenwissenwollen）より成るのであり、更に此の生起知覺意欲――ビンディングの所謂希望（Wünschen）に相當する――は、二つのもの卽ち義務を負擔せしめんとする意思（Verpflichtungswille）及び效果意思（Erfolgswille）を含むのである。契約の一方の當事者は、他の當事者が契約上の行爲に對して義務を負ふことを欲する。是れが「義務を負擔せしめんとする意思」である。效果意思は、外部に於ける經濟的又は法的な變化を目的として居るのである。

契約に於ては、當事者の效果意思のみが内容的に等しいのである。「自己行爲意思」と「生起知覺意欲」から生ずる「義務を負擔せしめんとする意思」は對立するのである。トリーペルは契約關係の分析に當つては、常に給付に關する意思から出發して居るのである。

Ａは贈與せんと欲し、Ｂはそれを受取らんと欲する――（自己行爲意思）。ＡはＢが受け取らんことを欲し、ＢはＡが贈與せんことを欲する――（義務を負擔せしめんとする意思）。此の行爲意思と課義務意思とは對立するのである。然しＡもＢも所有權の移轉を欲する。當事者の效果意思は内容的には等しいのである。

合意に於ては、之に反して、「各當事者が、他の當事者の意思に全く等しき意思を宣言するのである」例へば、ＡとＢとが合有者として彼等の有する物を賣る時には、彼等二人は同一の事を爲さんと欲して居るのである。各人は、彼と同樣に他の人も同一の行爲に對して義務を負ふことを欲して居るのである。兩人共に同一の外部的效果を欲して居るのである。既にゲオルグ・イェリネックに依つて試みられた、此の二つの法律的形成物（契約と合意）に於ける利益狀態の檢討に事念して居たトリーペルは、其の注意を此の二つの法律的形成物に於て目的とせられた効果、が、合意の關與者又は契約の當事者の權利範圍に對して有する意義を精査することに向けたのである。此の二つの法律概念に於ける效果意思は同一であるにも拘らず、其の效果は、相異れる意義を有して居るのである。契約に於ては其の效果は正に對立的に契約者の經濟的領域に關係して居るのであるが、合意の關與者に對しては其の效果は、統一的な效力を有するものと解する。

然し先にも一言した樣に、トリーペルの目的は契約關係を法律概念としての Vertrag と Vereinbarung に分類することを以つて、能事畢れりとした譯ではなく、彼の獨特の精密な分析によつて Vereinbarung の觀念を確定し、之に依つて、國際法の基礎付けを試みんとしたのである。しかし彼の國際法の基礎づけは、契約及び合意の兩概念の分析に費した異常なる努力にも拘らず Lauterpacht 教授(Lauterpacht, The function of Law in the International Community. 1933. p. 415)も指摘せる如く、甚だ簡單である。之を略言すれば、個人の意思を拘束するのは個人に優越する意思でなければならぬと同樣に、國家を拘束するものは、國家に優越せる意思でなければならぬ。國家自身の意思は國家に優越するものではない。然し若し複數國家が同一の效果に向けられた意思表示を爲す時は、個々の意思は合して、合同意思 (Gemeinwille) を構成する。合同意思は個々の國家意思から獨立した生命を持ち、是に對して優位にあるものである。從つて同一の效果に向けられた、複數國家意思の合致即ち Vereinburung のみが國際法の淵源であると稱するのである。

ビンディング及びトリーペル等の契約、合意二分說は、其の後伊太利、墺太利等の國際法學者によつて首唱された Pacta sunt servanda. てふ基礎規範（Grundnorm）を以つて、國際法の拘束力を說明せんとする學說によつて、大いに其の勢を失つたとはいへ、今尙、國際法學者中には特に獨逸及びフランス等に於ては、この二分說に從つて國際合意從つて國際法の基礎を說明せんとする學者が相當に多いのであり、Verdross（Vgl. Strupp, Wörterbuch des Völkerrechts, S. 655 ff. Staatsverträge）や Chklaver（Georges Chklaver, Le Droit International dans ses rapports avec La Philosophie du Droit, 1929, p. 196）等も斯る說明方法を採つて居る。

此等の諸學者に依れば、諸國家は條約（契約）及び合意を締結し得るのである、實行もして居るのである。二國が犯罪人引渡に關して存する規約に從つて、一犯罪人の引渡のために同意した時、若しくは二國が當該事項に就いて存する規範に從つて、戰爭に依る俘虜の交換を爲すために一致するならば、此等の種々の行爲は、契約として性質決定されなければならぬ。玆では相互的給付や、既存の客觀的規範の範圍內に於ける權利義務の創設が問題になるのである。

又合意に關しても、國際上多數の實例が存するとする。外交官の席次に關する維納條約、海戰法規に關する一八五六年の巴里宣言、傷病者の狀態改善に關する一八六四年及び一九〇六年のジュネヴァ條約、一八九九年及び一九〇七年のヘーグ會議に於て採用された陸戰法規、國際聯盟規約、常設國際司法裁判所規約等は合意であるとする。此等の總ての國際的諸行爲は參加諸國家の共通なる意思の創設を意圖して居るものであり、その附從者に對して行爲の新しき準則を制定することを目的として居るものであるとせられるのである。尙此の Vereinbarung をフランスの學者は l'union 又は pacte と譯し、英米の學者は law-making agreements と譯して居る。

斯くの如く契約二分說は、國際法に重大な影響を及ぼしたばかりではなく、勞働法上所謂勞働協約 (Tarifvertrag) を以つて單純なる債權契約ではなくして一種の法規を創設する Vereinbarung であると主張する者を生ぜしめたのである。

それは、契約は契約當事者間に權利義務を生ぜしむる法律行爲であつて、原則として第三者に對して其の效力を及ぼすものではないが、勞働協約は、その締結當時の當事者のみならず、その後に同一の勞働關係に入り來る第三者に對しても效力を及ぼすべき法規創設行爲として理解せんとするからである。 Tecklenburg, Jacobi 等は斯る說を主張した。 Waltz, Hatschek, Otto Mayer, Anschütz 等は公法上に Vereinbarung の說を利用した。

私は次款に於て以上の諸點、殊に Vereinbarung と Vertrag との間に、明確なる區別の標準を立て得るや否や、又 Vereinbarung は國際法の淵源たり得るや等の點について多少の批評を加へたいと思ふ。何となれば、その事は私の企圖する契約の本質の闡明に役立つと信ずるからである。

γ　ビンディング・トリーペル等の説に對する批評

前節に於て詳論したるが如くビンディング・トリーペル等は、數個の主體間の意思結合の關係をVertragとVereinbarungとに分ち、前者は一の法律行爲であつて、契約當事者間に權利を生ぜしむるものであるが、後者は其の關與者に法規を與へるものであるとし、國家間に締結せられた合意は卽ちVereinbarungであつて、國際法の淵源たるべきものとしたのである。

然し乍ら、果して此の二分説は正當であらうか、之に對する反對説も相當に存するのである。

私は合意なる概念が、契約のそれの外に果して法律學上、正當に構成し得るものなりや否や、次に法規創造の能力ありや否や、又法律上合意に對し特殊なる取扱を必要とするや否やの諸點に分つて論じて見たいと思ふのである。

(a)　構成上の問題

法律上の概念の構成に當つて、最も注意を要するのは、其の樣な概念構成が果して法律生活上實益があるか否かといふ點、及び其の概念が現在及び將來の法現象を矛盾なく解明する爲めに役を検討して見ようと思ふ。

合意論者の說に依れば、合意に於ては意思の合致があるが、契約に於ては單に希望の共同か、意思の疏通があるに過ぎないといふのは果して如何であらうか。典型的契約たる賣買・賃貸借に於て、當事者間に意思の合致が存することは、現今何れの國の民法典及び其の解釋書に於ても等しく認めて居る所であつて多く論ずる必要はない事と思ふ。若し然らずとすれば契約當事者に何等かの意思の缺陷を想定しなければならぬ事になつて法律行爲理論、意思表示理論は全く覆されねばならぬことになる。

然らば、何が故にビンディング、トリーペル等は敢て合意(フェラインバールング)に於てのみ眞の意思の合致ありといつたかと謂へば、賣買・賃貸借の如き債權契約では、――權利義務ではない――將來一定の期間又は永久に存續すべき法規を制定するものとするには、賴りないと感じたからである。即ち感情以外の何物でもないのである。

法典用語として屢〻用ゐられる「意思の合致」てふ概念は、唯全く形式的な觀念に過ぎないのであつて、合意論者が欲した樣に或る特定の一般妥當的な內容を持つものとして定義することは出來ないのである。實際に於て、意思の合致なるものは、種々の法律上及び法律外に於ける事實を包含する一の上級概念に過ぎぬので、各種の法律制度に於て其の特殊な色彩を保有して居るのである。如何なる立法者も、意思の合致てふ概念を拋棄し得ないのである。何となれば、此の概念は人生に於ける純粋に精神的な諸現象に對して非常に大きな意義を與へるものだからである。國際條約はもとより、議會に於ける議決、株式總會の決議、裁判上の合意、各種の私法上の契約に就いて見れば、此等の諸種の行爲に於て、計畫的に欲せられた數人の共同行爲はいづれも、一の「意思の合致」を前提として居るのである。從つて「意思の合致」なる意思的標準は契約と合意との區別の標準としては、否定せらるべきである。

次に從來、契約及び合意に於ける利益の分布狀態が區別の標準となるや否やが爭はれて居るのである。卽ち合意に於ては、其の關與者は、同一の方向を有する平等の利益を有するのであるが、契約に於ては、當事者の有する利益は相互に對立して居るといふのである。

然し各國の立法例に於て、組合は契約であるとして分類されて居るが、この契約に於ては、各當事者の利益は對立せずして、平等であると解せざるを得ないであらう。何となれば「組合契約ハ各當事者ガ出資ヲ爲シテ、共同ノ事業ヲ營ムコトヲ約スルニ因リテ其效力ヲ生ズ」るものだからである（日本民法六六七條 獨逸民法七〇五條）。殊にフランス民法上の組合契約に關する一八三二條には、「其れより生じ得べき利益を分割する目的を以て」"dans la vue de partager le bénéfice qui pourra en résulter" と明記して居るのである。

更に精密に考へて見よう。合意論者の説に依れば、賣買契約に於ては、買主はその品物(商品)に就いて利益を有する。賣主は其の代價に就いて利害關係を有するのである。それは契約に於ける顯著なる對立利益であるとするのである。然し片務契約としての贈與に於ける利益の分布狀態を觀察すると、既に疑問が生ずる。贈與者Aは受贈者Bと同じく、贈與物がBの財產中に移轉することに利益を有して居る。さうすれば贈與は合意であるといふことになるであらう。又使用貸借に於ては、ある學者に依れば貸主の利益は、借主をして、思ふ存分に貸主の享有物を利用せしむるために、その目的物を交付することにあり、借主は其の目的物の利用そのものに就いて利益を有するのだといふ。然し他の學者は、之に異議を唱へて貸主は通常の場合、其の交付に何等の利益を有して居るものではないといふ。然し自分が使用出來ない牛馬を他人に貸與する場合の如きは、貸主も亦、間接に借主が其の物を使用することに利益を有することがあるのであつて、利益の並立が存し得るのである。從つて利益の標準に依つては貸借(殊に使用貸借)が契約であるか合意であるかを識別し得ないのである。

更に此の點に關する觀察を深めよう。住宅に關する賃貸借に於て、其の賃貸借關係が、其の賃貸人の息子が結婚する時に終了すべしといふことが約定されたとする。賃貸人と賃借人の利益は、從來の考へ方に依れば、主要なる給付に關する限りは、對立して居るといふことになるであらう。契約の終了することは一般的に云へば何等の給付ではない。故に終了に關する利益は、從つて又給付とは關係することを得ないのである。而して實際上は貸主のみが其の終了に利益を有することがあり得るし、賃借人には其の終了がどうでもよいことがある。其の時には對立する利益は存しないのである。然し乍ら賃借人も亦賃貸人と同樣に其の終了に對して利益を持ち得るのである。例へば賃借人は、其の住宅を單に一時的にのみ利用せんと欲したのであつたが、住宅難の爲めに賃貸人の條件を承認せざるを得なかつたといふ場合の如きはそれである。

此の最後の場合に於ては、終了に對する直接的な利益は同方向に向つて居るのではあるが、主たる給付に對する利益は對立して居るのである。從つて其の法律關係は一部分契約であり、一部分合意であるといふことになる。

更に同樣に雇傭契約に於て、雙方の當事者が三ヶ月の告知期間に對して利益を持つ場合にも、主たる給付については、雇主と被傭者の利益は對立して居る場合が多いであらう。從つて同一の一個の法律要件が、利益の標準に從つて、或は一方の群に、或は他方の群に屬するのである。然らば給付に對する直接的利益のみを分類の基礎とすることは可能であらうか、しかしその樣な制限は、利益的標準を法律的效果のみの設定を目的とする契約、例へば婚姻の締結のみを目的とする諸契約に對して、適用すべからざるものとするといふ理由によつて既に不都合である。又婚姻契約、養子緣組契約等を除外して考へても、直接的利益のみを分類の基礎とすることは合意說の意義に於て、契約關係を二分することを不能ならしめるのである。AとBとが約定して、窮迫せる親戚Xを救濟する爲めにAが彼を自分の家に引取り、Bは千圓の年金をXに支拂ふことにしたとする。AはBがXに年金を支拂ふことに利益を有し、Bの利益はAがXに住居を提供してくれる事に存する。當事者雙方の利益が相手方の給付に存する點に於て利益は對立して居ると謂へる。しかし、同一の理由を以つて、次の如く主張することも可能である。即ち、X救濟の目的を達することが利益だとすれば、AはXに住居を與へることに利益を有し、BはXに千圓を給付することに利益を有する。即ち、此等の利益は形式的には、同一の方向を有して居るのである。更に進んで直接的利益の觀點より看れば、AとBとはXが住居と金錢とを得ることに就いて同一の利益を有するものと推論し得るのである。此の例に就いて見ても、利益の標準は、契約と合意との區別の標準として維持すべからざるものであることは明かである。更に、より錯雜せる法律行爲例へば企業聯合等に就いて見れば、かかる法律的形成物に於ては、同一の方向を有する且つ相互に對立する利益が、同一の行爲中に交叉して居ることが明瞭になる(Vgl. Werner Vogel, Vertrag u. Vereinbarung. S. 34)。

合意說は第一に、それが「利益」なる概念の下に於て、何を理解して居るかを正確に決定しなければならなかつた筈である。一體この利益てふ概念は「動機」としての意義をも持ち得るのである。此の意義に於ける利益は、其の不定性によつて初めから除外さるべきである。又一方から謂へば、ある法律行爲に於ける當事者の「利益」とは、其當事者の法律的に重要なる意思の內容であるとも理解し得るのである。換言すれば、當該の當事者は相手方の行爲を欲し、それが前者の利益とも考へられる。此の意味に於ける「利益」は Triepel の "Verpflichtungswillen vom Geschehenwissenwollen" 即ち「生起知覺意欲（ある效果の發生を知覺し且つ意欲すること）より生ずる課義務意思（相手方に義務を負はしむる意思）」と一致する。此の場合には利益標準と意思標準とが一致する譯である。

斯う考へて行くと、最後には、法律行爲に於て直接に滿足される「利益」のみが「利益」の觀念として殘ることになるかも知れない。而して此の最後に述べた狹義に於ける利益は、或はその目的とする給付を、或は若しその給付なき場合には、此の法律行爲によつて獲得せんと努むる法律效果を意味することになる。利益といふ觀念は、問題になる主體と其の對象との關係に於て、其の主體の地位及びその心的狀態に從つて異る意義を有する一の綜合概念として見られなければならぬ。合意說は、日常生活に於て無數の意義に於て耳に入る「利益」てふ概念を、何等の意義構成を決定することなくして用ゐて居るのである。

要するに、利益の對立及び利益の平等といふことも、決して合意と契約とを區別する標準にはならないのである。

(b) 次に合意に法規創造の能力ありや否やといふ點は甚だ興味ある問題である。既に(a)に於ても論じた樣に、意思的標準によつても、利益的標準によつても、合意と契約との間に區別を爲すことを得ないとすれば、トリーペルの主張するが如く、Vereinbarung のみが、法規創造の能力を有するといふことは出來ないのであつて、數個の主體間の意思表示の合致によつて、一般的に法規を創造し得るや否やの問題に歸することと思はれる。

而して契約なるものが、元來法規を創造するものであるといふ考へ方は、相當に古いものであつて、アリストテレスは、その Rhétorique（修辭學）中に於て既に、「契約はその當事者間に於ては一の法である」ことを述べて居り、又ローマの十二表法（lex duodecim tabularum）の第六表に "Cum nexum facit mancipiumque, uti lingua nuncpassit, ita jus esto." 「ある者が拘束行爲（nexum）又は握取行爲（mancipium）をなす場合に、彼の宣言する所のものは、その儘法となるべし」といふ規定もあり、又現にフランス民法第一一三四條第一項に於て「適法に締結せられたる合意は之を締結したる者に對しては法となる」と規定して居ることは、人の知る所であり、契約を締結することは、給付の交換てふ經濟的意義を有することは勿論であるが、法律的に考へれば、先づ何等かの社會的又は經濟的目的を達せんとする當事者間に於て、ある共同の行爲を爲す際の準則を決定するものであるとも考へられる。

又他方國內法上の一切の公法的私法的契約は、國家の根本法たる憲法を基礎として適法に制定せられたる各種の實定法の規制下に立つものであり、一切の契約の內容は、法律的に觀察する限り、常に實定法の規定に依つて制約せられる。從つて、契約の內容卽ち契約締結者の遵守すべき規範の內容は、實定法の內容中に包攝せられることになるのである。例へばＡＢ間に於ける賣買契約に違反することは、民法第四一五條の「債務者ガ其債務ノ本旨ニ從ヒタル履行ヲ爲サザルトキハ、債權者ハ、其損害ノ賠償ヲ請求スルコトヲ得、債務者ノ責ニ歸スベキ事由ニ因リテ、履行ヲ爲スコト能ハザルニ至リタルトキ亦同ジ」てふ規定に違反することとなる。此の意味に於て契約違反は法規違反といふことになるのであり、其の違反の結果は、民法商法等の規定する債務不履行に關する詳細なる法規の適用を受くることとなるのである。

然らば、國際法上に於ては如何。國際法上、諸國家又は之に準ずる者の間に締結せらるる條約も、締結當事國間に於て遵守すべき規範を定むる實質的意義は、國內法上私人間に締結せらるる諸契約に於けると異らざるものと思はれるのであるが、國內法下に於ける契約とは、其の契約環境（後に詳說する）を異にするのである。卽ち國際法に關する限り世界の總ての國家を統制する國際的憲法、國際的主權なるものは存しない。獨立國は飽くまで獨立國であつて、假令AB兩國間に於ける條約の違反があつたとしても、それは國內法に於けると同一の意味に於て國際法の違反とはならない。勿論國際的には經濟封鎖とか、復仇とかいふが如き各種の制裁或は常設國際司法裁判所の設けもあるが、國內法上に於けるが如き條約履行の保障に關し確乎たる統制機關が無いのであつて、最後の手段は常に戰爭である。尙且つ國際法上に於ける條約は、トリーペル等の說に依れば、同一の方向を有する（從つて其の根柢に於ては利益の協同を伴ふ）ものとして考へて居るのではあるが、國際條約の締結せられる主要なる場合は、眞に國家の利害の對立せる場合であつて、條約中最も重大なる意義を有する講和條約について見ても、戰敗國は、ただその國土の文字通りの焦土化を回避せんがために之を締結し、又戰勝國は、時として常識的に其の履行の不能なることが明瞭な天文學的數額の賠償金を要求することとすらあるのであつて、國際條約の締結に際して有する當事國の眞意に就いて見れば、意思の同方向よりも反對の方向の場合も多く、利害も相反して居る事も多い。

斯くて、外交史は平和條約の締結と廢棄の歷史であるとも謂へるのである。又國際間の利害の眞に一致せる事項に就ては、國際條約を俟つまでもなく國際慣習として行はれて居るのである。外國使節の治外法權、軍使の特權等の如きものである。卽ち國際條約は多く眞に國家間の利害の衝突せる場合に締結せられるものであり、此の點は國內關係に於て、經營の主體と勞働者の一團との間に締結せられる、所謂勞働協約がテクレンブルヒ等の勞働法學者によつて Vereinbarung として構成せられる事情とよく似て居るのであり、此の場合にも勞働協約は彼等によつて勞資雙方の側に於ける同方向の意思の合致として把握せられるにも拘らず、實は眞に雙方の利害關係の衝突を回避せんとする平和條約の如き性質を有するものであり、條約や勞働協約違反の場合には戰爭とかストライキの如き非常手段に出づる例の多きを見れば這般の事情を諒解し得るであらう。

而して "Ubi societas ibi ius"「社會ある所、法あり」なる原理は、國內法上に於ては、"Ubi societas ibi imperium"「社會ある所、主權あり」なる原則と一致して現はれるが爲めに、即ち現在の國家生活に於ては、國家と社會とが完全に一致するが爲めに、國內法上に於ては、契約違反即ち法規違反なる推論を下すことが出來、從つて契約の效力もそれだけ鞏固なのではあるが、現今の國際間には "Ubi societas ibi imperium" なる原則が充分確立して居らない爲めに、條約の違反は、即ち締約國間の實力に依つて解決することを餘儀なくせられるに至るのである。概念構成の問題としても條約を以つて契約と異れるものとして解するの根據はないが、國內法上の契約と條約の實際上の差異は、其の契約環境の差異に基くものである。

玆で私の所謂契約環境に就いて多少の說明を加へ度いと思ふ。それが私の論結を明瞭ならしむることともならうと思はれる。

法律上で問題になる一切の行爲は社會的行爲なることは勿論、法律行爲の大部分は契約であり、單獨行爲なるものが存するとしても、全然その相手方なるものを豫想せざる行爲なるものは存在しないし、存在するとしても、其の樣な行爲は法律上無意義である。これは法が社會生活の規範たることより生ずる當然の歸結である。遺言の如き典型的な單獨行爲をとつて見ても、其の效果を受くる相手方の存在を豫想して爲さるるものなることは明かである。

斯る意味に於て、一切の契約は、全體的な或は團體的なあるものを前提とし、或は契約の種類によつて特殊な環境の下に成立し、其の效力を有し、消滅を認められるものと考へなければならぬ。即ちある契約は其の追求する目的の如何により、或は契約締結の際に於ける當事者の地位により、或は契約の目的物（又は客體）の存在量又はその存在の形式により、或はその契約の締結を促す社會的事情の如何により、或はその契約の實行及び解消の難易により、或は締結せんとする契約の習俗的な意義等によつて、契約の性質が決定せらるるに至るのである。私は、此等の契約の締結を促し且つ其の實質的內容を規定する一切の事情を稱して、契約環境と呼び度いと思ふ。

例へば民法に、婚姻・養子緣組等に關し、其の成立要件、效果、解消等に就いて規定して居るが、婚姻・養子緣組の何たるかは民法の規定によつては、少しも知られる所はないのであつて、其の實質を決定するものは社會の慣習に外ならない。次に賣買・消費貸借の如き、經濟的意義を有する契約に就いて考へて見よう。

經濟的契約は、換言すれば、平等なる價値が交換される契約である。從つて賣買に於ける商品の代價、賃貸借に於ける地代、家賃等が、此等の經濟的契約に於ては、重大なる意義を有するのであるが、此等の代價・地代等は、純粹に二人の契約當事者によつて決定せられるものではなくして、一定の地域に於て同種の物を客體とする契約を締結する、すべての人々に依つて決定せられるのである。何となれば此等の契約は社會的に流通して居る物を對象として居るのであり、流通物の價値も價格も、社會的に決定せられるものであつて、其の價格は、個人的な需要と供給とに依存して居るといふよりは團體的な需要供給に依存して居るからである。賣主と買主、賃貸人と賃借人とが契約するのは、斯る契約環境の下に於てするのであり、特殊の例外を除けばそれ等の價格は、市場の相場若しくは一定の取引圏に於ける水準價格によつて決定せられるのである。

更に勞働協約とか各種の運送契約・電氣、水道等の供給契約・保險契約等の所謂附合契約は、婚姻・養子緣組等に於けるが如く、一定の身分關係の設定を目的とするものでもなく、又平等なる價値の交換を目的とするものでもなく、一定の設備の利用又は特殊なる團體生活の平和なる遂行を目的とする「準則の確立」を目的とするものであり、斯る契約の締結を必然ならしむる社會環境の産物である。私は斯くの如き法規の制定を主たる目的とする契約を法規的契約と呼び度いと思ふ。私は條約はこの法規的契約の範疇に屬するものと考へるのである。

(c) 以上の如き諸方面よりの觀察によつて、合意と契約の間、或は contract, contrat, contratto 等と agreement, convention, conventione 等の諸概念の間には、充分な區別を爲すべき根據を缺くのであり、一九二七年十月に巴里に於てその完成を確認された「佛伊債務法案」の第一條にも、

"Il contratto è l'accordo di due o più persone per costituire, modificare o estinguere un rapporto giuridico." 「契約は、ある法律關係を設定し、變更し、又は消滅せしむる爲めの二人又は數人の意思の合致である」

との定義を掲げて、從來の契約、合意、合同行爲等の諸種の契約概念の統一を試みて居るのは、充分な理由のあることと思ふ。

從つて私は契約概念を、契約と合意等に區分する充分なる根據を缺くものと考へるのであるが、其の契約の締結せらるる際の「契約環境」の異るに從つて、左の如き三分を試み度いと思ふ。

(1) 身分的契約　婚姻・養子緣組等

(2)　經濟的契約　賣買・消費貸借・賃貸借等

(3)　法規的契約　條約・勞働協約・裁判上の合意・各種の附合契約等

私は本稿に於ては〃表題の如く、契約と條約との關係に就いて若干の考察を試みたに過ぎないが、本問題は必然的に契約の本質の問題と關聯する。

契約の本質は、現今各國に於て論議せられて居る「當面の問題」である。例へばフランスに於ては "Crépuscule de l'autonomie contractuelle" 「契約自治の黄昏」を叫ぶものがあり、或は、Louis Josserand の如く今更乍ら「契約の公法化」の問題を取上げ "Le contrat dirigé" 「統制契約」の理論を展開せんとする者があるかと思へば、ナチス政權統治下の獨逸に於ては Karl Larenz, Wolfgang, Siebert, 等によつて "Vertrag als Gestaltungsmittel der völkischen Ordnung" 「民族的秩序の構成手段としての契約」の理論が主張せられて居る。

彼等の主張にして、現在の社會に於ける契約關係の實相を洞察するに優れて居り、又その理論展開に幾多の尊重すべきものの存することを認むるに吝かではないとしても、尙ほ現在の社會組織・經濟狀態に極端なる變化なき限り、又法律上に於て意思表示理論、權利義務の觀念及び法そのものの觀念を排除するにあらざる限り、私法上の契約が、ひたすら公法によつて指導せられ、或はラレンツの主張する如く「二人の民族構成員相互間に設定する、あらゆる契約關係は、その決定的な基礎に於ては、卽ち民族の秩序に依存して居るのである。契約締結者の恣意が第一なのではなくて、民族的秩序が第一なのだ」(Larenz, Vertrag und Unrecht. S. 23.)と果して謂ひ切ることが出來るであらうか。寧ろ、それは契約の社會的機能を無視するものではあるまいか。此等の「契約の本質そのもの」の問題に就いては近く發表すべき他の論文に於て詳論する機會を持ち度いと思ふ。(終)

――昭和十三年十月三十一日稿――

刑法に於ける人格主義の責任理論

安平政吉

目次

はしがき

一　ベーリングの犯罪論以來、犯罪一般は、刑罰法規所定の事實に該當する（謂ゆる構成要件充足性の）違法且つ有責なる人の行爲なりとせらる(一)。從つて今日刑事裁判官が實際上、一定の事實を捉へて、そこに犯罪觀念を肯定せむが爲めには、まづ第一に、それは一定の罪となるべき法定の事實要件（構成要件）を充足する人の行爲あることを要し、第二に、その行爲は法律全般の上よりして許されざるものとして違法の價値判斷を受くることを要し、第三には、その違法なる行爲事實は、一定人格の心理狀態に出づるものとして、法律上、その結果をその行爲主體人の責に歸せしめ得らるべきものなること、並にその主觀的性狀が非難せらるべきものなることを要する。この最後の問題が、ここにこれより述べんとする刑法上の責任の問題となるのであつて、それは、まさに犯罪の一般的構成要素の第三をなすものである(二)。

元來刑法は、何等かの法益の侵害といふ客觀的なる事實の發生を端緒として、その違法行爲惹起主體としての行爲者人格に對して、刑罰制裁なる特殊の責任を問はんとするものであり、この點に主として違法に因る害惡結果の排除または利益侵害に對する救濟を目標とする民事法制裁の任務とするところと稍〻趣を異にずるものがあるのである。卽ち刑事責任(responsabilité pénale)は、民事責任と異り、人を罰することに因り、將來的不法行爲（犯罪）の發生を防止せむと欲するところに、その第一次的任務を有する。從つて刑法の手段とする刑罰の行使には、その前提として犯人の將來に對して何等かを誡告し敎化するの要ありとせらるる缺陷性がなければならないのであつて、これ刑罰の前提なる犯罪觀念の肯定には、單に外部的客觀的なる人の利益侵害、違法なる行爲事實の存在を以て足れりとせず、さらにその他に該行爲事實は、行爲者自身に於ける何等かの心理乃至主觀的性狀に出づるものとして、而かもそれは人としての缺陷性を表示せるものとして、その非社會的人格が法律上非難せられ、改善分子の存在を要求さるる所以であつて、刑法上「責任」(Schuld) なる概念を必要とする所以は、まさにこの一點に在る。

（一） E. Beling, Die Lehre vom Verbrechen, 1906, S. 7 sagt: „Verbrechen ist die tatbestandsmässige, rechtswidrige, schuldhafte, einer auf sie passenden Strafdrohung unterstellbare und den Strafdrohungs-bedingung genügende Handlung."

（二） 今日刑法學界の通說である（Vgl. E. Schmidt, Lehrb. d. D. Strafrechts, 1 Bd. 1932, S. 145; Mezger, Strafrecht, 2 Aufl., 1933, S. 90)。故に責任の問題は、犯罪概念の構成上まづ違法なる行爲事實の存在を前提とし、その行爲の爲さるるに際して存在したる心理的性狀に對し、その行爲者人格との相關に於て、かかる行爲に出でたることの態度を非難せんとするところに生ずる一判斷なのである。發生論的には、故意、過失、責任能力等が存在し、然る後、違法行爲に出づるのであるが、法律上の價値判斷の問題としては、「違法なくば責任なし」　ことになる。

二　行爲の違法性と行爲者の責任性とは、犯罪構成上の傳統的二大支柱である。前者は、犯罪行爲の外部的性狀に對する法律的無價値の事象乃至判斷として、後者はこれが惹起主體としての行爲者心意に對する無價値の性狀乃至判斷として、刑法學はこの二問題に關し、永い間研究の歩みを續けてきたのである(一)。が、特に後者の問題に關しては議論多く、いまなほ五里霧中、容易に拾收すべからざる狀態にある。その謂ふ責任の實體乃至內容は何であるか、責任なる判斷の合理的根據如何、かかる責任なる觀念を今日なほ認むる必要ありや否や、若し認むとすれば、それは如何なる見地または如何なる目的の下に、如何なる內容を以てせらるべきや、その成法的根據並に適用の方法如何等に關しては、依然甚だしく爭ひを存するのであつて、責任の問題こそは、刑法の領域に於て、最も觀念的、且つ最も激しい論議の中心點を形成してゐる部分といふも過言ではないのである(二)。

思ふに責任の問題に關し、かくの如く論議の存する所以は、一には、責任といふ觀念乃至成法的に定立せらるべき概念それ自體に於て極めて抽象的且つ思念的に止まる關係上、容易に捕捉し難きものあり、例へば同じく責任を以て行爲者に對する非難性を意味するとしても、それは具體的行爲に際しての行爲者の精神に對してであるか、或はそれを超えて、またはそれを通じて推斷さるる行爲者の非社會的性狀またはその人格の將來的危險性に對してであるか(三)、疑はしきものを存するのみならず、二には、時代精神文化の絕えざる動搖に支配されて法律的思惟殊に刑罰權行使上の理念の把握に於て變轉極りなきものあり、爲めに責任內容の理解に於ても動搖を免れざるものあるに因る。すなはち刑法に於ける責任なる觀念は、もともと道義的責任の觀念に出發し彼の哲學上に於ける意思の自由原則を前提とし、刑罰に於ける應報主義なるものを絕對の原理として豫定するところに、その本來的意義を有するものである。然るに近代的法律思想は、道義と法律とを必らずしも常に一致するものとして要求することなく、從つて兩者の責任は一應別箇なりとし、また謂ゆる意思の自由は、近時心理學、精神病理の方面に於ては固より、哲學上の方面に於てさへも、必らずしも絕對則として承認さるることなく、却つて近時有力なる學徒は、非自由論の方向に傾かむとし、加ふるに刑法に於ける應報刑の理論また昔日の權威なく、そこに教育刑主義乃至社會防衞上の保安處分理論等の提唱せらるるや、法律的なる刑事制裁と、道義的なる責任との間に、はたして幾許の連關性ありや、今日の國家は、たとへ責任なき者に對しても苟くも違法行爲に出づる者なる限り、これに對し刑事制裁を加ふること可能であり、且つ必要にあらずや、それと同時にたとへ責任ありとするも、刑事制裁を加ふる必要なき者に對しては、責任の外に置くことも可能にあらずや、といふが如き疑惑を懷く者を生ずるに至つたからである。

大體に於て刑法上の責任理論は、個人主義的道義責任論に源を發し、次で責任の本質理解に關する心理主義、社會的責任論を經て、そこに一種の規範主義なるものが壓倒的の支配力を持つに至つたといふのが現實である。しかし今日の通説をなす規範主義の責任論とても、それは必らずしも事態の眞理性を盡してゐるものではなく、いな寧ろ端的に謂はば、それは甚だしく形式的範疇より免れ得ざるものがあるのである。が、いまや違法理論に於て、從來の形式的違法といふことより更に一歩を進め、事態の本質に則し、しかも全體法の精神に訴へて、眞の法律背反なりや否やが論定せらるるを要するものあると同じく、責任の理論に於ても、かかる形式的なる觀察にいま一段と歩みを進め、須らく事態の本質に則し且つ事物の實證的全體性を直觀して、そこに實質的の責任理論が構成せられねばならなくなつてゐる。たしかに今の時代は凡ゆる精神諸文化の轉換期であり、法律上の思惟とても面目を新にすべき幾多のものを持つのであつて、特に刑法に於ける犯罪理論、就中責任の概念に關しては、この感じを深くせざるを得ないのである。從來の責任理論なるものは、或は道義的責任論、或は心理主義、或は社會的責任主義、或は規範主義等種々なるも、要するにそこには何れにせよ、個人といふものが、意識さるると否とに拘らず中心に置かれ、たとへ外見上、或は社會的責任と呼ばれ、或は規範的責任主義と呼ばるるものと雖も吾々がひとたびその內實に立ち至つて仔細にこれを點檢するに於ては、依然としてそこに個人の自由擁護または個人の自由は、如何なる限度に犯し得べきやといふことが、背後の豫定原理とせられ、そこには責任概念をでき得る限り、個人主義の立場から嚴格に解することによつて、右の豫定原理を可能限度に實證せんとするものに外ならなかつた。さはれ今日吾々が、責任なるものはそもそも何を對象とし何者の爲めに存するものであるかの、最初にして且つ最後の點を反省するに於ては、かくの如き態度はいつまでも維持され得べくもなく、改めて再檢討が加へられて然るべきこととなるのである。

すなはち本論は、如上の見地よりいま一應刑法に於ける責任概念の何たるやを顧みると共に、そのうち特に今日の通説をなす規範的責任論を檢討することによつて、結局それが一種の全社會主義の責任理論に轉向せらるべきものであり、その實體は、行爲者人格の對全社會的責任といふこと以外のものにあらざることを明かにせむと欲すると共に、この見地よりして現行刑法を眺むるとき、その下に於ける責任概念は、如何に構成せらるべきものであるか、またその實際的運用乃至適用の方法如何等につき、私見の若干を述ぶるを以て目的とする(四)。

(一) 責任論發展の代表的文獻としては、Löffler, Die Schuldformen des Strafrechts, I Bd., 1895; E. Wolf, Strafrechtliche Schuldlehre, I Teil, 1928, S. 5 ff.

(二) 元來、刑法の行使する刑罰それ自體、一定の人的目的に奉仕する一制度として、一定の行爲者に加へらるるものであり、従つてそれは一面に於て、犯罪の原因的追究と、他面に於て犯人への教化的構成との競合裡に成立する特殊の困難性を持つ。従つて刑罰の一前提なる責任の問題とても、かかる「因果的=規範的構成」(Kausal-normativen Struktur)として、絶えず動搖を免れざる刑法體系の一面に屬する (Vgl. Mezger, ibid., S. 250)。

(三) 責任非難は、行爲者の行爲に對する心理的關係に對してであるとなすは、Allfeld, Frank, Beling, van Calker, Wachenfeld, Rosenfeld, Mittermaier, M. E. Mayer, v. Hippel, Sauer, Mezger, Köhler 等。之れに反し、非難は行爲者の人格又は危險性に對してであるとなすは、Tesar, v. Liszt, Grünhut, Kadečka 等 (Vgl. v. Hippel, Deutsches Strafrecht, 2 Bd. S. 275)。

(四) 責任理論に關しては、(1)英法は、大體心理主義を採り、「意思」(Will) を本質とする (Kenny, Outlines of criminal law, 11 ed., 1922, 49 pp.; Harris, Principles of the criminal law, 13 ed., 1919, 9p.)。(2)フランス法では、責任の問題は極めて成法的に考へ、また責任能力といふことを出發點として「辨別心の問題」(question de discernement) または「體構的の人格」(personne physique) 乃至心理學的、社會學的の問題として取扱ふ (R. Garraud, Précis de droit criminel, 14 éd, 1926, p. 197 et suiv, Roux, Cour droit criminel français, tome 1, 2 ed., 1927, P. 141 et suiv.)。(4)スイスでは、Hafter, Zürcher 等により、責任の考察は道義的に傾いて居る。(5)責任の理論が、一先づ成法より離れて一般理論的に甚しく論議されてゐるのは獨、墺學界に於てである。故に今日ドイツ法以外に於て、「責任論」の眞の體系的のものなしといふも過言ではない。その豐富なる文獻の指摘としては、v. Hippel, D. Strafrecht, 2 Bd., S. 273, Anm. 1; E. Schmidt, Lehrb., 1Bd., S. 220, E. Mezger, Strafrecht, 2 Aufl., S. 247 ff. 尚ほ最近のものとして特に注意すべきは、J. Goldschmidt, Normativer Schuldbegriff (in Festgabe für R. von Frank, 1 Bd., 1930, S. 428 ff.); E. Wolf, Strafrechtliche Schuldlehre, 1 Teil, 1928, Köhler, Schuld als Grundlage des Strafrechts (in Gerichtssaal, 95 Bd., 1927, S. 471 ff. u. 96 Bd. S. 91 ff.), O. Schumacher, Um das Wesen der Strafrechtsschuld, 1927, Mercetus Der Gedanke ter Zumutbarkeit, 1928; R. Thierfelder, Objektiv gefasste Schuldmerkmale, 1932; E. Schäfer, Die Schuldlehre (in Gürtners Denkschrift 2 Bd., 1934, S. 49 ff.); M. Sauerlandt, Zur Wandlung des Zumutbarkeitsbegriffs in Strafrecht, 1936; Schwarz, Schuld und Irrtum (Freisler, Grundzüge eines Allg. D. Strafrechts, 1937 S. 76)。(6)我が國の最近の文獻としては牧野博士著、刑法改正の諸問題（第五七頁以下）、小野博士著、刑法講義第一二五頁以下、宮本博士著、刑法學粹第二七四頁以下、同著、刑法大綱（第一〇八頁以下）、瀧川尙教授著、犯罪論序說（第一八頁以下）、木村龜二「刑事責任に關する規範主義の批判」（法學志林第三〇卷六、七、八、九號）、同「責任」（岩波、法律學辭典第二卷）、佐伯千仭「規範的責任概念の考察」（法學論叢第二五卷四、五號）久禮田博士「刑事責任の變遷について」（法學新報第四八卷七、八號）。

一　刑法に於ける責任の意義

一　社會的意義の責任　一般に「責任」（Verantwortlichkeit）といふことは、一定人の行爲が何等かの評價の對象として、規範の世界に入り來つたときにあまねく見出さるる現象である。責任なる語は、社會一般的觀念としては、一定の事實に對する價値判斷に基き、一定の結果を負擔せしめねばならぬとする一種の形式的關係概念として使用される(一)。例へば人は宗教活動に於ては神に對する信仰上の責任を生じ、道德的活動上に於ては、自我乃至良心に對する責任を生じ、法律的活動に於ては、法律なるものに代表さるる客觀的意思に對する責任を生ずるが如し。その何れたるを問はず、これら事象の前提をなすところのものは、何等かの規範領域の見地よりする價値批判の存在といふことであつて、その批判の結果として見出さるる共通現象は、一定の人的行爲は、常に消極的なる評價の下に立たされてゐるとの一事である。卽ち神の命令の要請に背反する罪惡的行爲に對しては、神の咎めあるものとせられ、道德に背反する不行跡に對しては、良心の苛責に値ひするものとせられ、法律に反する不法の行爲に對しては、秩序立てられた共同態社會は、これに對し一定の法律的制裁を以て相遇し、それ〳〵の立場に於ける無價値の判斷を下してゐるが如し。法律的意義の責任とても、またかかる廣義に於ける責任範疇の一種に屬することに疑ひはないのである(三)。

(二) 刑法の場合は、刑罰なる一定の結果への關係を指示し、従つて刑法上の責任は犯罪を前提とする (v. Hippel, ibid. S. 270)。

(三) 通說である (Vgl. E. Schmidt, ibid., S. 222, Mezger, ibid., S. 255)。

二　法律的意義の責任　然しながら法律上に於て、廣く責任といふときは、その語は種々なる意味に使用される。時には、(a) 普く法律上の制裁一般を意味し(客觀的意義の責任)、或は(b) 法律責任なるものを負はざるべからざるの地位、責任能力(主觀的意義の責任)を意味し、或は(c)法律上の拘束、即ち義務を意味するも(一)、法律上の一般的なる意味に於ける責任（Verantwortlichkeit）とは、大體において、右第二即ち一定の法律的事實を原因として、一定の法律的效果殊に一定の義務を負擔せざるべからざるの主觀的狀態を意味する(二)。例へば民法上、不法行爲に因り損害賠償責任を生ぜしめ、刑法上、犯罪に因り刑罰責任を生ぜしむる前提としての主觀的狀態を指すが如し(三)。而して、かかる一定の結果を一定人の負擔に歸せしむる作用を稱して刑法學は、術語として「歸責」（Die Zurechnung）の語を使用し、その必然的所産が、ここに謂ふところの「責任」（Schuld）の觀念となるのである。

(一) 牧野博士著、重訂日本刑法上卷第一三六頁、宮本博士著、刑法學粹第二七三頁、同著、刑法大綱第一〇七頁。

(二) 小野博士、刑法講義第一二五頁。

(三) 故にヒッペルの如きは、責任問題は、論理的にはその前提として、一定の行爲者は、一定の客觀的違法行爲に出で、行爲は一定の精神的性狀の存する限りに於て加罰的たることを意味する。故に彼の一身的事由に基く刑罰阻却原因の場合は、責任の問題より區別さるべく（v. Hippel, ibid., S. 271）、また「責任能力」は一派の學徒の謂ふが如く、「責任の前提」ではなく（例へばシュミット、コールラウシュ）、責任の基礎であると（v. Hippel, ibid., S. 278）。

三　刑法上の術語としての責任　刑法上、刑罰の前提としての犯罪は、私法方面に於ける不法行爲と同じく一種の違法（kriminelle Unrecht）であり、且つ同時に有責なる行爲（Schuldhafte Handlung）でなければならない。客觀的に違法なる結果は、當該行爲者の主觀的性狀及び意思活動に歸責され得るものでなければならない。換言すれば、第一に一定の罪となるべき行爲事實は行爲者の意思活動に因る結果として見らるべく、兩者の間に物心兩界の連結が存してゐなければならず、第二に、行爲者の行爲と法律秩序なる規範との間に齟齬を存してゐなければならず（違法性の存在）第三に、違法惹起主體としての行爲者の主觀的性狀が、法律の上よりして一定の非難が加へられ得るものでなければならない。卽ち行爲人格と、法律規範に違反するものとしての行爲との間に、一定の連關關係を存してゐなければならないのであつて、この連關に對する價値判斷が責任（Verschulden）の問題であり(一)、それは一種の非難性(Schuldvorwurf)を意味する。

刑法に於ける術語としての責任は、この行爲者の行爲の瞬間に於ける主觀的性狀に對する法律的非難の表現を意味するものであり、それは單なる純心理的または性格的事實でもなければ、また單なる規範的の價値判斷のみでもない。それは畢竟するに違法行爲の發生を端緒とし、謂ゆる責任能力者なるものの存在に立脚して、一定の心理的事實の存在を條件とし、その行爲者人格に對して加へらるる非難性を意味し、一種の法律的價値判斷を示すものに外ならない(二)。民法其の他私法方面に於ける責任の概念とても、大體に於て右刑法に同じく、その内には一定の心理分子と規範分子との兩者を含む(三)。故に刑法上の責任は、法律的責任の一種であり、それは宗教的または道德的責任より獨立的に論定せらるべきものであり、その責任は個別的行爲責任であり、他人の行爲に基く代位的責任乃至團體的責任といふことではないのである。この一事は一見して今日の團體主義の刑法理論に反するやうであるが、その實然らず、眞に個人的の責任をば十全に理解することによつてのみ、はじめてそこに國家社會に於ける一肢體としての個人的責任は十全に肯定し得らるべきこととなるのである。

（一）Mezger, ibid., S. 248; Schmidt, ibid., S. 221.

（二）Vgl. Schmidt, ibid., S. 228; Mezger, ibid., S. 248.

（三）ドイツ民法諸家の「責任に關する定義」として、注目すべきもの次の如し。
"Verschulden ist ein Willensfehler, vermöge dessen eine Person für ein unrecht verantwortlich gemacht werden kann". (Enneccerus, Lehrbuch 1, 1 § 196); „Verschulden bedeutet ein vom Gesetz missbilligtes geistiges Verhalten des Täters." Tuhr, Der Allgemeine Teil II, 2, S. 481); „Das Wesen des Verschuldens besteht in einem Eingriff in die fremde Rechtssphäre, das auf ein auf verwerflichem Willen oder aus verwerflicher Gesinnung entspringendes Verhaltens des Täters zurückzuführen ist." (Weyl, System der Verschuldensbegriffe im BGB., S. 533); „Jedes Verschulden enthält einen sittlichen Vorwurf den der bewussten oder fahrlässigen Verletzung fremder Güter" (Leonhard, Allgemeines Schuldrecht des B. G. B., S. 425); „Verschulden ist vermeidbare, verbotene Verursachung" (Wolff, verbotenes Verhalten, S. 234).

四　刑事訴訟法に於ける罪責　但し玆に謂ふ責任の問題は、刑事訴訟法、特に我が陪審法第七七條等に於ける「罪責の問題」(Schuldfrage) と區別さるるを要する。訴訟一般及び我が陪審法に於ける「罪責」の觀念は一定の人に對し、その行爲に基く刑事責任（刑罰責任）を肯定し得べきや否やの前提條件に關する一切の要件充足性を指稱し、その範圍は、玆に述べんとする責任問題卽ち行爲者の主觀的性狀乃至心理と違法行爲との關係に對する價値判斷の外に、更に該行爲事實の法定事實形式充足性、並に行爲の違法性をも包含せしめたものである(一)。固より罪責の觀念は同じく刑罰制裁を肯定せんとする立場よりして一定の行爲事實に出發しつつも、それを行爲者の法律責任に連結せしめむと欲するものであるが(二)、玆に謂ふ實體刑法論上の責任なるものはこれとは別個のものである。

（一） Vgl. E. Schmidt, 1 Bd., S. 222. 學徒の一部には、刑事訴訟法上の援助を藉り、實體的責任概念を明かにせんとするものあるも（例へば Frank）、今日かくの如きは一般に排斥されろ。

（二） 故に訴訟上、行爲者は有責、卽ち罪責ありとなすときは、その故を以て直ちに刑罰を宣告すべきものである。されば訴訟上の「罪責宣告」は、「犯罪概念の肯定」に同じであり、それは「刑の量定」問題と區別せらるる意味に於て、實益を見る（vgl. v. Hippel, ibid., S. 270）。

二　責任主義の歷史的發展

一　責任なければ刑罰なし（Keine Strafe ohne Schuld）　犯罪の處罰には、一定の責任分子を必要とすること、後期ローマ法以來の原則であり、今日いづこの刑法に於ても承認されてゐるところである(一)。然し、これは人類文化に於ける永い歴史的發達の所産であり、今日といへどもその成長發達は完結を遂げてゐるものではない(二)。

最初人類は、いづこの刑罰制度に於ても、苟くも客觀的なる人の利益侵害ある限り、その惹起主體に對して反撃を加へ、その原因體の主觀的性狀如何を吟味することはなかつた。さうしてまた原始社會に於ては、法律的責任は凡べて個人の屬する團體自體に於て認められ、個人の責任といふものは存在しなかつた。然るに人類文化の發達は、人の主觀に對する評價を惹起せしめ、また團體責任より個人責任へと移行せしめたのであつた。さしあたり刑法上の責任としては、そこに故意又は過失なる責任條件の問題と、その刑事責任を負擔せしめ得べき責任能力の問題として二面より考察されたのであつた。廣義の責任の歴史的發達過程に於て、そこに甚だしく爭はれたのは結果主義の責任論(Erfolgshaftung)と、責任主義の罪責論(Schuldhaftung)とであつた。さうしてこれらの爭ひに刺戟されて、責任論は漸次主觀主義へと移行したのであつた。

(一) 責任なくば、刑罰なしとの原則は、單に一つのプログラムに止まる。それは現行刑法の解釋上、疑惑を生じたる場合の指導原則であり、將來刑罰立法の理念にすぎず。現行刑罰法制上の例外なき原則ではないのである。

(二) Vgl. E. Schmidt, ibid., 234 E. Wolf, ibid., S. 5 ff.

二　まづ故意及び過失なる、謂ゆる責任條件に關する責任理論の發達より觀察して行かう。

最初、(1)ドイツ古法に於ては、客觀的の違法行爲だにあらば、すべてこれを罰し、違法行爲の惹起者に責任分子の存すると否とを問ふことなく、況んや故意と過失とを區別せず、從つて血的復讐の如きは、種族の相續によつても敢行されたのであつた。(2)ローマ古法に於ても、當初はなほ客觀主義の色彩强がつたが、後にギリシア倫理思想の影響を受け、犯罪の決定的重點を「法律侵害の意思」に認め（ドイツ古法の結果主義と反對）、帝政時代に入りては、ただ故意に基く犯罪のみを罰し、過失に基くものは罰せず、これはただ損害賠償責任に止るものとし、その代りに未遂なるものは、既遂と同樣に罰せられたのであつた（この傾向は、後代に於ける一切責任論の發達を決定する）。而して後期ローマ法に於ては、故意または過失の存在により、違法の結果が行爲者に歸責されるとの觀念を生じ、爲めに最初の明確なる犯意主義は、やや曖昧とならざるを得なかつた。(2)中世イタリア法は、ローマの犯意主義を採る。(4)ドイツ中世法は、またローマ法の影響を受け、次第次第に故意の犯罪のみを罰し、過失を輕視するも、その固有的結果主義の見解と、實際的法律生活の必要とは、つひに目的意欲された結果に對してのみならず、およそ予見された結果の一切に對しても、行爲者の責任に歸し得べきものとなすに至つた（謂ゆる間接故意）。しさうしてこの見地より、彼の未必的故意なるものも、故意なりとするに至つた（認識主義）。

かし乍ら、かかる默示または未必の故意を以て故意と見る考へ方は、責任主義の見地よりしては承認され難きところであり、それは法律實務に於ける立證責任の緩和に基けるものとされるのである(一)。次に(5)過失犯の觀念それ自體は、(a)ローマ法の各時代を通じて認められなかつたところであり(二)、一切の犯罪には、故意(Dolus)を要するものとなした。(b)中世イタリア法に於ては、ローマ法の責任主義と、ゲルマン法の結果主義とを折衷し、一面には偶然ならざる一定の意識行爲を罰すると共に、他面には、過失(Culpa)をば一般的に責任の體樣として是認するに至つた。但し、その所罰は輕きものとなした。(c)カロリナ刑事法第一四六條等は、過失殺を認めこれらに刺戟されて共通法時代には、一切の重罪には故意を必要とするも、「准犯罪」(Qasi-crimen)に對しては過失を以て足れりとし、これに對しては、任意的刑罰を以て過すべきこととなした(一六二〇年のプロシア刑法、及び一八一三年のバイエルン刑法等これに從ふ)。かくして、(d)過失の觀念は、責任の一態樣と見らるるに至つた。さはれ今日と雖も、過失犯の概念は必らずしも科學的に明確なものではないのである。

(一) Vgl. E. Schmidt, ibid, S. 236.

(二) Mommsen, Römisches Strafrecht, 1899, S. 89.

三　他方責任能力の問題、即ち一定の違法行爲は、行爲者の人格に於て、法律的に非難の對象として肯定され得べき適格を具有する場合に限り責任を生じ、幼年、少年、精神病者は適格性を排斥すとの考へなるものは、これまた歴史的發達の所産である。即ち最初、(1)ローマ法に於ては一定の年齡を以て所罰の要件とすることなく、未成年の窃盜犯人に對しても、罰を加ふることに躊躇しなかつた。(2)ローマ後法及び寺院法は、童兒が滿十七年に至るまでは刑責を免除すべきものとし、それ以上の者が、はたして責任能力者なりや否やは個々具體的に判斷すべきものとし、(3)ドイツ古法は、一定の年齡に限界を認むることなく、殺人贖罪金 (Wergeld) や、賠償金の支拂 (Busszahlung) 宣告には、少年といふ年齡は考慮せられなかつた。が、ただ自治團體法により多くの平和購買金 (Friedensgeld) の支拂は免除された。(4)カロリナ法第一六四條は、少年の窃盜犯に對しては死刑を宣告し得ざるものとし、(5)ドイツ普通法に至つては理論方面は、ローマ後法的に年齡を定むる必要を說く。(6)一八〇八年フランスのコード・ペナルは依然年齡に限界を認めず、ただ個々の場合、犯人が辨別心を有したりや否やにより、責任能力を定むべきものとし(7)ドイツ帝國刑法は十二年以上、十八歲までの者に對してはフランス主義に從ひ、辨別心の具體的有無により解決せんとするも、そこにマキシマムとミニマムの年齡を認むるところにフランスとの相違あり、一九二三年のドイツ少年裁判所法に至り、刑事責任能力の限界を滿十四歲に高む。さうして、(8)右の如き一般的責任能力の外に、精神病者の顧慮といふことも、漸次その度を高めて行つたのであつた。

以上責任條件と責任能力とに關する理論發展の足跡に徴して吾々の切に感ずる一事は、近く我が牧野博士によりても指摘されてゐる如く、「責任觀念の發生と發達とは、要するに自我の意識と、同時に他我の認識、即ち社會生活に於ける協同現象の發展が必然的にもたらした結果」といふことである(一)。さうしてそれはローマ法に關し、すでにイエーリングの論じてゐた如く、法律における事の倫理化を意味するのであり、刑事責任の客觀より主觀化への傾向を意味する、十九世紀より二十世紀にかけての責任論の發達は、この一線よりして最も明確に把握し得る(二)。

(一)　牧野博士「不法行爲論の發展」(法律時報、第五卷七號三頁)。

(二)　いま刑法責任理論の近代的發達と現在狀態とを、(1)客觀主義、(2)主觀主義、(3)社會的見解とに大別し、更にそれらの内に於ける態樣を略述するならば次の如くである。第一、客觀主義　その中には(a)形式的見解(Grossmann; Schuld als objektive Wahrscheinlichkeit)と、(b)實質的(Nagler, Der materielle Objektivismus)とあるも、大體フエルネックの次の定義に代表さる(Huld von Ferneck; Schuld ist der Angriff auf das Rechtsgut")。第二、主觀主義　その中(a)認識主義(表象理論=解釋論的)は種々に分るるも(Oetker, Finger の責任形式論)、ベーリングの、次の定義に代表され(Beling; Schuld ist die Beziehung des Täters zur Tat)、(b)意思主義は、更に二つに分れ、(1)規範的、倫理主義(Binding, Schuld als Rechtsnormwidrigkeit; M. E. Mayer, Kulturnormwidrigkeit, Graf zu Dohna, Schuld als formale Pflichtsnormwidrigkeit, Goldschmidt, Schuld als materielle Pflicht od. Billigkeitsnormwidrigkeit; Freudenthal, Individualnorm "Nichtanderskönnen")はヱー・シユミツトの心理主義的規

範主義の責任により代表され、(2)認識的、心理主義（Kohlrausch, Coenders; auf Grund mangelnder Pflichtgefühl od. Hemmungsgefühl; Exner, Mangel am Lustgefühl für das Rechtsgut; Engelhard, Mangel an Wertgefühl für das Rechtsgut）は、義務違反性に對する心理的方面に責任の本質を認め、第三、社會的見解は（a）徴表說（Tesar, Kollmann. v. Lilienthal; Schuld ist antisoziale Gesinnung）と、（b）危險性主義の責任論（Liepmann, Grünhut, Schumacher; Schuld ist soziale Gefährlichkeit）とに分る。

三　道義的責任論と意思の自由

何が故に刑事責任なるものを存するのであるか、その本質乃至根據如何に關しては、全く相異る二つの見解がある。一つは、道義的責任論であり、他は、社會的責任論である。この兩者の爭ひは、必然的に刑法乃至刑罰の理念を如何に解するやに關連するものであるが、二者の分るるところは、その重要なる部分に於て、彼の「意思の自由」則を承認するや否やに關する。まづ前者の理論より考察してみよう。

一　道義的責任論　刑事責任の根據を、人がその自由意思に基きて犯罪なる反道德的行爲へと自らを決定せしめる點に求める。即ちクラシックの見解によれば、責任の本質は、行爲者がその行爲の非社會的なることを知れるに拘らず、敢てこれを爲したるか、またはこれを知り得べかりしに拘らず、これを知らずして爲したる點卽ち行爲者は一般的に正常なる行爲を決定し、これに從つて行動するの能力を有したるに拘らず、個々の場合に於て、この社會的規範に合致したる行動に出でざりしところに責任ありとなす(Du sollst, denn du kannst)。刑法上の歸責、責任、應報的刑罰は、行爲者が、彼れの自由なる意思により合法的に行動し得たるに拘らず、違法行爲へと自らを決定せしめたる點に責任ありとなすのである。カントは、右に反し ,,Du kannst, denn du sollst‘‘ の原理を主張する。が、かくの如きはあまりにも嚴格に失し、法律の實際には認めらるることはなかつた。右の意味に於ける責任論は、その根據を一つの哲學上の假定なる意思の自由に求める(一)。しかし、意思の自由を認むるにあらずんば、刑法責任を肯定し得ざるものなりや否やは、疑問である(二)。

(一) 尤もこの問題に關しては、近時刑法學徒の有力なる者は、これは刑法責任の問題と直接に關係なしとなすに傾くも (v. Hippel, E, Schmidt, Mezger)、なほ從來見解種々に分れ、(1)一派の學徒は、この問題は刑法の個々の問題に影響を持つものとし (Grünhut, Köhler)、(2)他派は、意思の自由は刑法の前提なりとし (v. Bar, Baumgarten, Beling, Gretner, Sauer)、(3)一部は意思必然論を以て刑法の基礎とする (Hold v. Ferneck, Janka, Gerland, Petersen)。が吾吾は今日右の如き獨斷論はこれを排し、一面に於て、事物の因果的觀察を基礎とすると共に、これに對し更に認識批判的立場を見失ふことなきを要するのである(認識批判的決定論 erkenntniskritische Determinismus)。

(二) ザウエルは、人の意思は、心理の對象としては必然に支配さるるも、倫理の對象としては非決定論を要求する。

然らば、刑法との關係に於て、右の孰れを優れるものとなすべきやに關し、凡そ社會的評價の對象なるものは、事後的に眞と認めらるる事相ではなく、その固有的現在に還元せらるる事象なることを理由として、「責任は只自由意思の基礎の上に於てのみ可能」なる旨を主張する（W. Sauer, Grundlagen des Strafrechts 1921, S. 505）。メッツゲルは、ザウエルの見解を攻撃して曰く、「刑法的の思惟それ自體は、規範的のものであり、そこには因果律の支配を受くべきものではない。が、犯罪といふ刑法的思惟の對象となり、關係するところのものは、飽くまでも行爲といふ事實的、從つて因果律の支配を受くるものである。ザウエルは兩者の區別を看過してゐる」と（Mezger, ibid., S. 252）。至當である。

二　意思自由論と責任　意思の自由とは抑も何ぞや、これには二つの意義がある。一つは、「行爲人格の自由　即ち各人は、各人の意欲するところに從つて行動し得るとの一事であり、他の一は、「動機決定の自由」即ち一切人の行動は、各自の宗教、道德、法律その他、文化規範の命ずるところに從つて、任意にその一つを選擇し行動し得るとの一事である。が、かくの如き前提ははたして絕對に承認せられ得べきものであらうか、この點、刑法學徒の間にも爭ひがある。すでにカント、スピノザ、ショーペンハウエル等の哲學に於て拒否せられてゐる如く、吾々の體驗と科學は事實としてこの能力を否定する。事實それは一種の假定にすぎない。吾々の理性が吾々の道德律を可能ならしめんが爲めの論理上の前提として、これを要請するにすぎず、今日の科學理論は益々強く人類の諸活動は、しかく自由なる自己決定に基きてなさるるものにあらずして、それは齊しく自然界を支配する因果の法則によつて支配さるるものであり、必然的因果の前には、人の意思は如何ともなし難きものなることを教へる。されば意思自由の問題は、哲學上に於ける他の設問なる「非決定論」と、「決定論」の爭として存在する。

思ふにこの問題は、刑法學的見地よりしては、その否定論者の主張するが如く、專ら自然科學的及び心理學的にのみ考察さるべき問題ではなく、專ら社會倫理的の立場より社會學的に、法律規範的に論定せらるべきものである。而して、社會學的の立場よりこれを考ふるに、今日社會一般人の意思活動なるものが、非決定論者の云ふが如く、無原因のものにあらざることについては有力なる學徒の多く認むるところであり、この意味に於て、意思の絶對自由なることを主張することは誤つて居る(三)。これを社會の實際に徵するも、多くの意思活動は常に社會的に何等かの制約を受けてゐるのである。その限りに於て意思活動は有原因のものである。然しながら、その有原因なることは、いまだ以てその活動が、常に必然的關係によりてのみ支配されるとの結論を生じない。その間吾々の意思は、なほ廣汎に心意的因果を支配せることも、また社會生活の事實に徵して明白な一事である(二)。かゝるが故に、吾々は一派の學徒と共に、人間の意思活動は、原則として有因のものであるが、なほ人は通常の能力を有する限り、その因果の進行を承認し、或は中斷し、或は拒絶し、以て或る程度の支配力を與へ、これを左右し得るとの確信を有するのであり、この意味と限度とに於て、意思の相對的自由を單に假定としてではなく、事實として承認せんとする。さうしてこの相對的自由性が、卽ち責任の根據であると考へる者であり(三)、而もこの限度の意思の自由を承認する限り、もはや刑法上に於ける責任の根據は、充分に肯定し得らるるものと考へるのである。

(一) ヒッペルは、アドルフ・メルケルの見解に從ひ、決定論を採りつつも、かるが故にまた刑法上の責任を生ずる旨を巧妙に論じて曰く、「刑法上の責任及び應報刑は、意思自由の問題よりは獨立的のものである。人は屢ゝ意思の自由を以て外部的强制よりの自由として理解せんとする。が、强制に基く行爲は、刑法に謂ふ眞の行爲ではないのであるから、これは當然の事柄である。刑法上そこに問題となるのは、そういふ强制の存する場合、一般的平均人としてそれに抵抗が期待され得るや否やの一事に止まり、意思の自由といふことが問題となるのではない。更に人は、意思の自由を以て道德的の自由、卽ち人が自己の行動をして道德的且つ法律的原則に從つて行動せしむべき人の能力(Fähigkeit des Menschen)の意に解せんとする。が、かかる意義の自由は、通常一般人に關する限り、その存在爭ふべくもなく、また爭はれてもゐない。意思の自由といふことに關して爭ひの始まるのは、同一の人は、同一の狀況の下に於て、それと反對のことを欲し從つて他を行動し得たりや、それともその行爲は、行爲者の行爲時に於ける諸條件の必然的所産として考へらるべきものなりやに關してである。この點、一方に於て、人は自ら選擇し、この選擇に從つて自ら決心を爲すといふことは疑ひなきと同樣、他方に於てまた人は必然的に次の如きもの、卽ち彼れにとり、その各場合に於て與へられた狀況上、最も正しと見ゆるものを選ぶことも疑ひない。卽ち人は彼の人格的性格の基礎に從つて選擇するのであり、この人格に基いての選擇といふことより自由たり得ない。さればこの點に對して、人の自由感情と選擇自由の立證を求めむとするならば、それは誤りと謂はねばならぬ。謂ゆる責任とは、この必然的なる選擇を意味する。有責感情(Verantwortlichkeitsgefühl)なるものは、アドルフ・メルケルの論ずるが如く、人が彼の行爲につき、その惹起者として感ずる點に在る。卽ち、その原因的判斷に基き自已はその結果に對して門外漢たり得ない。寧ろその自已的行動に對し、倫理的價値判斷を導く點に在る。故にそれは、意思自由の問題とは別箇である。意思必然論は、責任感情を以て刑法の一般的基礎として理解せしむるに適當する。要するに、責任非難といふものは、行爲は、行爲者に對して決して偶然的なものではなく、それは全く彼の心意(Gesinnung) の表現なることを物語る。故に意思決定論より來る責任非難は正しきこととなる」とし (v. Hippel, D. Strafrecht, 2 Bd., S. 285)、「汝は平素惡しく行動し居たるが故に、汝はまた惡しく行爲したりといふことになり、決して汝は他を行動し得たり、故に汝を罰すと考ふべきではない。さうして刑罰を應報として考へてみると、それは必然なろが故に應報されるのであり、意思自由なるが故に應報といふが如きことは意味をなさない (氣まぐれの事項に何故、應報といふことがあり得やう)。刑罰は何ほ豫防といふ分子を含むも、必然的なるが故に豫防といふことは合理的に考へらるるのであり、自由論を以てしては、この點とても合理的に説明されない」と (v. Hippel, ibid., S. 286)。一見、必然論なるも、その思惟の本質に於て、相對的自由主義の一つに算へらるべきものである。

(二) フランス系の代表的學徒は、相對的自由 (La liberté relative) 意思説を採り、常態的意思の人に在つては、意思作用は、その一部に於て必然的なるものありとするも、なほその一部に於て必らず自由なるものありとし、この相對的自由の意味に於て、刑事責任の本質を理解すべきものとす (R. Garraud, Précis de droit criminel, 14 ed., P. 185 écrivent; „En réalite, tout acte de l'homme paraît dépendre d'un élément de liberté et d'un élément de nécessité. Dans les conditions qui lui sont faites par les lois générales, l'homme normal conserve une dose de spontanéité et une puissance de réaction qui suffisent à fonder la responsabili é morale individuelle, sans qu'il y ait lieu cependant de mesurer la peine sur cette responsabilité, dont la constatation seule importe pour justifier et colorer la moralité de la repression.')。

三　道義的責任論は、刑法に於ける責任の發端を示すものとして刑罰の道德性を示すに役立つ。

この一事は、刑法上の責任の概念が、後期ローマ法に於て、ギリシア哲學及び倫理の影響を受けて發生し、寺院法の下に於て益々發達するに至つた事實に徴して明白であり、特に刑法中、自然犯の刑事責任の說明としては妥當する。が、今日の刑法がなほ法律の一部門として、道德よりひとまづ分離せるものである限り、その下に於ける責任は法律的のものであり、それは法的責任であることが遺却さるべきではない。道義的責任論は、この一點に於て甚だ或る物足りなさを感ぜしむる。これ次に述べんとする社會的責任論なるものの發生するに至つた所以である。

四　社會的責任論と危險性責任

一　右に反し、責任の根據を合目的論的に考察するに於ては、その基礎は人間が社會生活をなす限り、一定の非社會的行爲に出づる者は、その故を以て社會より一定の反作用を受諾しなければならぬとする一事に見出される。責任といふことを社會的見地より考察するに於ては、社會は常に社會的秩序を侵害する者に對して、防衛しなければならぬといふ要請の中に見出されるのであつて、而もその防衛手段として、時に刑罰なるものを必要とするとき、そこに犯罪行爲者には社會に對する關係上、刑事責任なるものを肯定すべきこととなる。卽ち責任は、個人が社會的生活をなす限り、而してその反社會的行爲に對し、社會はこれが防衞をなさざるべからざる限り、そこに必然的に見出さるる一現象であり、その內容は一定の法律的效果を賦與するにつき必要とする一定の心理狀態に外ならざることとなる。この理論を創始した者はフェリーであつた(一)。我が國に於て社會的責任論は、特に牧野博士により主張されたのであつた。が、この理論によれば刑法に於て特に責任なるものを高調するの要なく、たゞそれは犯罪構成の主觀的分子を指稱する形式的のものにすぎざることとなるのである。事實、牧野博士曰く、「術語としての責任なる語は、之を存置するの必要なきものと解す。只、刑法の範圍內に於て形式的に之を論ずるときは、犯罪の成立には一種の心理狀態を必要とするが故に、單に此の心理狀態の本質を妥當に認識するを以て足る。謂ゆる責任なければ刑罰なしとの原則は、單に刑法の範圍內に於て形式的にのみ主張せられ得るものに過ぎず」と(二)。然しながら、かくの如き理論なるものは、要するに刑事制裁、若くは刑事訴訟法的意義に於ての刑事責任が、何故に存在しなければならぬかの說明であり、ここに問題としてゐる刑事責任の前提としての犯罪構成の心理的分子としての「責任」なるものの根據論ではないのである。

(一) E. Ferri, La sociologie criminelle, 1893, P. 260 et suiv.

(二) 牧野博士、重訂日本刑法上卷第一三六頁註一。されば牧野博士また曰く「かやうに考へて來ると、責任といふことに關し、從來一般に信ぜられた哲學的な意味は全く沒却されることになる。今なほ、そのいはゆる哲學的な意味に執着を感ずる學者が少くないのであるが、わたくしとしては、實證的な科學的な立場から――學理上の議論としての哲學的な――責任論は、これを捨てるべきであると考へる」と（同著、刑法改正の諸問題、第六八頁）。

二　ここに於て一方、社會的責任を豫定し、他方、責任の內容たる一定の心理狀態に着目し、且つ責任分子の存在することによつて科せらるる刑罰制裁の何たるやを合目的論的に考察する者にとりては、狹義責任の認めらるる根據は、犯罪行爲者人格に於て、社會共同態の立場より、その價値性が判斷され、それは一定の社會的危險性を有つ點に在りとなすべきこととなる。近くこの點を特に力强く主張してゐるのは、グリューンフート（Grünhut, Gefährlichkeit als Schuldmoment, 1926）である。すでにリスト一派は、犯罪觀念の肯定に於て、社會に對する行爲者の價値性に第一線を置き、刑罰の理解に於て、その社會的復歸及び離隔に重點を置き、責任を以て性格責任（Charakterschuld）として理解してゐたことは周く知らるる所である。然しながら責任なるものの存する所以は、かくの如き危險性ありとか、社會はこれに對し防衛の必要あり、從つて危險性人格は、制裁受諾の義務ありといふが如き、單なる存在觀乃至必要性のみによつて、充分にその根據を明示し得べき限りではない。それはかゝる一定の存在觀の外に、なほ一定の規範的見地の加はることによつてのみ、はじめて可能となるのである。

五　心理主義の責任理論

責任は、違法行爲惹起原因としての、一定の主觀的分子に對する非難裡に成立するものなることについては今日多く異論を見ないのであるが、然らばその內容如何、その謂ふ非難性は、いかなる意味に於て可能となるやに關しては、見解二つに分れる。一つは心理主義的見解、二は規範主義的のそれである。前者より略述を試みよう。

一　心理的見地（Psychologische Hinsicht）によれば、責任の內容は一定の意思と結果との間に見出さるる心理的性狀、卽ち行爲者がその行爲の非社會性を知れるに拘らず、敢てこれを爲したるか（法定事實を識りつゝその行動を爲したりといふ心理的事實）、またはこれを知り得べかりしに拘らず、不注意にこれを認識せずして爲したる所に認めらるべき、非社會的なる一定の惡性の存在といふ心理的事實に外ならず(一)、何れとするも責任の內實を以て、行爲者の行爲に對する心理的關係に認める(二)。

心理主義責任論の一種と見らるべきは、ラードブルフの過失槪念に出發しつつも、これと故意との統一的理解としての「心意狀態說」（Gemütszustand）說である。彼は故意と過失とに共通する一定の純心意的狀態、それはよりて以て一定の違法行爲をば、當該行爲者の特質的なものとして彩色せしむるところのものを責任の本質的なる分子として眺めんとした(三)。が、かかる純心意的分子のみを以てしては責任概念を構成すること不可能なるを自覺するに至り、結局、責任の成立は、一定の行爲が違法性を有し且つそれより推斷さるる心意が一定の非社會性を有つ場合に限るとなしたのであつた。而もかくの如きは、もはや純心理主義を捨てて、一定の規範的分子なくしては責任は成立せざるものなることを告白したものと謂はねばならぬ。

(一) Vgl. v. Liszt, Lehrb., 20 Aufl. 1914, S. 163.

(二) Graf zu Dohna, Der Aufbau der Verbrechenslehre, 1936, S. 31.

(三) Radbruch (in Z. f. g. Stw., S. 344).

二　心理主義の責任論は、十九世紀初葉來の、自然科學的法律論の刑法的一展開としも稱せらるべきものであつた。が、かかる見解に從ふときは、第一に、過失なるものの責任性を充分に說明し得ない。けだし、過失なるものは眞實の世界に於ては、心理的事實性を缺くものであるからである(一)。第二に、かかる心理的事實の存在のみを以てしては、なほいまだ責任の全部を解明し得ない。何となれば一定の心理分子の存在するに拘らず、責任性の否定さるる場合あり得るからである(例へば、緊急避難、正當防衛に於ける過剩防衛、謂ゆる期待可能性の不存在の如し)。

かかる難點は、勢ひ責任內容の理解として、次に述べんとする規範主義的傾向へと導かしめたのであつた。然しながら、心理的見解は、いまなほその影響の甚だ强いものあることはこれを認めねばならぬ。卽ちその一派によれば、假に責任の內容を以て、規範的の分子が主なるものとしても、かかる規範的分子は、要するに「義務違反の認識」として理解さるべく、依然心理的事象なることを說くのである(二)。

(一)　故に既に十九世紀に於て、この點につき疑問を發したる學徒を存したるも（例へば、Brück, Zur Lehre von Fahrlässigkeit, 1885）、なほ十九世紀の末葉及び二十世紀の初葉に於ては、心理主義は爭ひ難き支配力を持つてゐた。故意論に於ける認識主義か、意思主義か、二者何れが眞理なりやの爭ひの如きは、心理主義の絕對的支配を豫定してのみ理解され得べき現象である。

(二)　ブレンターノ一派は、一切の心理的體驗は、一定の表象の上に、一定の價値觀を賦與したものである、が、本來は一元的に還元さるべきものであるとなし、從つて責任の如きも、心理要素の上に展開せらるべきものなりとなす（Vgl. Brentano, Psychologie, 1 Bd., S. 111; Husserl, Ideen zu einer reinen Phänomenologie, S. 197 ff.; F. Schreier, Interpretation der Gesetz und Rechtsgeschäft, S. 11 ff.)。

六　規範的責任論

一　十九世紀初葉來の支配的過程であつた自然科學的＝因果論的なる精神科學は、二十世紀の初めより、一種の文化科學的=價値評價的觀察方法によつて克服せられ、それは法律學をもいたく刺戟したのであつた。即ち法律概念を以て價値概念なりとし、それに連關して法律上の諸概念をして評價的、規範的機能を演ぜしめむとするの考へ方は、十九世紀全般を支配した自然科學的法規實證主義を排斥し、從つて刑法上の諸概念に對しても、法律的世界に於ける一定の價値論的實質的觀察を導き、さうしてそれは法律實務に對しても、目的論的概念の構成をば、壓倒的の勝利に歸せしめたのであつた。かかる思想的傾向が、刑法責任論の上に齎らした結果は、前後約二十年を通じて、そこに規範主義の責任論なるものをば動かし難き理論として定立せしめたのであつた(一)。その理論の創始者と目せらるべき者はフランクであり(二)、次でゴールドシュミット(三)、グラーフ・ツー・ドーナ、ミッテルマイヤー、ローゼンフェルド、リユーメリン、エキスナー、エム・エー・マイヤー(四)、フロイデンタール(五)、メッツゲル、ザウエル、コールラウシュ、ケーラー、ヒッペル(六)、ウォルフ等により展開せられ、近くはエー・シュミットにより一應完成さることになつたのであつた。

(一)　規範的責任理論は、これまた一つの興味ある漸次的歴史的發展の所産である。最初、(1)二十世紀の劈頭、ゾイフエルトは、その名著「ドイツ新刑法論」(一九〇二年)に於て、「故意」は心理的に理解され、「過失」は規範的に考へられ而かも、この兩者が等しく責任態樣に屬することの不可解を指摘した(Das neue StGB, S. 45 ff.)。これに刺戟されて規範主義の責任理論は、Frank, (über den Aufbau des Schuldbegriffs, 1907) を筆頭に、Goldschmidt (Die Notstand ein Schuldproblem, 1913); Graf zu Dohna (in Gerichtssaal, 65 Bd., S. 304; Z. f. g. Stw., 32 Bd., S. 332 ff.); W. Mittermaier (Schuldlehre); Rosenfeld (in Z. f. g. Stw., 32 Bd., S. 477); Rümelin (Das Verschulden, 1909); Exner (Die Fahrlässigkeit, 1910, S. 76 ff.); M. E. Mayer (Allg. Teil, 1915); Freudenthal, Schuld und Vorwurf, 1922); Mezger (in Gerichtssaal, 89 Bd., S. 250); W. Sauer (Grundlagen d. Str. 1923); Kohlrausch (in Reform, 1 Bd., S. 184); Köhler (in Gerichtssaal, 95 Bd., S. 433 ff.); E. Wolf (Schuldlehre, 1927); v. Hippel, D. Strafrecht, 2 Bd., S. 278) 等に依り漸次發展せしめられたのであつた。但し、稀には故意と過失との包括概念として「責任」を理解することに疑惑を懐く者を存した。その一は、Sturm, Die strafrechtliche Verschuldung, 1902, S. 46 ff. であり、彼は、純心理的なる故意の觀察に立脚して、「故意は一定の精神狀態の事實内容に關する單なる記述にすぎないのであるから、それは責任形式に屬するものではない。けだし責任は、ノルマルなる人の精神狀態より異常を示す或るもの、即ち規範的の概念に外ならないからである」となし、その二は、Kohlrausch (in Reform, 1 Bd., S. 194) の論であり、彼は一世紀前 v. Almendingen によつて示摘せられた如く、「過失は決して責任形式ではない。何となれば、そこには責任概念に特質的なる心理的事實、即ち一定の行爲結果に對する意思が存在してゐないからである」となしたのであつた。が、右二つの相對立する見解は、責任論に於ける規範主義への勝利に事態を導いたのであつた。けだし規範的要素は、故意、過失の兩者を通じて認めらるるからである。規範的責任論に關する我が國の文獻としては、特に、木村教授及び佐伯教授の前掲論文參照。

(三) 最初フランクは、責任 (Schuld) を以て、心理的要素のみによつて理解せんとする從來の通說に反し、責任を以て「非難性」(Vorwerfbarkeit) なりとし (Aufbau des Schuldbegriff, in Giessen=Festschrift, S. 529)、この非難性は、第一に、責任能力の存在、第二に、故意又は過失關係の存在、第三に、行爲者が行動するに際しては、四圍の狀況がノルマールの性狀に在りたる場合 (normale Beschaffenheit der Umstände, unter welchen der Täter handelt) (ibid., 530)

に於てのみ可能なることを主張したのであつた。特に重要なる意義を有するのは、右第三の點であつて、この一事は、逆にいへば、行爲者が緊急狀態とか、强制とかいふ如く、異常なる「隨伴的事情」(begleitende Umstände) の下に在る場合には單に行爲者に對しては勿論のこと、一般の第三者をその地位に置くもこれに對し、その場合、違法行爲より離脫せしむることを期待し得ないから、從つてこの場合、行爲者を非難することは出來ないことを意味する。フランクのこの見解に對しては、大略次の如き三つの攻擊が加へられた。(a)フランクは「正常なる動機決定」又は「隨伴的事情」の不存在が、直ちに責任の內容をなすものの如く考ふるも、これは誤りである。隨伴的事情は、それが行爲者の心理に影響を與ふる場合に於てのみ意味あり、卽ち行爲者の心意に投影せられたもののみ責任に對し影響を與ふるにすぎず (Kriegsmann, in Z. f. g. Stw., 28 Bd., S. 713)、(b)故意及び過失はフランクの考ふるが如く、單なる心理的關係ではなく、それは義務違反的心意の表現として意義を持つ。兩者の結果的事實に對する行爲者の心理的關係の相違は、ただ責任の態樣に影響するに止まる。されば隨伴的事情及び責任能力の問題は、ただ故意、過失の態樣を決する以上の資料たるに止まり、責任の本質的部分は、これらに存在せず義務違反の點に在るものとす (M. E. Mayer, Z. f. g. Stw., 32 Bd., 1912, S. 509)。(c)フランクの規範的責任の內容は、法律的規範論ではなく、一種の倫理的規範論である。尤も彼は後にその著、刑法註釋書の第十八版に入りて、責任は自由、目的、認識または認識し得る影響に基き違法的態度を非難することであり、それは心理的關係に於て、結果及び違法性を認識したばかりではなく、規範的關係に於て、現實に爲された違法行爲の代りに適法行爲を行爲者に期待し得る場合に生ずとなし、一種の規範的責任論を主張するも、その責任論の本體なる「正常的動機決定」の理論は、非難性の心理的基礎を示すに止まる。それは直接に規範的責任論と稱せらるべきものではなく、實は「規範的責任の要素論」にすぎずとなす。

(三) ゴールドシュミットによれば、一切の法律規範、それは個人に一定の外部的行動を要請するところのものの外に暗默の一定規範、それはやはり個人に對して向けられ、それは法律によつて彼れの外部的行動が要請されてあるところに適合するやうな內部的行動を規律すべきものが立つ」(in Österr. Z. f. Str. 4 Bd., S. 145)。この規範を稱して彼は“Pflichtnorm”（義務規範）と呼ぶ。ゴールドシュミットによれば、義務規範は、人が原則としてこの規範に適合したる動機決定を爲すべく命令する。則ち責任は、この種義務に反するところに有責なる法律性を導き來るものとなす。彼の謂ふ「非道徳的なる法律性」(unmoralische Legalität) これである。卽ちフランクが責任の規範的要素を以て、常規的意思決定によりて可能ならしめられる「非難の可能性」となしたる點を、ゴールドシュミットに於ては、右の如き「義務違反性」に求めたのである。彼は、この結論をば、かの緊急狀態の免責性の問題に則して構成する。卽ち、「緊急狀態の如く行爲者が、右の如き義務動機に從つて行動することの期待され得ない狀況の下に於て、一定の主觀的に、それ以上に優越し、且つ條理的な動機に支配されて行動するときは、例外として反義務規範的に行動し得る」(ibid., S. 162)。かかる反對的義務規範、それは免責原因となるものを稱して、彼は「條理法」(Billigkeitsrecht) と稱し (ibid., S. 165)、これは法律より獨立且つ先行的に存在するものとなす（尤も、最近の彼のフランクへの祝賀論文では、この條理法を放棄して居る）。ゴールドシュミットの義務違反論に對しては、フランクのそれと同じく、法律規範的のものではなく、一種の「倫理的責任」の刑法的移入として非難が加へられた。思ふに彼れの「義務規範」は、その內實に於て、少くとも法律規範より派生したものと解せらるべく、これは法律より獨立したものではなく、また獨立したものと考へてはならないものである。はたして然りとすれば彼れの責任論は、その內實に於て、今日シュミット一派によつて主張さるる法律規範的責任論にすぎざるものとなる。

（四）瀧川前教授「犯罪論序說」第一五一頁は、エム・エー・マイヤーの責任論の功績を論じて曰く、「責任の規範主義が、行爲の義務違反性を本質とする限りにおいて、この理論の先驅者の榮譽は、故意及び過失は、先づ第一に、義務違反的意志表現であり、結果に對する行爲者の心理的關係の差異は、責任の種類を區別する標準に過ぎないことを指摘したマイヤーの受くべきものである」と。

（五）　フロイデンタールは、更に一歩を進めて過去法に於ても故意に在りては、「正當行爲への期待性」(Zumutbarkeit)は、一般的責任要素であつたことを主張する。彼の立論の動機は、刑事責任に對する一般的社會的判斷と、裁判官の判斷との間に大なる齟齬を存する場合あり得ることに出發し、それは裁判官が、「何人もかかる場合には不法行爲を爲すも致し方なし」として一般人が適法行爲への期待可能性を缺く場合を、責任判斷の外に置くべきことを忘れたるに因る。「結果の表象が反對動機たるべく、且つ動機たり得たであらうといふことが責任の一般的特徴である。行爲が有責として非難せられることは、行爲者の表象及び判斷が適當に行使せられたならば、行爲の實行に對して有效な精神的抑制となるに充分であるべきであつたといふことを意味する。故にこの能力の限界の彼方に於ては、法律上の非難の可能性は存せず、且つ同時に法律的責任は存在しないといふことになる」旨を主張する。が、この理論によれば、凡てを理解する者は、凡べてを容認するの理論より、多くの法律的有責者を刑法的責任の外におかざるべからざることとなる。木村教授は、「期待可能性」といふことを説明されて曰く、「期待可能性とは、行爲の當時に於て、社會的平均人を標準とするならば、法的規範に依つて命ぜられたところの義務の表象に從つて、意思決定を爲し得たであらうことの可能性を謂ふ」し（岩波、法律學辭典第三卷一五二九頁）。

（六）　ヒッペルは、規範的責任の内容を以て、行爲者犯人が自己の行爲に決定事實に觸れることを認識しながら、敢てその行動に出でたる事實に看取される規範の違反なりと解する（v. Hippel, 2 Bd, S. 279－281）。

二

同じく規範的責任論と云つても、その内には種々の見解含まれ、必らずしも内容を一つにしてゐない。特に責任の規範的要素を、責任能力及び故意または過失に對立する第三の要素と見るべきや（例へば、フランク、ゴールドシュミット）、或はこれを故意または過失の中に含ましむべきや（例へば、エム・エー・マイヤー、フロイデンタール）等に關しては見解分れ、また責任の内容をば單に規範的分子のみに認め、その基礎をなす心理的分子をば責任の内容より除外すべきやに關しても爭ひを存する。が、今日一般に刑法に於ける規範的責任論なるものは、エー・シュミットによつて代表さるる心理的＝規範主義のそれを指稱するが故に、以下主として此の意義の責任論を考察の對象とする。

シュミットは、刑法に於ける責任なる觀念を定義して、それは「一定の違法行爲に對する非難性を意味し、特に違法行爲を惹起したる原因體と見られ得べき一定人格の心理現象の缺陷性に對する非難性を意味する」となしてゐる(一)。さうして彼はこの結論に到達するまでに、次の如き法律觀察並に論理を辿つて居る。

(1)元來法律一般は(a)評價規範性と、(b)規定規範性とを有つ。而して前者は必然的に後者の機能を導き來る(二)。卽ち法律は、客觀的なる法律規範の集合として吾々の前に提示され、これら規範に適合するや否やによりて、人的行爲は客觀的に合法又は違法の兩者に分れる。然し法律が、單に國家共同體の各構成肢體の行動に對する客觀的評價基準たるに止まるに於ては、それは國家的に秩序立てられた共同態の存在を維持することは出來ないのであつて、法律はかかる評價規範としての機能の外に、なほそれと同樣の重さに於て、謂ゆる規定規範（Bestimmungsnorm）として登場するのである(三)。卽ち法律は客觀的評價規範なるが故に、その結果また各構成肢體に對し、各自の行動意思を規律する共同態意思として、各人の心意に對し、何を爲すべく、何を爲すべからざるやを示し、以て各個の行爲に於ける動機決定過程（Motivationsprozess）に對する指導者として登場する(四)。すなはち、かくして共同態の肢體に對する表象と動機決定に際しての法律の規定規範作用あるが故に、そこに人は、まさに爲さざるべからざる所に從つて行動しなければならなくなるのであつて、この内部的なる個人の自律（Sichrichten）法則をば、法律上の當爲すなはち義務といふ。かくして個人の心裡に惹起された社會的評價表象、並に社會的の心理强制 (sozialpsychische Zwang) は、法律に出發しつつ、直接に動機決定の一要因として、行爲者の懷く他の動機との爭ひに立つ。

（一） E. Schmidt, Lehrb, 1 Bd., S. 228.　（二） Mezger, Lehrb., S. 256.

（三） Vgl. Mezger, ibd. S. 166. 行爲の違法性を論ずる上に於いては、法律の評價性は重要であるが、責任性を考ふる上に於ては、法律の規範性が主題となるのである。　（四） E. Schmidt, ibid., S. 223.

(2) 責任概念の成立要件　然らば責任は如何なる場合に成立するか。それは右の規定規範としての法律が、行爲者の表象世界及び動機決定の過程に對し、一般人の豫期に反し、支配力を獲得し得なかつた場合に生ずる(五)。立法者は共同態の肢體が次の如きものである限り、そこに法律規範に合致した規律作用を期待する。即ち(a)行爲者が「人」に屬し、その人は社會的行動への一般的能力を持つとき（責任能力）、(b)行爲の當時、その人の全體的狀況が次の孰れかの事由を持たざるとき、(イ)表象の世界に於ける義務の意識を持ち來らしむること不能、または(ロ)吾々の經驗律に訴へて動機決定の過程が義務意識に從つて活動するを得ざるものと認めらるる場合(六)。

(五) E. Schmidt, ibid., S. 226.　(六) E. Schmidt, ibid., S. 226.

(3)責任の態樣　責任要素の一部分を心理的基礎に認むる見地よりして、そこに責任には態樣を生ずる。即ち責任の成立には、行爲者に於て違法の結果及びその非社會性を豫見することの可能性を存しなければならぬとなす限り、その成立には行爲者が眞にこれら要素を認識したることを必要とする。この見地より責任の心理的前提として、二つの形式が考へらるる。一は、行爲者が法定事實に該當する結果及びその非社會性を豫見したる場合(故意)、二は、當該の行爲者は事實に於て結果を豫見せざりしも、結果の豫見は事態の性質上、一般人には可能であり、またその非社會性も認識可能の狀態に在りたる場合(過失)。孰れとするも責任は、一般人に於て爲し能ふことを前提とする。法律上の義務は、この爲し能ふ範圍を以て限界とする。シュミットは、右の如き論理を辿ることによつて、上述の責任概念に到達してゐるのである。

三　思ふに右の如き規範的責任論なるものが、從來の心理主義的見解に對して、責任の本質を以て特有なる心理內容に對する價値判斷、即ち一般人の期待なる立場よりしての非難性なる價値に關係せる概念なることを明かにしたのは大なる進歩であり、偉大の功績といはねばならぬ。

然しながら、規範的責任の理論は端的に云ふならば甚だ形式的のものであり、從つてその理論はいつまでもそのままに止り得べくもない。そのうちに含まれてゐる理論的分子を更に深く實質的に全體的に擴大するに於ては、吾々は少くともその理論は、次の三つの方向に展開せらるべきものなることを知るのである。その第一は、責任の本質は、動機決定の過程に對する非難性卽ち行爲者は行爲の瞬間に於て、法律の規定定範性に從ひ、社會的評價の表象並に社會的心理への强制に從ひ行動すべかりしに拘らず、一般の期待に反し、擅恣に行動したる點に在りとなすのであるが、若し然りとすれば、これは非社會性の表現といふことであり、從つて、その下に於ける責任といふことは、これ結局、社會的責任の方向を指示するものにあらずやとの一事であり、第二は、責任の分子は期待可能性への背反といふことに在りとせらるるのであるが、この期待といふことを個人的にではなく、國家全體的の立場、國民共同態の意思より考察するに於ては、それは法律一般及び强き道德法則乃至全體法精神の違反といふことになるのであり、從つて責任の本質的部分は違法といふことと異ならざるにあらずやの一事であり、この點は、現にナチスの刑法學者によつて主張されてゐる所である。第三は、責任は違法行爲といふことを契機として、その惹起原因體と見らるべき一定人格の缺陷性に對する非難性とされるのであるが、若し然りとすれば責任の實體は、價値評價關係自體に存せず、行爲者人格に在りとなすべきにあらずやの一事である。現に規範的責任の主張者エー・シュミットの如きは、この點を是認し、次の如く說いてゐるのである。曰く「責仕に於て、吾々は責任能力者の心意に於ける法律の要求する一定の固有なる心理的規範的關係と、さうして彼の價値判斷とを確定し得る。卽ち、行爲者は彼の行動の非社會性を知り得べかりし者であり、從つてその行爲に際しては、その當爲則に從つた動機決定の期待されゐたるに拘らず、なほ且つ社會生活秩序としての法律に違反したる點に存する。その限りに於て、責任は恰も個々的行爲それ自體に對して（Schuld=Eeinzelrelation）成立するが如く見ゆる。が、人若し責任を以て、行爲者の內部的活動と、これに對し規律せんとする法律要求との不一致とのみ解するに於ては、それは甚だ皮相なる見解と云はねばならぬ。問題は更に深入りして然らば何が故に動機決定は、個々具體的に於て缺陷性を有つに至つたかの一點に在る。而もこの解答は、法律的秩序の見地よりする行爲者の性格評價（Bewertung des Charakters des Täters）に吾々を導く(一)。卽ち、吾々が行爲者に對し、責任非難として排斥せんとするものは、彼の特有なる價値評價であり、その動機決定の點である。法律は行爲者に對し、彼が法律の認識より獲得したる一定の價値表象を有つに拘らず、彼れ自身の專斷的價値評價に從つて動機決定を爲したることを怒るのである。かくして責任判斷は、行爲者の全人格に對してさ加へらるることとなる。

この見解はすでに新派の或る者が、謂ゆる犯罪徵表說の下に責任概念を心理的に考へてゐたものと一致する。徵表說よりすれば責任行爲は行爲者の個性といふことであり、それが責任概念の實質的中樞であり、それは爲された行爲より認識され得る行爲者の非社會的心意である」と(二)。

要するに規範的責任論は、責任を以て國家に於ける人類共同生活の要求する社會義務意識の缺如並にこれによつて惹起された非社會的の動機決定であると爲す限りに於て、それは第一に、社會的責任論への發展を豫想し、第二に、全國家主義への責任方向を指示し、第三に、人格主義責任論への方向を暗示してゐるものと謂はねばならぬ。

(一) Schmidr, ibid. S. 230. (二) Schmidt, ibid, S. 231.

七　ナチス刑法學徒の責任論

一　規範主義責任論の後を受けて、ナチス刑法思想の下に於ては、責任の概念を、刑法改正上いかに定立すべきやは、一箇の重要な問題であり、而も容易に論結を導き得ざるものがある。現に彼の國の刑法學徒はいま責任問題に關し種々に論議を重ねてゐるのである。しかしながらその間にも吾々はナチス特有なる政治及び法律、延いては意思刑法、行爲者刑法、全體主義、國民共同態主義の刑罰理念よりして、その下に於ける責任論は一定の方向を辿りつつあることを看取するに難くはない。その一つは、責任概念に對する全體的且つ實質的の把握、特にその不道德的內容の認識を深めつゝあるの一事であり(ケンペルマン、シェーファー、シャッフスタイン等)、二は責任非難の對象たる行爲者人格の把握に於て、從來の如き自由主義個人主義的の理解を排斥し國民共同態の一肢體としての責務主體方面が高調されむとしてゐる一事であり(ウォルフ)、三は責任理論の實質を作す期待可能性といふことの考へ方に於ても、それは國民共同態の立場よりする必要性に從つて判斷され、國民としての義務違反といふ方向より考察されむとし(ジーゲルト、ザウエルラント)、從つて四には、責任の內容は、一種の法律的道德的義務違反であり、その本質に於て違法といふことの一面にすぎず、故に將來の犯罪構成理論に於て、違法といふことの外に、特に責任を獨立的の分子として高調するの必要なし(シャッフスタイン)となしてゐる一事である。然し、一般に責任なくば刑罰なしとの原則は、どこまでも維持せんとしてゐるのであつて、その意味に於て、責任の觀念は依然、從來のそれに變りなきものとされる。

二　すなはち、(1)ケンペルマンは、特に刑法に於ける現象學的方法といふことを主張し、犯罪及び責任に關しては、全體的實質的本質の把握、特にその道德的不正內容の再認識を必要とし(一)、(2)シェーファーは、將來の刑法とても、責任主義を保持すべきことに變りなきも(二)、故意と過失との概念を以て、單に犯罪事實の豫見又は豫見すべかりしことに滿足すべきではなく、その外に前者に在りては違法を敢て爲すとの點、後者に在りては、義務に違反して豫見を缺如する點を高調しなければならないのであつて、責任概念は、單なる形式的のものより實質的のものたらしむる要ありとし(三)、(3)シャッフスタインは、ナチスの意思刑法といふことは今日彼の國刑法學徒の間に於てさへ誤解されてゐるが、その眞の意義は、刑法體系の中に道德的秩序を第一線に引入れ外部的侵害を第二次的に考へんとするものであり、從つて行爲者と、その心意とが責任論に於て從來より以上に前線に立つとなし(四)、(4)ヘルムート・マイヤーは、意思刑法に於ける責任といふことの意義は、個々の行爲に際しての動機決定の過程に於ける心理的缺陷性に對する無價値判斷として理解さるる一點に在りとなし(五)、(5)ヴォルフは、責任の基底なる行爲者を考ふるにしても、從來の如く單に生物學的、人類學的にではなく、法律規範の對象としての國民共同態の一肢體として考へらるるを要すとなし(六)、(6)ジーゲルトは、責任の實質は、國民としての義務違反性(Die Volkspflichtwidrrgkeit)として(七)、これを特別豫防の見地より見るならば、行爲者人格に對する無價値判斷であり、一般豫防見地よりしては、犯行を爲すに於ては、共同態の各肢體は、行爲者と同じく有責として處罰を免れざるが故に、これを避くべきであると自覺せしむる限りに於て、その意義の下に責任は可能となるとなし(八)、(7)ザウエルラントは、實質的責任概念(Der materielle Schuldbegriff）としての期待可能性への背反といふことは、從來の如く、個人的見地よりしてではなく、健全なる國民感想の立場よりして爲さるべきものなりとし(九)、(8)シャッフスタインは新刑法に於ては、違性性と責任性とは、互に對立し獨立的なる刑罰の前提として考へらるべきではない。何となればそれは從來の犯罪構成要素論に於ける客觀的、主觀的分子に對應するものではなく、また外部的侵害または非難性、或は法律違反と義務違反、乃至は法律的と道德的非難とに對應するものではないからである。この兩者の區別の實際的意義は、ただ個々的犯罪構成要件の違法内容の理解手段たるに止まる。卽ち實質的の違法性と實質的の責任性とを明かにせむと欲するにすぎず、故に將來の刑法に於ては、違法といふことの外に、更に責任を對立せしむる必要はない。が、强ひて若し責任の觀念を認めんとするならば、それは次の三つの意義に於てのみ必要である。その一つは、責任を以て責任能力といふ、違法とは別箇獨立的なる犯罪の前提を指示するものとして、二は、刑事訴訟法に謂ふ責任問題（Schuldfrage）として、加罰の客觀的及び主體的諸條件の全體を指稱するものとして、三は、故意と責任能力とに對する高位の包括概念としてのみと(一〇)。

吾々は以上諸學徒の見解に徴し、ナチス刑法思潮の下に於て、刑法責任の概念は、次第次第に人格主義化し且つ國民共同態に對する肢體の義務違反として眺められ、本質的にナチスの實質的違法の一分野に解消せんとしつつあるの事實を認め得るのである。

（一） E. Kempermann, Die Erkenntnis des Verbrechens und seiner Elemente, 1934, S. 11 ff.

（二） E. Schäfer, Die Schuldlehre (in F. Gürtner, Das Kommende deutsche Strafrecht, Allg. Teil, 1934, S. 37

（三） E. Schäfer (in zur Neugestaltung des Strafverfahrens und Strafvollzuges, 1935, S. 23).

（四） Schaffstein (in Z. f. g. Stw., 57 Bd., 1937, S. 301).

（五） H. Mayer, Das Strafrecht des Deutschen Volkes, 1936, S. 265.

（六） E. Wolf, Krisis und Neubau der Strafrechtsreform, 1933, S. 35.

（七） K. Siegert, Grundzüge, 1934, S. 48.　（八） K. Siegert, ibid., S. 41.

（九） M. Sauerlandt, Zur Wandlung des Zumutbarkeitsbegriffs im Strafrecht, 1936, S. 17

（一〇） Schaffstein, ibid., S. 335 ff. シャッフスタインは、そこに於てなほ Giuseppe Maggiore, principii di diritto penale, Vol. 1, 2 ed. 1937, P. 199 に於ける「犯罪は全行爲、全違法、全有責であり、行爲要件の外に違法、外に責任を必要とすといふが如きものではない」との言を自説に援用して居る。

八　我刑法學界に於ける責任理論

さて飜つて、我が刑法學界に於ける責任論を眺めよう。元來、刑法上の責任論は、須らく成法的のものでなければならないのであるが、ここに於ても既往の責任論はあまりにも成法を離れすぎ、事を抽象的にのみ考へすぎた傾きがあるのである。然しそれにはまた止むを得ざるものがあつたといはねばならぬ。けだし責任に關する現行刑法の規定は後にも述ぶるが如く甚だしく不完全であり、殆んど理論を構成するに足るべきものがないからである。兎まれ我が刑法學界に於ける責任論は大體に於てドイツ學説を反映し、最初通説は心理主義を採りたるも、近時有力なる學徒は規範主義の責任論に傾く。但し時には規範主義を道義的責任に結びつける者もないではない。さうして一派の學徒は社會的責任論を説くも、未だ大勢を動かすには立ち至つてゐない。

一　即ちドイツのエー・シュミット一派に從つて、心理的゠規範主義の責任論を説かるるは、瀧川前教授である。犯罪の成立には、行爲者の心理過程が、構成要件該當の違法行爲につき、非難を加へて然るべき狀態にあること、即ち非難可能性を以て責任と解される(一)。が、その成法的根據は別段に示されてゐないのであつて、またその非難といふことの性質に關しても必らずしも明白に示されてゐないのである。もつとも「刑法上の非難」といはるゝも、かくの如きは違法の別名に外ならない。ただ瀧川教授は「或人の違法行爲につき、彼に法律上の非難を加へるには、彼がその違法行爲を行つてならない義務を負うて居ること、換言すれば行爲者に對して、現實に行うた違法行爲の代りに、他の適法行爲を期待し得たことを前提とする。適法行爲の期待可能性といふことが責任問題の中心である」(二)とせらるるまでである。適法行爲への期待を爲す者は何人であるか、期待の性質は法律的のものであるか、道義的のものであるか、若し前者なりとすれば、それは法律義務違反といふことと、どれだけ異るのであるか、充分の説明が加へられてゐない。なほ教授は、「成法的犯罪構成要素としての責任は、(a)責任能力、(b)責任條件(故意又は過失)、(c)義務意識に基く行爲支配の可能性の三要素を含む。刑法は、行爲に際し、この三要素を具備する行爲者に對してのみ適法行爲を期待し、從つて彼が適法行爲に出でず、違法行爲を行つた場合は、刑法上の非難を加へ得る」とせられ(三)、「責任ある行爲といふ判斷は、行爲を一身的意味において觀察し評價すること」であり(四)、「責任ありといふには、行爲者の行爲に對する認識または認識の可能性があるばかりでは不充分で、その外に、行爲そのものの價値判斷を含まねばならない。即ち責任は心理要素と、規範要素とから成立つ」とせられ(五)、その責任論の歸着するところは次の一事、即ち「刑法の理論體系において、責任は非難を受ける對象としての一定の心理的事實である。古い理論では、この心理的事實は、社會秩序を理解する能力と、結果又は結果及び違法性の認識又は認識可能であると解せられて居る。併しこの能力と認識または認識可能とが備はることによつて、直ちに意志決定の過程が非難せられ得るのではない。非難は、自己の態度の違法性を認識することによつて、他の態度をとること、とり得たことが期待せられたに拘らず、敢て違法行爲に出でたといふ評價を含む。この要素を缺くときは、責任能力及び認識又は認識可能があるとしても責任なしといふ判斷を受ける」ものなることを說かるるも(六)、その理論全體は前述シュミットの見解範圍を出でず、別段の特異性を含んではゐないやうである。

(一) 瀧川幸辰著「犯罪論序說」(第一八頁)。　(二) 同第一九頁。
(三) 同第一三一頁。　(四) 同第一三二頁。
(五) 同第一四二頁。　(六) 同第一六六頁。

二　同じく規範主義の一派であるが、責任を以て心意の違法(一種の主觀的違法分子)とする特異な見解は、我が宮本博士に於てこれを見出すのである。同博士は、(1)まづ一般理論として曰く「規範的責任についていふと、責任は、行爲又は結果が行爲者から出たものとして行爲者に歸せられ、その結果として行爲者が違法行爲者として非難される理由、卽ち物心連絡の契機であつて畢竟それは意思の違法といふ價値性に外ならない。或はこれを違法な意思といつても妨げない)」とせられ(一)、「責任を斯く解すれば、責任は畢竟、意思の違法にして、其の本質は規範に對して無關心なる意識の傾向、卽ち反規範性に外ならず」と(二)。次に、(2)成法的なる責任を指稱するに可罰的責任の語を以てせられ、「可罰的責任は、單に規範的責任を刑法的立場から可罰的なものとして見たといふだけのものではなく、勿論さういふ意味が根底になるのではあるが、特にそれが可罰的なものと見られるについては一定の實質を要する。その實質といふのは、責任が單に行爲者の反規範性の內部的躍動といふだけでなく、これを除くに刑罰を以てするを要する程度の反規範性の內部的躍動である」とせられ(三)、「例へば、刑法は十四歳未滿の幼者の行爲は、これを罰しない。しかもこれは斯やうな幼者の意思が絕對に違法でないといふのではない。その中、比較的年長な者に在つては、その意思は一般規範的に違法と評價され得る程度の意思ではあり得ても、進んで刑法上可罰な意思と判斷され得る程度まで成熟し充實したものでないといふ意味に於て、刑法上の責任とはされない」と主張される(四)。吾々はその理論は一應論理的には徹底されてゐることを認むるに吝ではないが、若し然りとすれば犯罪理論の體系に於て、違法といふことの外に、責任といふことを認むる必要いづこにありや、兩者はただ判斷の對象の差にすぎず、本質上の相違にあらざることを、反問せざるを得なくなるのである。

(一) 宮本博士著、刑法大綱第一〇八頁。
(二) 宮本博士著、刑法學粹第二七八頁。
(三) 宮本博士著、刑法大綱第一一〇頁。
(四) 同第一一〇頁。

三 同じく基礎に於ては、規範主義に屬しながらも、特に道義的責任の色彩に於て强き主張は小野博士の見解に於てこれを見る。小野博士によれば、道義的責任(Schuld, responsabilité morale)とは、反道義的なる行爲に付き、其の行爲者に對して、道義的社會的非難を歸せしめ得べきことを謂ふ。法律上此の見地を條件として、歸責の行はるる場合がある。これを道義的責任といふ。實は法律上の道義的責任であるとせられ、「今日の刑法は道義的責任を以て刑事責任を歸する條件たらしめ、道義的責任ある場合に於てのみ刑事責任を歸するを以て其の理念とする」とせられつつも(一)、なほ今日の刑法上の責任は、法律的のものであることを是認される。曰く「刑事責任は、まことに一の法律的責任である。が、私は其は理念論的には、社會倫理的價値判斷を前提とすると信ずるもので、其の意味で道義的責任の觀念は實證的な危險性又は惡性なる觀念の根柢に於ける本質的要素として動いてゐるのだと解する」と(二)。その理念論的な道義的責任とは「違法なる行爲に出でたることに付き、其の行爲者に對して社會的倫理的立場より非難を及ぼし得ること」を謂ひ(三)、「道義的責任の本質は、社會倫理的立場よりする非難(Vorwurf)であり、消極的な價値判斷である。其の意味でまた規範的な判斷であり(規範的責任論)、其の規範的な判斷である點に於て、違法性に同じ。只違法性の判斷は、專ら行爲に對する批判なるに反し、道義的責任の判斷は、違法なる行爲を行爲者の人格に關係せしめて、行爲者自體を批判するものである」とせらる(四)。若し然りとすれば、私はこの理論は人格主義の責任方向を指示せるものとせざるを得ないのである。

(一)　小野博士、刑法講義第一二六頁。　(二)　同第一二九頁。

(三)　同第一二九頁。　(四)　同第一二九頁。

四　一種の心理的見解に出でらるるは牧野博士である。博士は、犯罪の主觀的要件を稱して責任とせられ(一)、「術語としての責任とは、一定の負擔又は地位を生ずるの主觀的要件を意味する。蓋し一定の負擔は一定の地位に對して生ず。一定の地位は一定の心理狀態を要件とす。而し術語としての責任とは、其の要件たる心理狀態を指稱する」と(二)。さうして牧野博士の責任根據論が社會的責任論に在ることに就いては既に述べた。何れも現行刑法の解釋方面の理論として、論ぜられてゐるものである。その刑法解釋に於ける心理主義の責任論は、從來の通說として新奇を含むものではないが、その根據をフェリー一派の社會的責任論に求められてゐるところに、傳統的なる道義的責任論と甚だしく趣を異にするものがあるのであり、また解釋論として一般的に容易に是認せられ難きものがあるのである。

(一)　牧野博士著、重訂日本刑法、第一三五頁。　(二)　同第一三六頁。

然るに牧野博士は、近く立法論上の問題として、從來の責任論はそこに大なる疑問を生ずに至つたことを指摘されるのである。博士によれば、既往の責任論は、第一に、自由意思の承認、第二に、自由意思に因る行爲には、當然に刑事責任が伴ふものと考へる。が、いま刑法の改正に關連して、この二事項は、(a)如何なる意義において、また(b)如何なる範圍に於て、なほ將來、維持されねばならないかを問題とするに至つたとされ、次の疑惑を投ぜらるるのである。曰く、

「まづ第一に、心理學乃至精神病學の發達につれて、自由意思といふことが疑はれることになつた。吾々の意思は常に何等かの動機に因つて決定されるものであり、さうして動機と意思決定との間の因果關係は、科學的に證明され得るものと考へられることになつた」とされ、「第二に、社會學も發達し、犯罪現象と社會現象との間に密接の關係あること明かにせらるるに從ひ、一定の犯罪人に對し、これを處罰するといふことは、果して如何なる意味のものであるかが考へ直されねばならなくなつた。自由意思に因る行爲は當然に責任が命ぜられて然るべく、その意思なきものは刑事責任の外に置かれて良いとする考へが、今や疑しくなつた」とされつつも、なほ他方に於て、次のやうなこともまた否定し難しとされるのである。曰く、「第一に、自由意思といふことが、實證科學的の方面より否定されやうとも、吾々は日常生活の體驗の上に於て、吾々が自由意思といふことを信じてゐることは疑ひない。吾々は、吾々の意思について自由性を信ずるのであり、さうして自己信念の故をもつて、そこに人格といふことの認識が成立する。この人格が、社會における同類意識に因り、自他互に交換されることに因つて、ここに法律生活が可能となる」とされ、「第二に、しかのみならず、この自由意思を基礎として責任の成立を認めることに因り、吾々の倫理觀としての責任感が成立するのである。この責任感なるものが、社會の秩序を可能ならしめるものであり、この責任感の確立と否とが、社會の發展に大きな影響のあることなのである」と(三)。そこにかのマックス・エルンスト・マイヤー等と同じく、理知乃至實證科學の方面と、吾々の日常生活に於ける感情信念との矛盾を認められるのであるが、この理論と實際との矛盾を解決せんとするところに、責任理論の將來的任務の存することを指摘されるのである。曰く、「かやうな二つの社會心理的事實は、これを拒否することはできない。しかのみならず、その社會心理の社會的意義はこれを尊重せねばならぬ。しかし、その故をもつて、實證諸科學の新興を排斥することはできない。ここにおいて吾々は、吾々の社會的心理的事實を實證科學の新興に依つて批判せねばならぬのである。批判は、それを修正し、その基礎を新にし、從つて更に確實にし、さうして、その結果、その批判されたものの文化的意義を更に將來に向つて發展せしめることを意味するのである」と(四)。だが、その方法論的適用は、はたして責任の理解と理論の構成とに於ていかなる內容と結論とを導き來つてゐるであらうか。不幸にして博士は、いまだこの點を明確にしては居られないのであつて、所詮我が國に於ても、新しい責任理論は明日のそれとして殘されてゐることになるのである。

(三) 牧野博士著「刑法改正の諸問題」第六二頁。 (四) 牧野博士、同第六三頁。

九　人格主義の責任理論

さて最後に私見を述ぶべき順序となつた。私は平素の主張なる人格主義刑法理論の立場よりして、責任に關しても、彼のメッツゲル一派の人格論的責任の立場に接近し、且つシュミット一派の心理的規範主義の立場を基礎におきつつも、なほ責任の中樞部分を、行爲を契機としての行爲者人格の非社會性の法規的徵表といふことに求めざるを得なくなるのである。而してこれは彼の「性格責任」とは異る。則ち人若し責任を以て、單に行爲者の內部的活動と、これに對し律せんとする法律規範の要求との不一致とのみ考へ、これを以て滿足するに於ては、それは甚だ皮相なる見解と云はねばならぬ。問題は更に深入して、然らば何が故にその不一致的なる動機の決定は爲さるるに至つたのであるか、その決定の失當は、歸着するところその人格の然らしむるところとして、その決定人格に對しても非難を加へ得べきや否やが吟味されねばならない。而もこの點の吟味は、吾々をして勢ひ、法律的秩序の見地よりする具體的行爲を契機としての行爲者の人格評價・(Bewertung der Persönlichkeit des Täters) にまで事態を導き來るのであつて、そこに人格主義責任論への第一歩は拓かれる。すなはち私見によれば、法律は行爲者に對し、彼が法律の認識より獲得された價値表象を有し、この指示に從つて行動する能力を有するに拘らず、彼自身の擅恣的の價値評價に從つて、一定の違法行動に出でたる、その非社會的、違法性人格を怒るのであり、これを非難せんとするのであり、さうしてこの非難裡に成立する一種の價値感情が、卽ち責任の本質的部分をなすものと考へるのである。

一 故に責任とは、刑罰に關する次の如き前提條件、それは違法行爲ありたることを契機とし、その惹起主體に於ける人格的非難性をば、その行爲者との關係に於て基礎づけしむるところの一切のものを指稱する。卽ち一定の違法行爲事實の發生によつて、その事實惹起の心理的原因と見られ得べき行爲者主觀が、その更に背後に立つ行爲者人格との關係に於て、缺陥性を有つものとせらるるところに生ずる一種の法律的價値判斷なのである。

二 從つて、責任の成立には、まづ「違法行爲の發生」といふことがなければならない。而して一切の違法行爲は、個々的のそれであるから、從つて刑法上の責任は、「個別的＝行爲＝責任」(Einzel-Tat-Schuld) でなければならない。故に刑法的責任の判斷には、爲されたる違法との關係といふことが、まづ第一次的に問題となる。

三 次に刑法的責任は、一定の——原則として——體構的、心理的內容であり、それらの存することによつて、はじめて行爲者に對する非難は加へられ、さうしてそれ故にまた、行爲者に對して刑罰の結びつけらるゝものなることを要する。この點に、責任なる概念に於て認めらるる行爲者人格に內在する刑罰の事實的前提が認められる。されば、何人かが罰せられむが爲めには、彼が單に違法に且つ合法規事實行爲を爲したることを以て足れりとせず、さらにその行爲者主觀に於て、人格的に非難され得べきものがなくてはならない。ここに吾々は、刑罰の一前提としての行爲者人格との相關問題に逢着する。

四　されば一般に責任の前提條件として理解さるる責任能力の問題は、なほ責任それ自體の內容を構成する要素の一つといふべきである。尤も責任能力を責任要素と見ることには反對がある。例へばエー・シュミットの如きは、責任能力は責任そのものではなく、これが前提にすぎざる旨を主張する。然し一定の主觀的人格を離れて具體的に一定の心理的內容は存し得ないのであるから、責任といふことの中には當然に責任能力の存在を豫定するものと謂はねばならぬ。

五　責任は一定の主觀的性狀（心理內容）に對する法律的價値判斷である(規範的責任主義)。この點責任の判斷それ自體は、行爲者の頭の中に存せずして、他の判斷者の頭の中に存在する。この點多少疑ひとなるのは、責任は、一定の行爲者が法定事實に該當し、且つ違法の行爲を認識し、または認識すべかりしに拘らず、敢てこれを爲しまたは認識せずして爲したりといふ行爲者の心理に存せずやとの一點であるが(心理主義)、思ふにかかる心理的事實は、責任判斷の對象たるにすぎず、責任非難そのものは、この行爲者の心理に結びつけられた第三者の判斷に外ならないのであつて、責任なるものは、右の事實内容が、一定の法律規範的立場よりする第三者の判斷の對象とされる所に生ずるものである。

六 右の如く、責任は、一定の主觀的心理内容に對する判斷なる意味に於て、一種の關係判斷 (Beziehungs-urteil) であるが、かゝる一定の事實的内容に對する關係判斷それ自體がその本質を作してゐるのではなく、それは一定の法律的方向よりしての一定對象に對する評價 (Bewertung) が、責任として表示されてゐるといふことである。從つて責任の實體は、單に責任内容のみに止まらず、その責任内容が同時に法的非難の對象として非難されてゐることの兩者を表示するものであり、この意味に於て、責任は「非難性」の表現である。

七 更に注意すべきは刑法上の責任は、道徳的意義のそれではなく法律的意義のそれである。故に刑法上の責任は、かの哲學上に於ける意思の自由といふこととは、直接關係はないのであつて、刑法に謂ふ責任とは、一定の違法行爲に關連して、その惹起主體なる一定の行爲者人格に對して與へらるる法律的立場よりしての非條理的關係を指示し、それは一定の心理分子が、法律規範的に非難されたることを意味する。故に刑法上の責任は、倫理的意味のものではなく、法律的のものである。ただその法律的責任のよつて發生する内實は、一定の道義的責任分子の介在を前提條件としてゐるまでであつて、その限りに於て、この種の法律的責任を道義的責任と呼ぶのであるが、精確に云ふならば、それは法律上の道義的責任（Rechtsschuld）（べーリング、小野博士）と稱すべきである。

八　上述の如き違法行爲を前提とする人格主義の責任內容は、かの犯罪徵表說の考ふるが如き責任なるものをば一定の行爲に從屬せしむることより放棄し、刑罰を理由づける責任の基礎をば直接に一定の性格それ自體に認め、行爲なるものをば、ただ性格認識の手段として眺めんとするものとは異る。けだしかくの如きは現代の刑法が犯罪の成立には、一定の行爲の違法的結果性を必要としてゐることと眞正面に衝突するのみならず、そもそも法律上の責任はこれら事實責任であり、これらの存在を前提とするものなることを遺却したものであるからである。

九　人格主義の責任理論なるものが、結局のところ、個々的違法行爲に出發しての行爲者人格に對する非難性の表示であるとするならば、その謂ふ行爲者人格に對する非難性なるものは、そもそも如何なる內容の下に成立するのであらうか。これが何よりも最大の問題である。

私はこの點、當該の違法行爲を爲すことによつて實證された法律秩序背反性の存在、即ち全然法律追從への情操を放棄するまでには立ち至らずとするも、法律情操への正常的なる自己決定に於て、或は突如として、或は繼續的に、時には部分的に、時には全體的にこれを拒否する性格、法律情操への何等かの質、量に於ける頽廢を示せること、法律規範の存在に對して痲痺したる感覺を示せることに在るものと考へる。而して法律情操の頽廢は、その態樣に於て種々あり得べく、これが程度にも種々の段階を認め得るも、現行刑法がその各則に於ける幾多の規定に於て、種々の行爲形式を規定し、これらに對する刑罰を異にしてゐるのは、この法律情操を媒介として、そこに看取せらるる反法律的情操の種々相に著目せるに由るものと解する。

一〇　然らば最後に一定の人格は、何が故にかく法律情操に對し頽廢性を示すに至るのであらうか、それは必然的因果に支配さるる當然の結果であらうか、それとも一定人格の自ら招くところのものであらうか。人格主義責任論の最後の根據たる「人格の生成」そのものは、如何なる法則に支配さるるものであらうか。私はこの點の解答としては、大體に次の如く考へる。まづ率直に結論的部分より示すならば、人格の生成はその基礎に於て、決定論の敎ふるが如く、外界諸條件に重大に支配さるるものであるが、而かもその反面に於て、これを補ふ他の重要分子として、吾々の精神的支配力の偉大を認めざるを得ないのであつて、人格主義責任論の要綮は、まさにこの一點に在る。すなはち元來、人格主義責任論の最後の據り所なる「行爲者人格」の生成に關しては、種々なる見解(生物學的、人類學的、體質學的、心理學的、社會學的、法律哲學的)を存するも、私は大體に於てこれを實證科學的に、且つ思辨的に考察すべきものと考へてゐる。

即ちまづ第一に、行爲者人格は、その實體に於て、素質と環境との交互的不可分の複合態となすのである。特に、（a）前者について云へば、素質の基礎なる遺傳質は、既に母體の胎中に於て、或は黴毒、結核、酒精等の影響を受け、また出生後も絶えず外界界の刺戟を受けてゐるのであつて、人生の如何なる時期を採るも、環境より全く分離した素質の存在を許さず、環境と素質とは常に不可分の一體として各個人に於て一つの潛勢力を構成する。が、この潛勢力としての一定の行爲可能的人格と、現に一定行爲を爲したる行爲主體としての人格とは、明かに區別せられねばならない。前者の分子は如何なる人間にも潛在する。故に犯罪行爲人格をして通常人格と區別せしむる所以のものは、その素質または體構の點ではなく、その潛勢力を現實力に轉化せしむる機械的、力學的なる一定の性向の點に在る。そこに行爲者人格の自己決定性の重要性が認められ、責任肯定の根據が存するわけである。固よりこの性向とても結局に於て、素質と環境との交互的作用に支配さるるものであるが、なほ個々の行爲に際しては、その間自由なる自己決定の餘地あることは、吾々の日常生活の體驗に照して疑ひなきところであり、この一點こそは、よりて以て刑事責任を肯定せしむる基礎であり、その自由範圍をいかに行動するやは、同時に將來の素質形成に大なる影響を與ふるものなることが遺却せらるべきではない。次に、（b）後者に就いて云へば、行爲者を圍繞する經濟狀態、家庭、教育、職業等の關係は勿論犯罪發生の重要條件であるが、それは靜的潜在的條件たるに止まり、決して個々の犯罪行爲を必然的に發生せしむる現勢的動的條件をなすものではない。然らば、現實に一定の行爲惹起の支配力を持つものは何であるかと云へば、それは實に素質である場合が多いのであつて、この意味に於て、環境は要するに素質をいかに活動せしむるかの試煉場に止まる。が、行爲者が與へられたる一定の環境をいかに試煉し行くかといふことに對する解答は、これに處する「行爲主體としての人の素質」が決定力を持つといふが如き簡單なる形式のみによりて葬り去ることはできない。行爲者の行爲に際しての一回性の意思活動もまた重要なる役割を演ずる。そこに固有なる意義に於ける人格活動の自由領域があるのであり、同時にまたそこに刑事責任の根據が認めらるることとなるのである。さうしてこれらの個々的行爲によつて、素質がまた環境的に變革されて行くのである。

第二に、行爲者人格を動態的に且つ綜合的に觀察して次の如く考へる。卽ち歴史的存在としての各個人の有する主觀的精神は、超個人的、超時間的な普遍的精神によつて、深く廣く條件づけられてゐる。歴史的なる各行爲者人格は、この客觀的、永久的精神の一分岐にすぎないものであるが、而も絕對的精神は、各個人の主觀によつて充分に認識されてゐるのではない。その器官と機能とに於て、個體以上の或るものがある。特に一定人の血族的、歴史的、社會團體的、精神的結合に於て然りであり、それは個人に於ける特殊的、時間的現出を支配し、指導するものであり、人類の永遠普遍的なる意義方向を示すものであり、一定國家社會文化の全體を作すものである。まさに行爲者人格なるものは、この見地に於て永遠的、普遍的人格性の個々的、特殊的存在として理解せられねばならないのであつて、その各個の人格性の眞の把握は、統一的全體人性に於ける個別的價値決定の見地よりして爲されねばならない。されば歴史的に活動する人格は、人間として決じて肉體的、心理的作用、或は性狀のモザイックではなく、それは本來、全體人の一分派、而も自由意思活動の主體としてのそれである(一)。人間は自然因果律に支配され、歴史的全體人に支配さるる外に、その自己固有の精神力により、自然因果律を逆に利用し、歴史的全體人を修正し變革し命令することによつて、その欲求し理想とするところに接近せんと絶えず努力を續けて止まないものである。そこに各個人より眺めたる人類文化といふことがあるのであり、人類の向上進化といふことがあるのであり、延いては全體人としての發展世界が見出さるることになるのである。各人はその基礎に於て一定の必然的な物理的心理的現象の支配を受けつつも、また精神的な人類歴史の拘束を受けつつも、なほ個々的なる固有の生命より派生する創造的自己活動によつてこの必然的方向を一定理想に結びつけんとするものであり、人の人たる所以は、かかる生活活動に於ける原動力としての超感覺的精神力を有する點に在り、この精神とその體構的基礎こそ人格と呼ばるるものである。かくして、人間は、固有な精神と體構的の不可分的な結合としての個性をもつてゐるのであつて、かく觀ずるに於ては、人は自然的所與であると同時にまた理念的存在である。さうしてかくの如き人格の現實性は、人の各個別的行爲によつて最も如實に表現されるのであつて、すべて行爲なるものは、この意味に於て過去人格の必然的結果たる分子を含むと同時に、またそれよりの飛躍的なる自己創造分子をも含む。それは過去一切の行爲的成果として、自己を見出しつつも、なほ新しき將來的人格構成への段階たる性質を持つ。その限りに於て個々的行爲は人格の所產であり、行爲者人格の發現であり、從つて行爲により、人格に對する非難は可能となるのであり、同時に、未來への人格創造の過程ともなる。(a)行爲の瞬間に於ける性質的一回性、(b)自己規制の形式に於ける活動性及び目的追及性こそは、最も赤裸々なる人生生活の眞實であると共に、過去人格の反映でもある。まさにこの一點に、個々的違法行爲を發端として、その惹起主體としての行爲者人格に對する非難を加へ得る所以のものは見出さるるのであり、またその非難としての責任性を確定することによつて、將來的に人格改革への道程に立ち得る理由をも發見し得るのである(二)。

(一) H. Mayer, Kriminalpolitik als Geistaswissenschaft (in Z. f. g. Stw., 1937, S. 4)

(二) 阿部次郎著「人格主義」第二二二頁には人格過誤の何物たるかを述べて曰く「罪過は人間にとつて必然である。人は努めてゐる間は、過つに定つたものである。然らば罪過は善の成長に對して如何なる積極的意義を有するか。吾々はそれが罪過である限り、換言すれば、人がこれを悔ひ恥ぢ、改めんとする良善なる意志を持ち續けてゐる限り、罪過は常に人格を刺戟して、これを淨く深くする效果を持つと答へることができるであらう。人が善良なる意志を失はぬ限り、罪過が彼に與へるものは當然に痛みでなければならぬ。この痛みは彼の體驗を深めて、新しき人生の視野を開展する。從來の生活態度の謬謬を悟ると、彼の立場は一段の高みに攀ぢ登つてゐる」と。

一〇　日本刑法に於ける「責任概念の構成」

一　人格主義の責任理論右の如しと雖も、現行刑法がこの點を如何に認識し、如何に立法的に採用したりやはおのづから別箇の問題に屬し、從つて一定の成法上の責任概念の構成は、更に刑法法規を基礎とし、その法律的構成が吟味せらるべきである。我が刑法は、一般の例に洩れず、客觀的なる法律侵害ありたることを端緒として、その違法行爲惹起主體としての「行爲者人格」に對して刑罰制裁を加へ、この人をして一定の方向に指導せんと欲するものであり、その下に於ける刑罰制裁は、民事のそれと異り、將來的の不法行爲、卽ち犯罪を防止せんとするところに第一線を置く。從つてその前提として、一定刑罰賦科には、行爲者なる犯人人格に於て、その將來に對して何等かを誡告し、何等かを作用せしめざるべからずとさるる缺陷性――卽ち責任性が存しなくてはならないこと明白であり、この意味に於て責任の存在は、刑罰の一前提であることに疑ひないが（責任なくば刑罰なし）、さてその責任とは何ぞやに關しては、何等規定するところなく、いなむしろ、如何なる場合に責任なきものとして取扱ふべきやの若干を示すに止まる。すなはち現行法は、如何なる場合に責任が成立するやに關しては積極的に規定する所なく、ただ消極的に、如何なる場合にこの歸責が成立せざるや、卽ち、責任排除原因（Schuldausschliessungs Gründe）なるものを規定する。故に現行法に於ける責任概念の構成には、一面に於て、この消極的なる法規の精神を吟味するの要あると共に、他面に於て、これを補ふに責任理論に關する一般理論に委するの外はないのである。

二　則ち日本刑法は、(1)その第四一條、第三九條、第四〇條に於て、消極的に責任無能力を規定し、(2)第三八條に於て、消極的に意思條件を規定し、(3)その各則第七三條以下殆んど凡べての犯罪に於て「何々を……爲したる者は」と規定し、そこに一定の主觀的性狀を積極的に消極的に規定して居る。これらに鑑みるとき、現行法上責任あり、卽ち有責に行動したりとは、(1)責任能力ある者が、(2)故意的又は——特別の規定ある場合には——過失的に行動して、(3)しかも何等の責任阻却原因を主張し得ざる場合をいふものと解される。違法行爲なくば責任なく、責任は刑罰への一前提なることを確認する。

三　が、現行法に於ける責任の內容如何に關しては、見解分れる。私は個々の場合、責任を認むべき責任要素として、少くとも次の三つは必要なりと考へる。第一は、行爲者人格に於ける一定の性狀、謂ゆる責任能力の存在である。尤もこれは責任自體に屬せず、その前提の問題に過ぎずとの見解あるも然らず、責任それ自體の構成分子（Bestandteile）であり責任の一部である（一）。責任能力を責任要素となす考へに反對する者は、能力は責任の前提にすぎず、責任自體の要素としては、故意と過失あるのみと（コールラウシュ）（二）。が、かくの如きはその實、問題解決の回避にすぎず、何となれば責任の前提であるものは、また必然的にその要素なるが故である。第二は、行爲に對する行爲者の一定心理的關係の存在。即ちこれは責任を歸せしめ得べき一般的能力を有するも、個々の場合に於て、果して如何なる心理狀態存するとき、その行動をば行爲者の責に歸し得べきかとの條件の問題であり、これを行爲の歸責性（Zurechenbarkeit der Tat）と云ふ。故意及び過失これに屬し、固よりその肯定には規範的分子の存在を要する。第三は、行爲の外部的なる一定の構成、即ち責任阻却原因なるものの不存在である。

（一）この點(1) Binding, Normen 2, S. 117 ff. は「責任能力を以て行爲能力」とし、無能力者は「行動する能力」を缺くものとなすも、この見解は明かに失當である。無能力者と雖も意欲し、その意欲に從つて行動し得るからである。他は、(2)責任能力を以て「法律的に負責能力」とし、これを以て、責任の理論に對立する、その前提條件の問題とする（主として主觀的違法論者 A. Mekel, Hold. v. Ferneck, Kohlrausch）。コールラウシュは、「責任能力の人格概念」を以て「有效なる規範受領者の範圍」と考へる。この理論の正當存在性は、彼の主觀的違法論と運命を共にする。(3)フォイエルバッハ、リスト、ラードブルヒは責任能力を以て「刑罰能力」となす。フォイエルバッハに於ては、それは「一般豫防の姿」に於て登場する。卽ち彼によれば、刑罰は法規に於ける威迫として作用しなければならないのであるから、刑法上の責任能力は、たゞこの法規を以て一般的にその威迫の作用の演じ得るもの、責任能力は、加罰可能能力となる。右と同樣な結論に、リストは特別豫防の見地より到達する。刑罰は動機を決定せしむるもの、動機により行爲に影響するもの、從つて刑罰はそれにより特殊に效果し影響するものに登場しなければならない。ラードブルヒは、責任能力を以て、「Schuldfähigkeit」として決定することは無意義である。何となれば、一定の責任を何等かの主體に歸せしむる可能といふことは、すでに責任の現實存在を豫定してゐるからであるとなす。が、右の如き三說ともその偏見なることいふまでもないであらう。

(二) Kohlrausch, in Schweiz. Z. f. Str., 34 Thg. S. 157.

四　かくて現行刑法は原則として故意を責任條件とし、過失の條件性はこれを部分的に特記す。而かも故意と過失に關する區別は、學說に一任する。要するに現行法と雖も故意、過失何れかの惡しき意思狀態と、その背後に立つ一定の責任能力なる惡しき人格なくして刑罰を認むることはない。換言すれば、行爲者人格が、(1)一般的に刑法乃至法律全般の維持せんとする文化的社會規範の何たるやを意識し、この意識に從つて行動するの精神的能力を有し（事の是非を辨別し、その辨別に從つて行爲するの能力を有すること）、且つ(2)當該の具體的行爲を爲すに際し、その行爲の不法性、卽ち反文化性、反規範性を意識しゐたるか、または少くともこれを意識し得べかりしに拘らず、從つて其の意識に因り、當該の不法行爲に出でざるに出でたること（責任條件としての故意、過失、期待可能性の存在）を要すとさるるのである。

五　責任主義の例外　上述の故意または過失に基く結果に對してのみ、刑法的責任は認めらるとの原則に關しては、現行法は若干の例外を認める(一)。が、(1)單行法の幾多に於て見出さるる、例へば出版法が責任の推定（Präsumption der Schuld, Vermutung des Verschuldung）を認むる場合は、この例外に屬するものではない。これは立證責任の轉換より來てゐるのであつて、それは故意又は過失あるものと推定せらるるにすぎず、反證により、その責任性の存在を否定し得ることを豫定してゐるからである。故にそれは却つて思想的には、責任の存在を豫定してゐるものと謂はねばならぬ。また、(2)單行法、その他の行政取締法規に於て、屢ゝ認められる責任分子の除斥（Verschulden absehend）、即ち秩序罰（Ordnungsstrafe）としての罰をば、客觀的の違法事實の存在に對して加へられる場合とても、責任主義の例外ではない。何となれば、かかる場合に於ては、ただ固有の意義に於ける刑事罰が、かかる形式的不法行爲（Formaldelikten）に對し科せられてゐないに止まるからである。(3)が、謂ゆる結果的加重犯（durch den Eerfolg qolifizierten Delikte）のみ責任主義に對する重要なる例外をなす。けだしこの場合は、重き結果に對しては犯意責任なしとするも、これに對する加重刑罰は科せらるるからである。ただ、かかる古き思想なる結果的責任は、今日の法律意識にも適せず、また一定の合理的なる刑事政策にも適しないことは疑ひないのである(三)。

(二) 刑法第八條但書、第三八條一項但書。而して「刑法第八條及び第三八條一項各但書の特別規定あるときとは、必ずしも明文の規定ある場合のみを指すものではなく、明文なくとも、法令の規定の精神に於て、其の趣旨を推定し得る場合も含むものと解すべく、この見地より、警察犯は一般に責任條件の存在を必要とせず」と主張さるるは、美濃部博士である(同著、公法判例大系下卷三二頁)。同旨(杉村教授「行政法思潮」自治研究第一二卷第一二號九二頁)。

(三) 結果的加重犯に於ては、重き結果に對しては責任卽ち故意または過失を必要としないのであつて、故意又は過失を以て成立せしめられしところの輕き結果と重き結果との間には因果關係さへあれば足るといふのが、普通その本質として解せられてきたところである(木村、法學協會雜誌第五四卷第一〇號九頁)。獨逸の通說では、この結果的加重犯の結果については、因果關係の條件說に從つて解してゐるのである。

二 現行法に於ける責任判斷の內容

一 上述の如く、現行法上責任の肯定には、個々の違法行爲事實を前提とし、(a)これが惹起主體としての行爲者の意思狀態に於て、非社會性が肯定せられねばならず(心理的責任分子)、二には、(b)行爲者の動機決定に對して非難が加へられねばならず(謂ゆる規範的責任分子)、三には、(c)これら行爲者の意思は、その人格に出づるものとして行爲者全人格との關係に於ける非難（人格論的責任要素）を必要とする。故に責任の內容は次の如きものである。

二　一切の責任は個別的行爲責任であり、性格責任ではない。故に責任內容の判斷に際しては行爲者の性格ではなく、まづ個々の行爲に出發しなければならない。(1)意思活動（Der Willensakt des Täters）それ自體、まづ法律的の背反性に於て見出されねばならない。ここに於ては、責任は違法意思活動に對する行爲者の直接的心理關係として現はれる。その限りに於て、人はこれを心理的責任要素と指稱する。そこには、最も內部的且つ精神的に根源する違法（Verinnerlichtes, seelisch Verwuzeltes Unrecht）が、行爲者の行爲に對する主觀的、心理的關係（subjektiven, psychologischen Beziehung des Täters zu seine Tat）として見出さるるのである。(2)行爲者の動機（Die Motiv des Täters）　右第一の要素に從つた動機的の責任分子（motivatorischen Schuldbestandteile）が存在してゐなければならない。最近の刑法學に於ては、多くの努力（謂ゆる動機論）卽ち、それは責任判斷の固有的對象は、單に行爲者の行爲に對する心理關係（心理分子）のみに存せず、いなそれよりも寧ろ動機決定の過程（Motivationsprozess）に於ける意思決定に重點を見出さんとする。その代表的なるは、エム・エー・マイヤーの責任態樣、及び責任段階をば、全く一定の非難すべき動機決定の活動體樣（Spielarten einen tadelnswerten Motivation）に見出さんとする見解、これである。(3)行爲と行爲者全人格との相當性（人格論的責任要素）（Die Beziehung der Handlung zu der gesamten Persönlichkeit des Täters）上述の責任諸要素、心理と動機決定は、最後には、人格的性狀に相關してゐなければならない(1)。即ち人格の反映として見られ得るものであり、それに相當したものでなければならない。かかる「人格論的責任見解」（Charakterologische Schuldauffassung）は、「性格責任としての責任」（Schuld als Charakterschuld）と混同さるることなきを要する。何となれば、刑法上の責任は、飽くまでも、個々的行爲責任であり、後者の如く、一定の「性格それ自體」の責任なるものを考へんとするものではないからである。個々の行爲を基調として、その背後に立つ「行爲瞬間時の人格」を論議せんとするものであるからである。(4)次に人格論的責任論の立場よりしては、そもそも行爲は、行爲者人格の外部的表現である。されば、その行爲は、その行爲者の人格に相當（adäquat）してゐなければならない。その際、かかる行爲者の行爲は、それ自體に於て、その人格へ歸責し得るものとして、相當のものでなければならず、またそれ自體に於て、社會的責任を問ふものとして、妥當のものでなければならない。從つて責任の本質は、「行爲の人格相當」（Persönlichkeitsadäquanz der Tat）、及び「行爲者人格の社會的相當性」（sozialen Adäquanz der Persönlichkeit des Täters）に存しなければならない。前者なる要請は、すでに現行刑法に於ける故意及び過失に關する刑法第三八條第一項に於て明かに表示を見てゐるものである。但し、ここに於ては、吾々は責任の存在をば、行爲者の行爲に對する一定の心理的關係に見出すのである。次に右第二の要請は、主として現行法に於ける責任能力の要請並に責任條件の規範的分子に於て之を見出す。何となれば、例へば心神喪失の場合は、行爲者の具體的行爲に對する全人格的連關性は中斷を見出すからである。精神障礙及び幼年の場合とても同じである。尙ほ、現行法に於ける責任阻却原因の種々なる場合は、また人格相當性の意義を價値づけるものである。何となれば、それは第一に、行爲者人格より離れた要素が行爲の原因を作つてゐること、卽ち人格の代りに、外部的事情が行爲を惹起せしめた場合は、責任は抹殺されることを意味するものであり、更に外部的の動機が甚だ強く、爲めに通常の人と雖も原則としてそれに抵抗し得ざる場合は、人格の反映とはならず、責任は排斥さるることを意味するからである(期待可能性の理論)。要するに、行爲と人格との相互連關關係が克服又は本質的に曲げらるるところ、そこには刑法的責任は排除される。責任の成立せんが爲めには、行爲は行爲者人格に相當しての表現として見らるるものでなければならない。現行刑法に於ける累犯加重の規定の如きは、この見地よりして合理的に理解し得べきものであり、それは直ちに人格責任を規定したものではなく、やはり一應行爲といふものをとほしての人格責任、卽ち一たび刑罰を科しこれを威嚇したるにも拘らず再び犯行を繰りかへしたといふ、その人格の點に加重責任を認めたものとなし得る。行爲の反覆(累犯事實)は、行爲者人格の特殊的なる徵表形式であり、そこに責任と刑罰との加重の原因を見出し得るのである。

三　最後に上述の(1)及び(2)の分子と、(4)なる人格論的責任分子との關係につき一言を要する。

思ふに、一切の精密なる科學的尊敬に値ひする人格の考察は、前にも一言したる如く、須らく生物學的=心理學的=全人格論的に追究されねばならない。而してこの見地よりするとき、行爲當時に於ける人格の徴表でない行爲といふものはあり得ず、先天的精神的障碍といふものはあり得ない。が、かかる意義の人格は、ここにいふ責任理論に相關するそれとしての、特殊なる人格徴表を要求するものと直接關係はない。吾々が「個々の行爲」と「行爲者人格」との一致を求めんとしての人格といふ意味は、要するにそれは一定の時間的制約内に、一定個人が、外部的の體驗的刺戟に對して常態的に爲す活動形式を指稱する。かかる一般的性向に對し、刑法はその規範と刑罰威嚇とを以て、特殊的且つ目的意識的、法律制裁として登場するのである。故にそれは、刑法的觀察に於ては依然、規範的のそれが第一線に立つ。何れとするも吾々は、責任といふことに於て、二つの目標に立ち、この目標こそは刑法科學的勞作の緊張範圍と活動領域を形成する。その二つの目標とは何ぞや、一つに曰く、客觀的法律侵害の心理的原因性といふことであり、二に曰く、違法なる行爲者人格の外部的徴表といふことである。前者に於て、刑法の責任は、謂ゆる犯罪の「構成要件」(タートベスタント)に於ける「何々を……爲したる者」のアットリビュートとして、眞の意味に於ける因果關係（心的、人的）を構成するものであり(二)、後者に於て、責任は一定の事實を認識し又は認識し得べかりしならば、その行動に出づべきにあらざりしに拘らず、敢てこれに出でたるは法律違反であり、それは行爲者の心理及び人格の違法たるべく、從つてまた法律の謂ふ「何々を……敢て爲したる者」といふ、行爲と人格との相當關係を表示することとなる。刑事責任はかくして刑事司法上、犯罪構成の主觀的本質的要素たる部分を作し、また行刑上、刑罰行使の目標が何を對象として行使されなければならぬかとの、方向を示すものである。

（一）Mezger, Lehrb., 2 Aufl., S. 276.　（二）Schumacher, S. 134, Anm. 8.

一二　結論（刑事裁判及び行刑目標としての責任）

以上、私は刑法上の責任といふ觀念を一應素朴的に眺むることによつて、これに對する考へかた乃至理論が、過去の法律論に於て如何に構成され、如何に理解され來つたかの概觀を示すと共に、第十九世紀初葉より現在にかけての主として獨、墺を中心とする責任理論は、その後如何なる發展を遂げ、現在如何なる傾向を辿りつつあるか、また我が刑法學徒は、これらに支配されてこの問題を如何に思念し、如何なる理論を構成し、さうして一方我が刑法はこの問題に對し、如何なる態度を以て立法に臨んでゐるか、從つて現行法上の問題として刑事實務上、一定の責任分子を肯定せんが爲めには、如何なる判斷上の段階を經なければならないものであるか、等を觀察してきた。いまここにこの稿を了らむとするに當り結局、刑法責任なるものは刑政の上に於て、はたまた人類の法律文化一般の上に於て何を意味するものであるか、その理論は將來の刑法に於て如何なる方向に展開せらるべきものであるかにつき、言及することも無意義でないと考へるのである。

一　まず想起せらるべきは、かのマックス・エルンスト・マイヤーが、その刑法論に於て、一方には意思必然の理論を肯定しながらも、他方に於て責任を認め、而かもこれを以て人間感情分子の要請となしてゐた一事である。マイヤーは、一方に於て人は必然的意思に支配され、その意味に於て人に責任なるものを問ひ得ざるに拘らず、而かも人は法律の世界に於て、規範に違反するに於ては、これを容認することを許さぬ。何故であるか、人の「感情」といふものが、たうてい理論の指示するところを承認し得ないからである。卽ち責任なるものは、人の「理知」と「感情」との二律背反裡に成立する人間的所産であるとなしてゐた一事である。マイヤーの右表現は、稍〻感傷的にすぐるの嫌あるも、その深き人間性の洞察は、いま人類社會に於ける「責任」なる文化現象の意義を考へんとするにつき、深刻なる示唆を吾々に提供するものといはねばならぬ。

思ふに地上に於ける現實としての人間は、たうてい完全性たり得ない。しかも常に完全性を目ざして不斷の努力を續けてゐるのが、現實の人間である。されば社會の各人は、時に日常の生活に於て法律規範に違反することなきを保し難く、それは理知として眺むるときは、不完全なる人間性の然らしむるところとして、むしろ當然の事象に屬するも、人類共同社會の理想への感情は、かくの如きを容認し得ないのである。違法行爲を演じたる個人の立場よりすれば、その所作はまことに止むを得ざるものあるとしても、しかも人類の全體社會的法律秩序への意思と感情とは、かくの如き個人の擅斷を許容し得ない。けだしかくの如きを容認するに於ては、全體社會の生存維持を全うし得ないからである。その「汝まさにしかせざるを得ざらむも、全體社會はこれを許し得ず、故に汝須らく全體社會の意思に從はざるべからず」とするところに法律の謂ふ責任なる事象を顯現し來るのである。語を換へていへば責任なる事象はエー・シュミットも賢明に洞察してゐる如くその本質は不完全なる存在としての個人と、その上位に立つ全體社會意思との兩者調和上の一生産たるに外ならぬ。この思想は、また我が國に於て牧野博士が「責任觀念の發生は、自我の意識と同時に他我の認識、卽ち社會生活に於ける協同現象の發展である。それは寛容のモメントを有する倫理的或るものである」とされてゐるのと同一行程に立つ。されば苟くも人類の社會文化として協同調和の方向を步まんとするのが、永劫に宿命づけられた基調となす限り、はたまたその任務の遂行として法律なるものの存する限り、そこに責任なる現象は、極めて人間的なるものとして、容易に抹殺され難きものがあるのである。人間は、いふまでもなく肉體的存在として社會の中に自然的、物欲的、利己的なものとして存在する。しかも人間は同時に極めて精神的、道義的な理念的存在として、法律規範の世界に登場する。かく人間は、肉體として自然の世界、精神として規範の世界なる二重的存在を續くるところに責任なる現象を見出すのである。

二 則ち吾々は責任なるものは、最初より全社會的のものとして發生してゐる事實を知るのである。由來、責任の理論が刑法上種々に論議さるるに至つた所以は、これに關する法律の規定が頗る不完全、いな殆んど見るべきものがなかつた一事に基因する。刑法上の責任は空白なる刑法領域を補充する理論として、そこに偉大なる活動領域を見出したのであつたが、しかし從來事實として發生した責任の諸理論は、その道義的のものなると、心理主義のものなると、はたまた、規範主義と稱せらるるものなるとを問はず、その內實に於て或はその實際的運用の結果に於て甚だしく個人主義的、自由擁護的のものたらざるを得ず、いな場合によりては、國家刑罰權の行使を可能限度に制約せしむるの一理論とさへ見ゆる場合も少しとしなかつたのであつた（例へば期待可能性の理論）。これ時代文化の一般が個人自由擁護の傾向に在り、罪刑法定主義を文字通り嚴守せんとするフランスのコード・ペナル精神の支配せし刑法時代としては、まことに止むを得さる、いな當然の事象であつたとしなければならぬ。

然しながら時代文化の方向は變つてきた。法律一般の思惟とても面目を新にせざるを得なくなつた。刑法に於ても、個人の自由といふことを絕對則とすべきではなく、廣く國家全體の秩序維持といふ法律本來の目的を第一次的に考へて、個人は要するにその一構成員として、全體秩序の爲めに最大に奉仕すべきであるとの觀點より、凡べてが考察されねばならなくなつた。從來の法律思想の中心を作す權利、法律人、といふやうなことも、個別的に思念するを許されず、個人は全體としての法律協同體に於ける一法律仲間（Reclitsgenosse）にすぎず、その意味に於ての人格を享有するのであり、從つて謂ゆる權利は、絕對的、排他的のものではなく、各法律肢體が全體を支持し、これに奉仕する活動を演じ得る自由の範圍または參加の權能範圍として理解さるべきこととなつた。權利は、もはや法律上承認された個人の力または利益といふやうなものではなく、國家全體に對する各個人の肢體的機能を演ずる活動領域、全體に奉仕する法律的及び道義的な義務の履行として理解さるべきこととなつた。さうして刑法に於ける「責任」といふことも、從來の如く主として、國家刑罰權力の前に、個人を擁護する上の理論、即ち個人は責任の明確に立證さるる限りに於て、刑罰權に服するといふが如き觀點より理解せらるべきものにあらずして、それは廣く法律仲間が、その全體なる法律協同態に對し、各自の最大の法律的及び道義的奉仕を履行せざる限りに於て、廣く肯定せらるべきであるとの見地より把握されんとしつつある。

かくの如くにして、人格主義の責任理論なるものは、從來の兎もすれば、個人自由主義の色彩より脱却し得ざる心理主義=規範主義のそれを修正して、そこに法律協同態に於ける新しき意義の人格の新認識に出發し、刑法に於ける責任の理解をば、國家的に構成分子の義務遂行の立場より、全體的に、而かも肢體分子の存在を遺却することなく、爲さむとするところに、今日の存在的理由と意義とを持つのである。そこに現在に於ける人格主義責任論の「責任範圍擴大」の意義が認めらるるわけである。

三　かく人格主義の責任理論は、一方に於て全體國家に對する各個人の責任自覺を擴大深化せしむるものであると共に、他方に於て、全體國家をして、刑事責任の各個主體なる行爲者人格の嚴存と、その存在的意義をば、より一層深刻に認識せしむるの機能と任務とを有してゐるのである。
人格主義の責任理論に在りては、從來の如く、行爲者人格を單に抽象的な平均人と見ることなく、その生成發達並に現在狀態に關する生物學的、社會學的、道義的、法律規範的意義をば、より執拗に、より綜合的に、より動態的に觀察せんとするところに、その固有的意義と、重點とを認めむとするのである。すなはち行爲者人格は、その基礎に於て人類學的、その外部條件に於て社會的要素、その行爲動機に於て、概ね自由なる自己決定といふ精神作用に因る漸次的の構成物と考へるのであるが、かかる生物學的要素と、社會的要素と個人的精神力とが競合して始めて犯罪人格を創り、刑事責任を生ぜしむるとの一斷定なるものは、そこに當然の論結として、國家社會が、かかる有責者に對し、刑罰を以て臨むに際しては、そもそも刑事責任は何に因つて發生してゐるかの點を、深刻に考省するの要あることを意味する。卽ち刑事責任構成の人格的、發生學的考察は、逆にまた犯罪行爲者に對し、かかる諸方向よりしての刺戟的諸條件を提供するに於ては、その人格は次第次第に變革せられ、一定の理念とする方向に變化せしめ得らるべきことを認識せしむるのであつて、それは刑事責任を肯定したる後に生ずる刑罰の執行に對し、具體的、實證的、有價値的の目標を提供することとなるのである。そこに人格主義責任論なるものの責任解除への目標指示的意義があるわけである。

四　故に人格主義の責任理論は、理論として立法上、特に刑法各則に於ける法定犯罪事實の定立並に總則に於ける責任概念の規制上、重要な役割を演ずるのであるが、それがさしあたり刑法の實踐を指導する最大の方面としては、刑事司法に於ける「責任の判斷」といふことに在る。

從來の規範主義の責任論は、現在に至るまで刑法解釋の上に於て壓倒的の支配力を持つものであるが、それは必らずしも事態の眞理性を全部おほひ盡してゐるものとは考へられない。端的に言つて甚だ形式的のものである。が、今日の犯罪理論としての違法論に於て、從來の形式的違法といふことより一歩進め、そこに事態の全體的本質に基いて、法律全般の眞精神より、そのはたして法律背反なりや否やが論定せらるべきものあると共に、責任の理論とても、形式的なる個人主義的規範主義に一歩を進め、改めて事態の全部的且つ本質的のもの……國家全體的構成並にその構成肢體としての行爲者人格の省察より、そこに本質的なる、實證的の責任理論が定立せられねばならなくなつてゐるのであつて、人格主義の責任論なるものは、この役割をはたさんとするものである。即ち、まづ第一に、同じく規範といふことを考へるにしても、その規範は個人の視界を基調とせず、國家社會全體を中心とし、これを純正に認識してなさるべく、第二に、合法行爲への期待可能性といふことを論斷するにしても、市民社會的見地よりしてではなく、全法律協同態の立場より國家本位的に爲さるべく、第三に、責任の內容は、單に規範に違反するといふが如き形式的のものではなく、それは非國家社會的、不道德的人格の表現といふ實質的方面より實證的になさるべく、第四に、同じく行爲者の主觀に對する法律的無價値の判斷を導くにしても、それは單なる心理事實を對象とすることなく、行爲者人格の外部的徵表といふ、行爲と人格との相當關係として理解さるべく、第五に、また同じく行爲者人格を思念するにしても、それは單なる成熟せる平均人、または完全なる道義的意思自由の主體としてのそれではなく、一面に於て、その生物學的、社會的意義、他面に於て、道義的の見地より綜合的に考察して、然る後に責任性の有無が判斷せらるべきことを要請するのである。犯罪行爲者は、一方に於て外部條件に多大に支配されつつも、なほ具體的行爲に際しては、自己固有の活動範圍を有し、自由なる自己決定性を有つ。人の意思は、原則として人格の發現であるが、その人格なるものは、發生學的に眺むるに於ては、それは依然として充足原理の適用を受け、外部諸條件に絶大に支配され發達するものであり、同時にそれは一定の發達段階に於ける具體的なる人間に在りては、逆にまた外部條件を支配する力を有つとなすことによつて、刑法上の「責任」の合理的根據を明らかにせんとするものである。それは犯罪なるものは、行爲者に於て多大に外部諸條件に支配されつつも、尙ほその自由選擇内に於て、みづから選擇したる行動方向の所產であり、その限りに於て、犯罪は行爲者の自己人格を外部的に表現したるもの、自己人格の缺陷に因り生產せられたるものとなすことにより、一面には犯罪の社會的原因性を、他面には、責任の前提として從來一般に考へらるる意思の自由（行動の自由）性をその限度に承認して、謂ゆる責任刑の理論に根據を與へ、道義的方面よりしての刑事司法に對し、格段と色彩を加へしむるものである。

五　最後に、人格主義責任理論の持つ特有なる意義として指摘せらるべきは、刑罰の實際的執行、卽ち行刑方面に關してである。

刑法責任といふことが、結局に於て、個々的違法行爲に出發しての行爲者人格に對する非難性の表示であり、而して非難の對象たる行爲者人格そのものの生成過程にして、前述の如きものなる限り、刑事裁判に於て、刑罰賦科の前提として「責任性」を確定し、そこに犯罪を肯定して、これに刑罰（主として自由刑）を賦科し執行するといふことは、而して刑罰の執行が、刑事責任の解消へを目指すものなる限り、所詮それは人格の生成過程を逆に應用することによりて、ひとたび科せられた刑罰乃至刑事責任卽ち法律的非難性の人格をば修正し敎化し克服して、一般的法律人格への復歸を期するものと謂はなければならない。卽ち生物學的要因と、社會學的要素と、個人的精神力とは相競合して、犯罪人格を創り、その外部的表現に對する非難が責任なりとするならば、この責任への解消には、右の三方面よりしての刺戟的條件を提供する限りに於て、その人格は次第次第に變革せられ、一定の理念とする方向に改化せられ、やがてや責任分子は解消せられ得るとの結論を導く。この意味に於て人格主義の責任理論こそ、よく合理的に、且つ法律論的に、同時に全體法的に改善主義、敎育刑主義に統一ある理論的根據を與ふるものとなる。

さうして、(1)責任の肯定には、その事實的基礎として、一定の違法なる心理的分子（故意又は過失）の存在を前提とする限り、責任解除への方向に立つ行刑に於ては、また特に受刑者の心理的性向の點に着目して、この非法律的心理分子の克服といふことに努力されねばならなくなり（受刑者の心理的分類及び處遇）、また、(2)責任判斷は、一定の心理的事實と、結果たる行爲事實との關係に於ける一判斷であり、その限りに於て、一つの關係的判斷にすぎずとなすものであるが、かかる「關係それ自體」のみが責任の實體をなすのではなく、その關係的判斷の所産としての「非難性の存在」といふことが、その主要部分を作すと考ふる限り、行刑に於ては、その最高且つ最大の目標として、何よりもかかる責任性のよりて以て肯定さるる背後的基礎なる「人格そのもの」が、改善せられねばならなくなる（受刑者の生物學的分類及び處遇）。要するに、人格主義の責任理論が、行刑方面に要請するところは、法律規範的意識の恢復及びその習性への植付けといふことによりて、その法律協同態の一主體としての適格を復活せしめ、延いては精神的に、道義的に、全體社會に、眞の織込みを實證せんとするに在るのである。（完）

（昭和十三年十月三十一日稿）

営造物権（Anstaltsgewalt）について

――公法上の特別権力関係の一考察――

園部　敏

目次

一　特別權力關係の特質

公法上の特別權力關係（öffentlich-rechtliches besondere Gewaltverhältnis）は一般權力關係（allgemeines Gewaltverhältnis od. Untertanenverhältnis）に對する觀念である。後者は私人が人民としての地位に於て國（又は公共團體）の支配權（Imperium）、公權力（öffentlicher Gewalt）に服從する關係であるが、前者はこれと異つた特別の地位に於て國（又は公共團體）の特別權力に服從する關係である。

一般權力關係は國の包括的使命のためにする公權力の發動に於ての關係であつて、從つて一般的な統治關係であるが、特別權力關係は特定の目的、就中特定の行政目的のための國の特別權力の發動に於ての關係である。(1)

公法上の特別權力關係に屬する重なものに公の勤務關係（就中官公吏關係）、營造物關係、公の特別監督關係及び公の社團關係等を擧ぐることを得る。何れも行政法上の特別權力關係であつて就中官公吏關係・營造物關係をその典型的のものとする。この外、公法上の特別權力關係に屬するものには議會及び法廷に於ける紀律關係がある。軍隊と兵士との紀律關係は公の勤務關係に屬

すべく、刑務所と囚人との關係は之を營造物關係に準じて論ずることを得る。(2)、(3)

(1)　美濃部博士、日本行政法上巻一三二頁、「特別權力關係の性質に就て」(法學志林一一巻四號)、田村博士、行政法學概論第一巻八三頁。

一般權力關係に對し特別權力關係の觀念を明かにしたのは獨逸に於てラーバンド(Laband, StR. 5 Aufl. I S. 433.)であるが、この關係の行政法的理論構成をなせるはオットー・マイヤーが最初である(O. Mayer, Deutsches Verwaltungsrecht, 3 Aufl. I S. 102, II S. 285.)。彼は特別權力關係を定義して「公の行政の特定の目的のためにこれと所與の關係に立つ凡ての人に對して存立せしめられた强められた服從 verschärfte Abhängigkeit」だとして居る。

(2)　美濃部博士は公法上の特別權力關係の重なる實例として公法上の勤務關係(官吏・有給吏員・名譽職吏員・兵士等の勤務關係)、公法上の營造物利用關係(學校・感化院等に於けるが如き倫理的性質を有する利用關係)公法上の特別監督關係(公共團體・特許企業者・國家事務の委任を受けた者及び國家より特別の保護を受くる者に對する監督關係)、及び公共組合と社員との關係を擧げらる(前掲書一三四頁)。渡邊博士は特殊の勤務關係(官公吏・兵士)、營造物使用關係(學校・病院)及び特別監視關係(刑務所・感化院)を擧げらる(改訂日本行政法上三〇頁)。

オットー・マイヤー及びフライナーは官吏關係、營造物利用關係及び特別の監視關係を擧げ(O. Mayer, I S. 102, Fleiner, Institutionen des Deutschen Verwaltungsrechts, 8 Aufl. S. 165.)、ヤコービーは公の勤務關係、營造物關係、特別監督關係及び公の社團關係を擧げ(E. Jacobi, in Handbuch des Deutschen Staatsrechts, II S. 256)、ロェールスは之に加ふるに家宅權に基く權力關係を擧げて居る(W. Röhrs, Fehlerhafte Verwaltungsvorschriften, 1932 S. 29)。

(3)　特別權力關係に於ける權力には獨逸に於ては、公の勤務關係に於けるものを Dienstgewalt, 營造物關係に於けるものを Anstaltsgewalt, 特別の監督關係に於けるもの Überwachungsgewalt, 公の社團關係に於けるものを Vereinigungsgewalt, Mitgliedschaftsgewalt, Verbandsgewalt の定語がある。議會及び法廷の紀律關係に於けるものは Sitzungs-polizeigewalt, 兵士に對する紀律關係に於けるものは Komandogewalt と稱する。營造物中、學校の有するものを Schulgewalt と稱する。

特別權力關係の特質に關しては、そが如何なる程度に於て一般權力關係に對し區別對立せしめらるゝかが觀察されねばならない。

この觀察については、大別して二の見解が存し得る。

其の一は、相對的區別の見解であつて、この關係の區別を單なる相對的のものとして理解するのである。卽ち、特別權力關係は私人の人民たるの地位に伴ふ特殊の地位に根據する。この關係に於ける服從者の地位は、私人の本來の地位の特殊化されたるものであつて、特殊な臣下の地位(qualifizierte Untertanenstellung) に外ならぬ。從つてたとへ特定の目的・範圍・方法に於て一般權力關係に於ける本來の人民の地位とは異れる權力服從の態樣が存するとはいへ、こは公權力の直接又は間接の發現關係に外ならないとするのである。

其の二は、絕對的區別の見解であつて、特別權力關係は一般權力關係とは特異な獨立なものとして理解するのである。この關係に於ける服從者の地位は私人の本來の地位卽ち人民の地位とは全く異れるものである。從つてたとへこの地位が人民の地位を前提として存するとするも、この關係に於ては臣下の地位は其の影を全く潛めこれとは獨立な權力服從關係が存するに至るとなすのである。

(1) 相對的區別

こは在來の通説である。イエルサレムの所謂特殊なる臣下地位の理論（Lehre von der qualifizierten Untertanenstellung）である。(1)

尤も之に屬する見解にも、この關係の區別對立の程度に差違がある。即ち特別權力關係は公權力の直接なる發動關係であり、その權力は公權力そのものに外ならない。從つてこの關係に於ても一般權力關係・公權力・臣下の地位は强度に光被すとなす見解より、特別權力關係は公權力の間接なる發動關係であり、公權力より導き來られた命令的權能（Befehlsrechte）に根據するもの、第二次的權力の發動關係であつて、從つて一般權力關係・公權力・臣下の地位は其の影を射すに止るとなす見解に至るが如きである。

この差違は多くの學者の所論の中に見ることが出來る。

例へば、フライナーは特別權力關係は一般人民の服從義務の高まり（Steigerung）にすぎないとし、この關係に加入することは私人が國の行政施設の共働する分子となるのであつて、かくの如きものとして一般服從義務を超えた義務が存せしめらるゝのである。服從の義務は高められ特別權力關係に於て實現される行政目的（教育・行刑・監督等）のために官廳よりなさるゝ凡ての命令に對するのである。各々の特別權力關係の基礎と限界は立法者によつて與へらる。特別な目的實現に必要な個々の命令は官廳の義務に適へる裁量に委ねられて居るが、この官廳の特別な命令權は公權力以外の何物でもないと說くに對し(2)、トーマが特別權力關係に於ける命令は單純な官權的命令であり、この關係に於て私人は直接法律に基く命令に服從するのではなく、法律によつて存立せしめられた命令權能に基礎を置く命令に服從するのであると說いて居るが如き、これである。(3)

かくの如き兩者の中に存する區別の度合の差違に於て前者を相對的區別とし後者を絕對的區別となすものもあるが、然かもこは特別權力關係に於ける、一般權力關係・公權力・臣下の地位の光被の强弱を示すに止るのである。かくしてトーマの所說も亦特別權力關係を一般權力關係に對して絕對的の區別をなして居るのではないのであらう。(4)

我が國に於て美濃部博士が特別權力關係に於ては國家は一般統治權者として現はるゝものに非ず、或は使用主として或は營造物管理者として、或は公務の委託者として或は保護者として、或は監視者としての地位に於てその權力を行使するものにして、その權力は常に國家と特定人との間に或る法律關係が設立せらるゝことを前提とすと說かれ(5)、また田村博士が行政法上の特別權力關係に於て權力客體はその本來的權力客體として有する固有の地位以外に特殊の地位に基いて權力主體の權力に服するのであるが、この權力はそれがその特殊の地位に依つて生じた特定の目的に於てのみ行使せらるゝ點に於て、及び常に一定の行政機關によつて行使せらるゝ點に於て一般權力關係に於ける權力から差別せらると說かれて居るが如きもこれに外ならない(6)。

獨逸に於て特別權力關係理論のクラシカーたるオットー・マイヤーが一般權力關係に於ての私人の自由範圍に於ける行爲卽ち所謂服從關係への行政行爲（Verwaltungsakt auf Unterwerfung）によつて設定せらるゝとなす特別權力關係について、「强められた服從 verschärfte Abhängigkeit」、「弱められた自由 verminderte Freiheit」、「全面的臣下服從 allseitige Untertanschaft」と特徵づけ(7)、またフロイデンベルガーが特別權力關係を立法者の白紙的授權（Blankett）に基礎づけ以つて行政の法律適合の原則をこの關係に結びつけて居るのも(8)、すべてこゝに所謂相對的區別の見解に外ならない。たゞ多くの論者がフライナーの所說よりはトーマのそれへと多くの傾きを示すのである。

かくして、行政法上特別權力關係の法體系は一般權力關係の法體系に包攝せられつゝ、それぞれの立場に於て或る程度の獨自性が認められて居るのである。而して特別權力關係の種々の法的理論の構成についても、例へば特別權力關係に於ける權力と法律との關聯、この關係に於ての私人の權利の侵害等についても、この關係の相對的區別の見解の中に於けるそれぞれの立場卽ちその區別の度合の强弱に於て一般行政法理論に對する獨自と關聯が存せしめられて居るのである。(9)

(1) Jerusalem, Das Verwaltungsrecht und der neue Staat, 1935 S. 14.

(2) Fleiner, a. a. O. S. 166—167.

(3) Thoma, Polizeibefehl, S. 53, 19.

(4) Freudenberger, Beiträge zur Lehre vom besonderen Gewaltverhältnis im öffentlichen Recht, 1931 S. 166.
フロイデンベルガーが一般權力關係と特別權力關係との區別に關し絶對的區別と相對的區別に分ち、絶對的區別の代表者としてトーマの所說を擧げて居るが、これは玆に所謂絶對的區別を認むるものでなく、相對的區別の中に於てのその度合の强さを彼の所論に認むるにすぎないのである。

(5) 美濃部博士、日本行政法總論六版八〇頁。

(6) 田村博士、前掲書、八七頁。

(7) O. Mayer, I S. 101, 102, II S. 149 Note 9.

(8) Freudenberger, a. a. O. S. 168.

(9) Freudenberger, a. a. O. S. 172, 190. Fleiner, a. a. O. S. 337, O. Mayer II S. 284.

(2)　絶對的區別

この見解は獨逸に於て近時イエルサレムによつて唱へらるゝ說である。(1) イエルサレムによれば、特別權力關係につき在來の通說が特殊化された臣下の地位なりとして特徵づけるは近代國家思想上の基本型に一面的に拘束せられて居るのであり、國家の中には國家對人民關係（Staat-Untertanen-Verhältnis）と相竝んで他の形態が存することを看過せるに基づくのである。Gemeinschaftsstaat の形態より變遷し來れる形態が即ちこれである。近代の官吏關係は本來國家と竝び存した社會形態即ち Gemeinschaftsstaat の存續變化せる形態であり、營造物關係は國家對人民關係に根柢を置きつゝなほもその接涉する國家施設活動を媒介とすることによつてこの關係は其の影を沒し、Gemeinschaftsstaat より生ずる社會形態に近似するに至れるものだとするのである。

而して在來の行政法に於てはその殆んど凡てが國家對人民關係によつて占められ、而して團體の支配者とこれに指導せらるゝ團體員の關係が個人主義的に變革されて居るのを見るのであるが（租稅法警察法に於て甚しい）、然かも官吏法の中には中世の勤務關係 Zweiergemeinschaft の形貌が存し、營造物法の中には家長權（Hausgewalt）により特徵づけらるゝ家又は家族の形貌を認め得るとするのである。

かくしてイエルサレムは官吏關係・營造物關係等の特別權力關係に、國家對人民關係の法體系とは全然獨立な法體系を國の全法系中に於て認めんとするのである。卽ち官吏法・營造物法を國家對人民關係の法卽ち、一般行政法とは異つた獨自の法と理解するのである。かくして彼は特別權力關係に於ける行政の法律適合の原則を否定し、その權力に立法並に司法的機能を認め、その抽象的法則に法規性を是認する等獨自の法的理論を展開して居る。(2)

（1） この點に關聯し、同傾向の營造物法理論を說いて居るものにマウンツがある (Maunz, a. a. O. S. 65.)。

（2） Jerusalem, Das Verwaltungsrecht und der neue Staat, S. 13–20, Das Recht der öffentlichen Anstalt in Franks Verwaltungsrecht S. 282—291.

かくの如くイエルサレムが特別權力關係につき一般權力關係との絕對的區別の見解を主張するは、彼の國に於ける史的事實として中世に於て王權の外形的衰亡と特別な法名義の命令權の發生以來、國家絕對主義、自由主義の時代を通じて、特別權力關係の勃興による一般權力關係の敗退、特別權力關係の一般權力關係化の繰返しを指摘するものであると共に、今や特別權力關係の帶有する自由主義的性格の廢棄を必要とせるものなるを示して居るものと解せらる。(1)

この見解は又廣く現行行政法上の專らなる理論考察に對しても、在來の特別權力關係の法的構成が一面的に臣下服從の側よりのみなされ從つて私人の自由の要請に過大に影響せられて企てらるゝことなきやを反省せしむるものとして、またその限りに於て顧みられねばならないのであらう。

惟ふに特別權力關係が終局に於て一般權力關係に歸屬せしめられ、その權力竝に之に服從するの地位が公權力竝に人民の地位に還元せらるべきことは論を俟たない。然かもかゝることは何等特別權力關係を一般權力に區別對立せしめ、その權力竝に之に服從する地位を一般公權力竝に本來の人民の地位と特異なるものとして區別することを妨ぐるものでもない。(2)

特別權力關係の法的構成は未だ充分にその獨自性を明かにするには至づてゐないのであるが、ともあれ一應の一般權力關係のそれに對する原則的對立が認められて居る。このことは特別權力關係の特徵づけに關し諸家が、法治國の否定(O. Mayer)、臣下の格下げ(Flein r)、警察國の殘存(Freudenberger)、人格性の喪失(Maunz)等の表現を用ひて居ることに於ても端的に覗ひ知られる。又このことは一般權力關係の法卽ち一般行政法の基本をなす行政の法律適合の原則の適用が、特別權力關係に於て一般に排斥せられて居ることに於て明確に示されて居る。(3)

然かも他方に於て特別權力關係の法的構成は、一般權力關係のそれに歸屬せしめられ、この關係の多くの法的理論が行政法の一般理論の適用下に置かんと企てられて居るのを見る。例へば特別權力關係の成立の基礎、この關係に於ての人民としての權利就中基本權の侵害、權利・義務の性質、この關係に於ける行爲と一般行政行爲理論との關係、この關係に於ける法則の性質、この關係に於ける損害賠償及びこの關係に於ける權力の內容・限界等に關する理論に於て特に之を見るのである。

特別權力關係の法的理論構成に當り、徒らに形式的にその獨自性を强調することは愼しまなければならないところであるが、(4)これと共に特別權力關係に於ける權力服從に不信を表しその關係の高權的分子を否認する傾向に災さるゝときは、(5)この關係に於ては本來の人民の服從義務が特定目的のために制約され而して又昂揚さるゝを全面的に觀取し得ずして、とかく制約される側のみが注目され、ひいては一般行政法に於ける人民の地位に關する種々の法的理論を無批判に援用するに至るものなるを警戒しなければならないと思ふ。

特別權力關係の法的理論が如何なる程度に一般行政法のそれと相關し、如何なる程度に於て獨自のものを固有するかの詳細な展示は本稿の企て得ないところであるが、以下項を更めてマウンツの言ふが如く特別權力關係理論のよき培養地(guter Nährboden für die Theorie des besonderen Gewaltverhältnissos)たる營造物法、その中核となす營造物の權力の本質・內容・限界等を檢討するに當つて、これ等の點に若干觸れて見度いと思ふのである。

（1） 獨逸に於ける特別權力關係の史的觀察については Freudenberger, a. a. O. S. 164.

（2） 田中二郎氏「法律による行政」の原理（野村教授還暦祝賀公法政治論集二三三頁）、Freudenberger, a. a. O. S. 172.

（3） Jerusalem, Das Verwaltungsrecht und der neue Staat, S. 17.

（4） Freudenberger, a. a. O. S. 165–166.

（5） Maunz, a. a. O. S. 68.

マウンツは獨逸に於て一九二〇年より一九三三年に至る時代に於ける公の行政の企業化の時流は、營造物行政に於ても私法的形貌が著しく、その公法的形式を採るものに於ても命令服從關係に不信が表明せられ、平等の基礎に立つ契約理論が著しく目立つに至り、果ては營造物行政に高權的行政の形式を採らしめず權力を有せざる營造物を認めんとせるに至り終には權力關係理論が不明確となつた。こゝに於て營造物法に於ける嚴格な法律適合の原則の適用が著しく推しすゝめらるゝに至つたことを指摘して居る。

二　營造物權 (Anstaltsgewalt)

Ⅰ　特　質

營造物の活動域内に入りこむ人及び物は、そが營造物活動の對照をなし又は之に參與するものなると否とに拘らず、そがまた直接法によるものなると自由なる意思決定に基くとを問はず營造物の支配下に立つ。即ち營造物の活動域内に入りこむことによつて營造物目的によつて特定づけられた命令服從の關係が生ずる。かゝる關係に於ける營造物の權力を營造物權 (Anstaltsgewalt) と稱する。營造物關係は營造物權に服從する特別權力關係なるを特徴とする。

營造物權は營造物の活動域内にある凡ての人 (營造物從屬者就中營造物利用者・收用者) 及び物につき營造物の有する命令權である。こは法によつて存立し、法により又は營造物目的によつて制約された・營造物從屬者の行爲を規律する意思力であつて、營造物の存立と活動が侵害されず、その目的の達成を確保せんとするものである。

營造物權は法を離れて存するものでもなく、又單なる包括的債權でもなく、且つは國の一般公權力と全く獨立した權力でもない。營造物權は法によつて（直接又は間接）存立し、その終局に於て國の支配權、一般公權力に歸屬せしめらるゝものであるが、然かもその目的と範圍從つて又方法による特異性により一般公權力そのものとは觀ぜられず、これと區別せらるゝ權力卽ち第二次的公權力である。この點に關しては特別權力關係の特質に於て既に說述したところである。

營造物權の語は我が行政法學上未だ充分に採用せらるゝに至つて居ない。(1)美濃部博士が公法上の營造物利用關係に於ける權力を Anstaltsgewalt と稱し我が國にはこれに相當すべき的確な定語が無いと言はれて居るが如くである。(2)或は營造物管理權といひ、(3)或は營造物の特權といひ、(4)或は營造物紀律權といふ。(5)然しながら營造物關係を特別權力關係として特徵づける權力をかゝる語を以つて表はすとせば、その語の弊は營造物權又は營造物權力の語の生硬以上のものなしとしない。

獨逸に於て Anstaltsgewalt の語は、オットー・マイヤーにより採られ、その法的構成が試みられてより多くの學者の採用するところとなつて居る。尤もその法的構成については種々異るものがある。(6)ヴュルテンベルグ行政法草案（修正）は其の一四一條に於て Anstaltsgewalt の條下に規定するところがある。(7)

（1）佐々木博士、日本行政法總論二七三頁、淺井清氏、日本行政法總論二三〇頁、美濃部博士譯、獨逸行政法第四卷二六九頁、山田準二郎氏譯、フライナー獨逸行政法論五四九頁、拙著、行政法原論（昭和十一年）一八〇頁。

（2）美濃部博士、日本行政法上卷一三五頁。

（3）渡邊博士、改訂日本行政法上二四一頁。

（4）野村博士、行政法總論六四七頁（舊法學全集所收）。

（5）磯崎辰五郎氏、公物・營造物法七七頁（新法學全集所收）。

（6）O. Mayer, Verwaltungsrecht, II S. 285. Fleiner, a. a. O. S. 337. W. Jellinek, Verwaltungsrecht, S. 515. Köhler, Grundlehren des deutschen Verwaltungsrechts, S. 319. Jerusalem, Das Recht der offentlichen Anstalt (in Franks Verwaltungsrecht S. 284). Freudenberger, a. a. O. S. 180. List, Grundriss eines Bibliotheksrechts, 1928 S. 62. Eisenhuth, Die Entwicklung der Schulgewalt und ihre Stellung im Verwaltungsrecht in Deutschland, 1932 S. 45. Pauli. Die rechtliche Natur des Postnuzungsverhältnis, 1933 S. 101.

（7）ヴュルテンベルグ行政法草案には次の如き規定を有する。

第一四一條營造物權。營造物利用者は其の利用の繼續する限り營造物權に服從す。利用者は營造物權に基き、營造物規則又は個々の場合の指令により、營造物の特定の目的の實現に必要なる限り一定の作爲受忍若は不作爲の義務を課せらるべし。(Ergänzungsband Zur VRO., 1936 S. 158, Verwaltungsrechtsordnung für Württemberg. 1931 Begründung, S. 428 (VRO. Begr.).

營造物權の公權力的性質は營造物關係の存立の法的基礎の如何を問はない。そが直接法によるものなると自由なる意思決定に基くと（更には特定の範圍に於ては偶然的事實によると）を問はない。營造物の活動域内に入りこむことによつて、高められた從屬、特別な命令權能に服從するの關係生じ、營造物目的の要求に適從すべく營造物權に服從するのである。

玆に問題となるは營造物關係が私法上の契約によつて存立せる場合にも公權力的な營造物權が存し得るかについてである。營造物とその利用者との權利義務を私法上の契約によつて規律するを可能となす場合にも營造物權に服從する關係は存し得るのである。即ち私法的な利用關係を有する營造物に於てもこれと並んで特定の範圍に於て營造物權の存立は是認され、公法的な服從關係が存するのである。(1) 尤もこの點については反對があり、かくの如く解することは私法的な營造物利用關係の法的性質と一致しないとするものがある。(2)

(1) VRO. Begr., S. 430.

(2) Neuffer, Die rechtliche Natur des Verhältnisses zwischen öffentlicher Anstalt u. Anstaltsbenützer nach württembergischen Recht, 1933 S. 31.

II 內容

營造物權の內容はその發動の對照と方面によつて次の如く分つて觀察することを得る。(*)

(1) 內部に於ける權力

1. 消極的命令權(紀律權)

2. 積極的命令權

(2) 外部に對する權力

(3) 物に對する權力

(*) 營造物權の內容の把握については種々の見解がある。オットー・マイヤーは營造物權を內部關係に於て家宅權(eine Art Hausrecht)と營造物紀律權(Anstaltsdisziplin)、外部關係に於て營造物警察(Anstaltspolizei)と營造物域內にある他人の物及び價值に對する處置(Behandlung von fremden Sachen und Werten)に分つて居る(O. Mayer, II S. 284)。ヴアルター・イエリネクは家宅權に類する營造物權(die dem Hausrecht nachgebildete Anstaltsgewalt)及び營造物紀律權(Anstaltsdisziplin)に分つ(W. Jellinek, Verwaltungsrecht, S. 515.)。ヴュルテンベルグ行政法草案は家宅權的紀律權、家宅權行使の程度を超えた積極的行爲又は給付を命ずる權力及び物に對する權力を認む(VRO. Begr., S. 430, 215.)尙、この點については Köhler, a. a. O. S. 319. 野村博士、行政法總論六七四頁(舊法學全集所收)、淺井淸氏、日本行政法總論二三〇頁參照。

(1) 內部に於ける權力

營造物の內部に於てその秩序維持のためにする紀律權は、その最も屢〻發動し且つ微弱なるものとしては家宅權の發動の態樣をとるに止ることがある。例へば郵便局・停車場・公會堂・圖書館・博物館等に於ける紀律權がこれである。(1)

尤もかゝる紀律權は私法上の處分權(所有權・占有權)保護に基礎づけらるゝ私法的な家宅權の行使であつて營造物權の內容をなすものでないとの說がある。(2) 議場及び法廷に於ける紀律權(議院法第一七章、市制第五九條六〇條、町村制第五五條五六條、裁判所構成法第一〇八條)についても同樣に私法的な家宅權により論ずる者あるを見る。(3) 然しながら前の場合は營造物權の發動であり、(4) 後の場合も公法的な紀律權と解すべきである。(5)

(1) 臺灣圖書館規則第八條、樺太廳博物館規則第一二條參照。

(2) Freudenberger, a. a. O. S. 181.

(3) Anschütz, Die Verfassung des Deutschen Reichs, 1929 S. 184. Ulmer, Die Sitzungspolizei der ordentlichen Gerichte in Deutschland, 1918 S. 42.

(4) Jellinek, a. a. O. S. 515, Köhler, a. a. O. S. 326, VRO. Begr., S. 431. また家宅權を營造物權の私法的要素と觀ずるを要しない。Jerusalem, Das Verwaltungsrecht und der neue Staat, S. 19.

(5) Durrieu, Die Sitzungspolizei, 1933 S. 9.

次に營造物の内部に於ける紀律權は家宅權の發動の態様を超えた懲戒的紀律權(Anstaltsdisziplin)たることがある。例へば官公立の學校・病院・監獄等に於けるが如く其の利用者(又は收容者)が繼續的一體をなし之と關渉する場合に之を見る。營造物內部に於ける紀律權たる懲戒權は營造物權の中核をなすものである。

懲戒權は特別權力關係の内部的秩序を維持するため其の從屬者の義務違犯に對する處罰(懲戒罰 Disziplinarstrafe)權である。(1)

營造物權により懲戒罰を科するには法律の規定あるを要しない。卽ち法なければ罰なし(nulla poena sine lege)の原則の適用がない。尤も一定の場合には法律を以つて規定するを要すとせらるゝものがあり、(2)又法律政策的見地よりして法律(又は法規命令)を以つて規定することは何等妨げないのであつて、かゝる法令による規定の存するときは營造物權の發動が制限を受くるに至ることは論を俟たない。(3)

營造物權により懲戒罰を科するには法定主義(Legalitätsprinzip)によらない。卽ち懲戒手續を開始するや否やは營造物の自由な裁量によつて決すべく、從つて他に適當の手段存するときはこれによることを得るのである。

營造物權により懲戒罰を科するにはその對照たる義務違犯が同時に一般權力關係に於ける義務

違犯として刑罰（刑事罰・行政罰）を科せらるゝ場合に於ても妨げがない。即ち懲戒罰と刑罰との間には一事不再理（Ne bis idem）の原則が行はれない。(4) これに反し營造物關係に於ける秩序違犯に對しては懲戒罰のみが科せらるべく、刑罰を科することを得ない。

營造物權により科せらるゝ懲戒罰の種類程度は法の定めあるときはこれにより、然らざるときは營造物目的により定まるものであつて、(5) 義務に適へる・合目的裁量によつて決せらるゝのである。(6)

（1） 廣く特別權力關係に於ける懲戒權についてはこゝに深く立ち入つて論じない。營造物關係に於ける懲戒權についても、例へば小學校・上級學校・矯正院さては監獄等、各個の場合に於けるが如く各々その目的により同一に論じ得ないものがある。まして特別權力關係に於ける各場合、例へば官公吏・軍隊・議會・學校・辯護士團に於けるものについては必しも同一に論じ得ないものがあるも、大體に於て營造物關係に於けるものに準じ得る。
美濃部博士、日本行政法上巻一三九頁、野村博士、行政法總論六四九頁（舊法學全集所收）、正木亮氏「懲罰の研究」（刑政三七巻一〇號） 拙稿「官吏懲戒法」（國家學會雜誌五一巻五號）。

（2） 通說によれば營造物利用關係が法律によつて强制的に存立せしめらるゝ場合には法律の規定あるを要し其の罰の種類も法律に依つて定めらるると說かる。美濃部博士、前揭書一三九頁。

（3） 監獄法第五九條以下、矯正院法第一〇條、小學校令第四七條。

（4） 官吏の懲戒罰と刑事罰又は行政罰との關係に關して昭和七・五・一三法曹會決議が注意せらる。

（5） 殊に小學校令による懲戒權の範圍に關し問題となることが多い。昭和五・一一・二六福岡地方久留米支部判決。

（6）營造物の懲戒權はその從屬者の營造物外部に於ける行動に對しても及び得るものとす。

營造物權は紀律權の程度を超えてその從屬者に積極的な作爲又は給付（就中使用料）の義務を命ずることを得る。(1)

この點に關聯し問題とすべきもの二がある。

其の一は、營造物權下に於て如何なる程度に權利・義務が存し得るかについてである。營造物權による行爲は營造物の從屬者を一方的に拘束するにすぎず營造物はこれによつて拘束せられない。私人の有する權利は、行政主體を拘束しその利益を尊重しその不尊重に伴ふ效果より保護し以つて利益享受者のためにこれを著しく價値づけるところに存すとせば、かゝる法的地位は營造物目的のために一方的に變更せられ得る營造物權による行爲に所期せられない。(2) かくの如くば營造物權の行爲による利益享受は反射的利益以上に出でざるものであらう。

之に反し營造物權による行爲により一方的にその從屬者に權利を制限し義務を命じ、義務を强化することを得るのである。蓋し營造物權による義務づけは一般權力關係に於ける單純なる物的(rein Sachlich) のそれを超えた營造物の存立と活動に積極的に協働する態の特別な基底に立つが故である。(3) オットー・マイヤーが營造物權による行爲を以つて「警察國に於ける官權的行爲

（obrigkeitlicher Akt im Polizeistaat）」にたとへて居るのもこの意味に於て理解せられねばならない。(4)

他の一は、營造物權に基く營造物の一方的意思表示はこれを行政行爲（Verwaltungsakt）と觀じ得て行政行爲に關する一般原則を適用し得るかについてである。

營造物權に基く營造物の一方的意思表示は行政であり、公權力的性質のものたることは疑のないところである。而して立法又は行政慣例に於てこれを處分、決定等と稱することありとするも、然かもこは一般權力關係に於ける公の意思表示、公權力に基く行爲とは本質上異なるものがあるのであつて（就中その一方的拘束性、權利・義務の特異性）(5)、かくて營造物權に基く行爲は一般行政法上の行政行爲とは異るものあるのである。從つてこれには特別權力關係としての營造物關係を基底としての行爲原則が適用されねばならないのであり、行政行爲に關する一般原則（就中人民の自由を基調とする瑕疵理論）は直接適用されない。たゞ一定の範圍に於てこれが準用がなされるのである。(6)

（1） 營造物權の內容として紀律權を超えた積極的命令權を認むることに關しては異論のあり得るところであらう。

（2） Freudenberger, a. a. O. S. 184. O. Mayer, II S. 284, I S. 102.

（3） Jerusalem, Das Recht der öffentlichen Anstalt (in Franks Verwaltung S. 289.).

(4) O. Mayer, I S. 103.

(5) 營造物權に基く行爲が一般權力關係に於ける行政行爲と異るとなすは多くの學者の是認するところである。 O. Mayer, I S. 102, II S. 284, E. Jacobi, in Handbuch des Deutschen Staatsrechts, II S. 258. Andersen, Ungultige Verwaltungsakte, S. 31. Apelt, Der Verwaltungsrechtliche Vertrag, S. 81.

(6) ヴュルテンベルグ行政法草案（舊草案第六一條、修正草案第二一條）は官吏關係・營造物關係等の特別權力關係に行政行爲に關する原則を適用せざることを規定して居る。

特別權力關係に於ける行爲を行政行爲と區別せるに關し、其の理由書は次の如く言つて居る。

こは特別權力關係に於ける從屬者の權利・義務の態様竝に內容は特別の法的基礎に立つが故に一般權力關係又は一般臣下關係に於ける權利・義務とは異るものありとの理由より認めたのである。かくして一般權力關係並に特別權力關係に於ける處分及び決定に對して共通な一般的法原則を設定しようとはしなかつた。加之、個々の特別權力關係は其の對照と內容に於て實質上異るものがあるのであり、個々の特別權力關係に共通な一般的規則を設定することにも困難なるものがある。更に特別の權力關係に於ける處分及び決定については或は特別の法規により（例へば官吏法）或は條例又は他の規則（營造物規則）によりそれぞれ充分に規定せられて居るが故にこれに對する一般的法原則を設定する必要がなかつた。法の缺陥あるときは行政行爲の規定が準用せられ得るのである。(VRO. Begr., S. 215, Ergärzungsband, S. 56.)

尙、この點に關して Jacobi in Handbuch des Deutchen Staatrechts, S. 263, W. Röhrs, Fehlerhafte Verwaltungsvorschriften, S. 16, 25, 27.

(2) 外部に對する權力

營造物權は特定の場合に營造物の外部に對して發動する。營造物權は一般に營造物の內部に於て發動するのであるが、外部より營造物の存在を危殆ならしめその目的の達成に妨害をなすものに對し直接强制手段によつてこれを除去するために發動し得る。

こは營造物權に固有なる權能であつて營造物の存立とその目的に基礎づけらるゝものである。公權力の直接發動たる警察權の作用でもなく警察權以外の公權力の作用でもなく、更に私法的な家宅權の作用でもない。

この點に關聯して觀察せらるべきは所謂營造物警察（Anstaltspolizei）との關係についてである。我が國に於て營造物警察は公權力の直接發動であり、從つてたとへそが一般警察官廳により行使せらるゝものなると又は法の授權により營造物が之を行使するものなるとを問はず、警察權の作用として營造物權の作用とは區別せられて居るのである。從つてたゞ問題となるはこゝに所謂營造物權の外部に對する權力が果して存し得るか。存すとせばこは如何に基礎づけらるゝもので あるか及びそが警察權に對して如何なる限界を有するかについて議論の餘地あるにすぎない。(1)

獨逸に於ては營造物警察に關しては、――警察の語の沿革の問題は別として――營造物警察（Anstaltspolizei）の概念が營造物權と警察權の作用を混同し構成づけられたことによつて、種々の論議がなされて居る。

オットー・マイヤーは營造物警察を營造物權との關聯に於て、その內容として認め「公の營造物活動には公の行政が存する。營造物の正常な存立に對する外部よりの妨害は、團體の正當な秩序に對する障害として直接なる警察强制の法則に從つて權力的方法により之を除去し得る。營造物警察が卽ちこれである」とし、また警察との關聯に於て、國家はその存在、公の利益のためにする施設・經營とはこれを外部的な警察法益 (äusserliches Polizeigut) として保護しなければならない。こゝに存するもの卽ち營造物警察だとして居るのである。(2)

フライナーは營造物警察につき、一方に於て公の營造物機關は營造物の直接なる防衛の權限を有して居る。就中營造物の活動を妨害しその使命の遂行を障害する凡てのものを直接强制的方法により除去し得る權限を有する。この權限の全體を營造物警察といひ、こは營造物機關の當然に有するものであつて法律が特に授權するを要しないとしつゝ、又他方に於て營造物警察も法律に根據するを要すとし以つてこれを一般警察權に屬するとなすが如く說くのである。(3)

更にコルマンは營造物警察は公の營造物の經營に對する凡ての妨害を直接强制的に除去する權能であり、この權能の行使は先づ第一に營造物機關が之を有する。營造物機關の行使する營造物警察は行政法上の緊急防衛 (verwaltungsrechtlicher Notwehr) であると說いて居るが如きこれである。(4)

營造物の有する・外部よりの障害を除去する權力をかくの如く双面的に構成づけるの不當とこ

れによつて生じた混迷は多くの學者によつて指摘、抗議がなされて居るところである。[5] 營造物が外部よりの障害を直接强制的に除去する權力を有し得るかに就てはこれを否認するものがある。[6] これを是認するものもこれが法的基礎に於て說が分れて居る。或はこは私法的の家宅權の發動であつて營造物權の內容をなすものでないとし、[7] 或は營造物權の內容をなすものにして然かも營造物の自衞權能 (Selbstverteidigung der Anstalt) なりとし、[8] 或はこは營造物目的による營造物權の當然の權能であつてこれ以上何等法的基礎づけを必要としないとするが如きこれである。[9]

（1）尤も我が國に於ても學者により單なる法廷紀律權に警察の語が用ひられて居るのを見る。營造物權と營造物警察との限界については後述する。磯崎辰五郎氏、公物・營造物法八三頁（新法學全集所收）。

（2）O. Mayer II S. 284, I S. 214.

（3）Fleiner, a. a. O. S. 330, 331—332.

（4）Kormann, Grundzuge eines Teils des öffentlichen Rechts, in Analen des Deutschen Reichs 1912 S. 198. Neuffer, a. a. O. S. 16.

（5）Grosse, Die Anstaltspolizei, Diss., 1932 S. 27, Freudenberger, a. a. O. S. 201.

（6）野村博士、行政法總論六四八頁（舊法學全集所收）。

（7）本稿(1)內部に於ける權力、註（3）參照。

フロイデンベルガーはこれを營造物權の私法的要素として私法的家宅權に基礎づけて居る。Freudenberger, a. a. O. S. 205.

（8） Waldecker, Die Anstaltspolizei, in Anallen des Deutschen Reichs 1915 S. 314.

（9） Grosse, a. a. O. S. 29.

(3) 物に對する權力

營造物權は營造物の活動域内に存する物に對して發動する。營造物に持込まれた物（eingebrachte Sache in die Anstalt）に對して發動するのである。持込まれた物は營造物活動の對照をなす場合（例へば、郵便に託した郵便物・公の屠場に連れ込みたる動物）たると、その對照をなさず偶ゝ持込まれたる場合（例へば、學生・病人が公の學校・病院に携帶せる衣服・所持品）たるとを問はず、營造物權は營造物目的上その物の處分權を制限又は停止するに至る。その制限の態樣は必ずしも一樣ではないが物の所有權を剝奪するに至るのではない。(1)

持込物が、營造物權による制限の一態樣として、營造物に占有せらるゝに至るときは、公法上の保管關係が生ずる。これは一般權力關係に於ける權力的保管、即ち例へば刑事訴訟法による押收、在監者の携有物の領置等の如き直接公權力により公の目的のために取り上げ保管する關係に準ずべき關係であり、從つてその保存監視の義務、返還の義務並に毀損亡失の場合に於ける損害賠償

の責任は專ら公法的見地により觀察せられ、民法の寄託理論の直接又は間接援用せらるべき關係ではないのである。(2)

（1） O. Mayer, II S. 285. Fleiner, a. a. O. S. 338. Schack, Volksschularchiv 1935 S. 202, Neuffer, a. a. O. S. 89. ヴュルテンベルグ行政法草案（舊草案第一四九條、修正草案第一五〇條）は營造物への持込物の制限に關し規定するところがある。VRO. Begr., S. 46f.

（2） この點に關して私は他所に於て一應の檢討を試みたが故に、こゝにこれが詳説を繰返さないこととする。拙稿「公法上の保管に關する若干の考察」（野村教授還暦祝賀公法政治論集所收）、拙著行政法原論（昭和十一年）一八三頁、一九三頁

III　形　式

營造物權の發動の形式は、或は一般的抽象的命令即ち所謂營造物規則（Anstaltsordnung）によつてなされ、或は個別的具體的命令（Anweisung）によつてなされる。

營造物規則は所謂行政規則（Verwaltungsvorschrift）として法規（Rechtssatz）に對せしめられる。通説によれば行政規則は法規と性質上相違ありとせらるゝのである。(1)

營造物規則の法規性の有無に關する論議は畢竟法規の概念決定の立脚點の相違によるものであ

るが、(2)行政成法上、法規の概念は一般權力關係に於て基礎づけらるゝもので、從つて法規の概念をその主體を行政主體に、客體を臣下地位に於ける私人に、その內容を意思活動の規律に於て構成づけるときは、營造物規則は法規命令と性質上區別され得るのである。(3)

ケルゼン學派が行政規則と法規との性質上の區別を否定するは本質的に異れる法規の概念決定によるのである。(4)ケルゼン自らも「行政命令 Verwaltungsverordnung を法規 Rechtsnorm なりとし、從つて法規命令と何等區別なしとすることは、必然に成法上二つの命令を區別して取扱ふことを妨ぐるものでない」といつて居る。(5)

營造物規則が法律又は法規命令の中に採り入れられて規定さるゝことは何等妨げないところであるが、(6)然かもこの故に營造物規則はすべて直ちに法規となるものではない。たゞその成立・效果の點に於て一般の營造物規則と同一に論じ得ない效力を有するに至るものある丈である。(7)

營造物權による命令を一般的抽象的命令と個別的具體的命令に區別するは、專ら技術的・形式的區別であつて、(8)一般權力關係に於ける命令と處分、法規命令と行政行爲の區別に於けるが如き本質的區別ではない。蓋し特別權力關係に於ける抽象的法則たる營造物規則は個別的命令による具體化を必要としない。また個別的命令は抽象的法則たる營造物規則に基くものでなく直接營造物權に根源するのである。こは法規命令が行政行爲による具體化を必要し、また行政行爲が法規命令に基くを要するとは趣きを異にするのであつて、かくして特別權力關係に於ける法則たる營造物規則は、法規と異つて價値づけられ、從つて營造物權による命令の一般的抽象的又は個別的具體的性質は、法規命令と行政行爲の區別の如き本質的區別をなすものではないのである。(9)

かくの如くして營造物權は、何時にても抽象的又は個別的命令により發動せらるべく、先に發せられたる抽象的命令に違反して個別的命令により發動せらるべく、一般的抽象的命令及び個別的具體的命令は相共に同一の價値づけを以つて營造物權による行爲として存し得るのである。而してその何れにあつても、後に發せられたものが先に發せられたものに對し、特殊的なものが普遍的なものに對して優先するのである。(10)

營造物權による行爲は、抽象的命令たる營造物規則の形式をとると又は個別的命令によるとを問はず、これを行政行爲と觀じて行政行爲に關する一般原則(就中瑕疵理論)を直接適用し得ないものであることについては既に述べた如くである。(11)

(1) O. Mayer I S. 103, Fleiner, a. a. O. S. 62. Jacobi. a. a. O. S. 273. Röhrs, a. a. O. S. 5.

(2) 法哲學的、憲法史的、勞働法的立脚點等がこれである。宮澤俊義氏「立法・行政兩機關の權限の分配の原理」(國家學會雜誌四六卷一〇—一二號)。

(3) 田中二郎氏「法律による行政」の原理(野村教授還曆祝賀公法政治論集二三三頁)、拙著行政法原論(昭和十一年)一三一頁、Jacobi, a. a. O. S. 257.

（4） Kelsen, Allgemeine Staatslehre, S. 237. A. Merkl, Allgemeines Verwaltungsrecht, S. 121.

（5） Kelsen, a. a. O. S. 237. 淸宮四郎氏譯、ケルゼン、「一般國家學」五二七頁。

（6） 異說、Hänel, Gesetz in formellen und materiellen Sinne, S. 176, 45. 佐々木博士「法律・命令と法規」（公法雜誌一卷一號）。

（7） Röhrs, a. a. O. S. 10—12.

（8） 一般には行政規則は特別權力關係に於ける抽象的命令をのみ指し個別的命令 (Einzelbefehl) 又は具體的指令 (konkrete Anweisung) と區別せらるゝのであるが、一般的並に個別的命令を總括して行政規則と稱するものもある (Jacobi, Röhrs)。

（9） Röhrs, a. a. O. S. 20—22, O. Mayer, I S. 358, II S. 138. 淸宮四郎氏、「行政行爲に於ける一般性」（佐々木博士還暦記念憲法及び行政法の諸問題所收）

（10） Röhrs, a. a. O. S. 24.

（11） この點に關し、瑕疵理論につき明確な論議をなせるものに Jacobi, a. a. O. S. 254. 263. Röhrs, a. a. O. S. 26. 異說、W. Jellinek, Verwaltungsrecht, a. a. O. S. 371.

IV　限　　界

營造物權による命令は營造物自ら之を强制することを得る。

營造物の特別な行政目的が國家の一般使命より區別されて居ることは强制權の行使に於ても先づ營造物自ら之をなすべきであつて一般的强制機關がなすべきでない。(1)

一般權力關係に於ける命令權と異つて特別權力關係に於ける命令權從つて營造物權による命令には必然的に强制權が隨伴して認めらるゝのである。(2)

營造物の固有する强制手段にては不充分なるとき、こゝに他の强制機關(就中一般警察官廳)に共助を求むるに至るのである。營造物により共助を求められたるときは一般强制機關は必ず之に應じなければならないものであるか或は求められたる行爲がその固有の法によりその權能を認めて居るときに限らるゝものであるかに就ては議論の存するところである。

一般强制機關は一般權力關係に基礎づけらるゝものなるが故に營造物權による命令・强制の對照が同時に一般强制機關の權能發動の前提をなすときに於てのみ之に共力し得るのであるが、これに反し特別權力關係に於ける權能は一般權力關係に於ける强制機關に復授權をなし得ざるものなるが故に自己の本來の權能に基かずしてはこれに共力執行し得ないとなすものあるも、(3)かゝる復授權は或る範圍に於て認め得らるゝものではなからうか。果して然らば營造物により共助を求めらるるときは一般强制機關は之に共力しこれが强制執行に當らなければならないものであらう。(4)

(1) 異說、VRO. Begr., S. 433.

(2) この點に關し、フロイデンベルガーは、一般權力關係に於ては凡ての官廳が自己の命令を强制實現し得る如くになつて居ない。法は命令に從はざる行爲に對して處罰のみを認め强制を認め得ざることを得べく、强制を認むる場合に於ても命令官廳に强制を行はしめずして特定の官廳に强制權を獨占せしめ得るのであつて、かくして一般權力關係に於ては命令權に關する法と强制權に關する法が分離し、前者の存在は必然に後者に關聯せしめて居ない。然るに特別權力關係に於てはこれと趣きを異にし命令權に關する法と强制權に關する法が分離すること少く、從つて白紙的授權による營造物の命令權の存立は必然に强制權を隨伴せしむと說くのである。而してかく命令と强制の二重の授權が特別權力關係に於て一度になされることに警察國の名殘り (ein Stück Polizeistaat) を認めて居る。Freudenberger, a. a. O. S. 187, 188.

(3) Freudenberger, a. a. O. S. 189.

(4) 行政共助の問題である。行政共助については司法共助の如く統一ある立法が存して居ない。この問題についてはこゝでは深く立ち入らないこととする。尚、Fleiner, a. a. O. S. 330.

營造物權の活動は無制限なものでない。營造物關係に立つことは、公の直接法律によると自由なる意思に基くとを問はず、私人の絕對的服從を生ぜしむるものでなく、法律又は私人の同意が營造物目的上不可避なるものとして是認肯定する限度に於ての相對的服從である。(1)

而してこの限りに於ては營造物權は個々の場合の活動によつて、一般權力關係に於てはその制限のために法律に基かねばならぬ私人の自由をも直ちに侵害し制限し得るのである。(2)

凡ての行政活動は終局に於て法律に根據せねばならない、私人の自由は法律の認むるところに於てのみ行政官廳の活動によつて侵害がなされるの原則は一般權力關係に於て認めらるゝ基本原則である。所謂行政の法律適合の原則（Gesetzmässigkeit der Verwaltung）がこれであるが、[3]かかる原則が特別權力關係に於ける活動、就中營造物權による活動にも適用さるゝものであるかについては、營造物關係に加入しこれと特別の命令服從の包括的關係に立つことは、直接法律による場合は勿論私人の自由なる意思に基く場合に於ても法律がこれを認むる限りに於てなさるゝものなのであるが故に、この意味に於てこれを是認し得るのであるが、然しながら營造物權による個々の場合の私人の自由の制限には營造物目的による限界の外法律に基くを要しないが故に、ここに於てはこの原則の適用は否定されるのである。[4]

（1）　田村博士、行政法學概論第一卷八八頁、Freudenberger, a. a. O. S. 193.

（2）　美濃部博士、日本行政法上卷一三三頁、渡邊博士、改訂日本行政法上卷二八頁、杉村章三郎氏、日本行政法講義要綱上卷二八頁、Freudenberger, a. a. O. S. 193.

（3）　行政の法律適合の原則については田中二郎氏、「法律による行政」の原理（野村教授還曆祝賀公法政治論集所收）の詳細な論述がある。

（4）　通說である。

（昭和一三、一〇、二七、漢口陷落の日）

政治概念の究明

堀豊彦

目次

一　はしがき

政治に關する學が學として成立可能なりや否の命題が否定的解義のうちに構成せられることは、敢て稀有なことではない。また學としての政治の成立可能を肯定するものの間にありても、政治學の生起・始源に關しては未だ定說を缺いでゐるのであるが、政治學の始源を最も久しきにおいて理會しやうとするものは、これを古典的希臘において哲學と共に最も古き歷史を有する學の一つであるとする。今茲に學としての政治の成立可能を肯定し、その始源を最も久しきにおいて理會しやうとするならば、政治學の學としての歷史は洵に久しいと言はねばならない。然るに、政治學は今なほその基本的問題に關してさまぐの課題を內含してゐる。そのうち最も基礎的課題とも考へられる所の問題を採り上げてみるに、政治の本質、いひ換へれば、政治概念の定立・規定の如き政治學にとゝ第一義的問題すら異說の對立の裡に置かれてゐることを知らねばならない。併乍ら、これは敢て奇異とするに當らないであらう。いづれの學に於ても、第一義的問題は蓋し最初の課題たると共に、また最終の課題であるであらうからである。それがまた基礎的問題の本質的性格でもあらう。

一 はしがき

政治概念の定立・規定に關する問題のうち最も對蹠的見解は政治の妥當領域に纏はる問題を中心的とする。卽ち、政治は國家にのみ特有なる現象であるといふ理說は、斯學にありて現在なほ最も廣き通用をみるの見解であるが、これに對して政治を以て國家の獨占的現象に非ずといふ理說が對立的に强硬に主張せられてゐる。この兩者は社會の構造論的基礎概念を各自の理說の基礎的後景とすることにおいても、その對蹠性を呈露するのである。この種の概念の對立は今なほ未解決の現象を呈してゐると言はねばならないであらうが、この種の問題が本邦の政治學者間に論議の對象となつてからも旣に相當の歲月を經過して居るのであり、從つて、斯學專攻者にとりてはこれは實は別段新しい課題ではない。然し乍ら、問題は依然上記の如くであり、從つて問題はその本質上からしてもその究明を完結したる譯ではなく、近時また斯學專攻者間に問題として採り上げらるることも一再に留らない。(1) 本稿は、この種の問題の解明のために新たなる理說・見解を提供しようとするのではなく、ただ、先蹤を踏みて卑見を述べようとするにすぎない。

さて、政治學の始源に關する理說の多樣なるなかに於て、われわれは政治學の學としての生誕を古典的希臘時代に求めやうと思ふ。從つて、政治學の生誕以降、政治若しくは政治現象に就ける概念乃至語義は古來相當の多義に亙るものがあり、これは政治學の歷史的過程に相應して多數存在してゐる。斯樣に政治學の歷史的發展の下に展開せられきたりし多種の政治もしくは政治現象につける概念に就き考察を試みることは、政治概念の究明上、正しく當然のことであらねばならないが、本稿は斯る謂はば學說史的攻究を企圖しようとするものではないところから、茲においては、政治につける概念を究明定立し、延いて政治と國家との關聯といふ問題、併せてまたその問題に纏はれる一聯の課題に就いて、そこばくの考察を試みようとするにすぎない。

註(1) この爲の文獻的考證は別として筆者の知れる限りにおいては、本邦にありては戸澤鐵彥教授の論文『政治學疑義』(國家學會雜誌第三十七卷七、八、十、十一號、大正十二年)を以て最初のものとする。其後、恒藤恭博士の論文『政治現象の本質』(經濟論叢大正十三年二月號、同博士の著書『價値と文化現象』昭和二年に再錄)の發表があり、更に蠟山政道教授の『我國に於ける政治概念の類型的發展』(國家學會雜誌第三十八卷九、十、十二號、大正十三年)なる論文が現はれ、次いで更に同教授の著書『政治學の任務と對象』(大正十四年)の公刊をみた。以上三氏の所說はその內容においては幾許かの相違を呈してゐるが、いづれも政治を以て國家の獨占的特有現象に非ずといふ見解を主張する立場に立つものである。斯樣に、この系統の理說が殆んど時を同じくして發表せられて廣く且つ深く斯學界の注目を惹いたことであつた。爾來戸澤教授は最も熱心にこの問題を、その諸多の論著及び論文において取扱つて來られ、われわれ後學の者に多くの教導を垂れられつゝあるのである。これらの諸學者の諸多の勞作に直接間接刺戟せられ、この課題は本邦における多くの專攻學者間に論議せられるに至つてゐるのである。而して上記三氏の主張に、或ひは贊意を表するもの、或ひは反駁をなすものが、夫々見られる譯であるが、それらの諸多の專攻學者氏名やその文獻の擧示は茲には省略する。さて、近來この兩立場の論議は幾分落著を告げしものの如くにも久しく對立的見解の公表をみなかつたかの觀を呈したのであるが、最近、潮田江次教授が主として戸澤教授のこの點に關する所說に對して反批判を試みられたに對し(「所

一　はしがき

謂國家外の政治現象について」（法學研究第十五卷第一號及第三號））戸澤教授は周到なる論文を以てこれに答へられたことであつた。（「政治學の研究對象としての政治」（國家學會雜誌第五十卷第十一、十二號及第五十一卷第四號））これに對し或はこれに關聯して潮田教授より更に新たなる所説の發表がありしか否かについては、筆者は之を詳らかにしないが、田畑忍教授が潮田教授の見解を支持して最近戸澤教授に質疑を呈せられたのである。（「國家と政治との必至的關聯」（公法雜誌第四卷第二及第三號、昭和十三年））斯樣に一頃謂はば鳴りを鎭めたかにみえたるこの課題が玆にまた極めて最近に再び論議の對象となつた譯である。

二　政治概念の論理的先行性

由來政治若くは政治現象は廣く一般的には國家とのきびしき關聯の下において考察せられ來たつたのであり、且つまたこれは現今においても既述の如くなほ最も廣き通用をみるの見解でもある。今これを通説と呼稱するとすれば、謂ふところの通説はこれを端的に評すればその所説の基礎的見解ともいふべき政治と國家との聯關に就ける合理的客觀的なる解明を缺ぐの概がある。いひ換ふれば、通説は政治と國家との關聯を恰も先驗的に必然性をもてるものの如く取扱はんとするのであり、茲に通説に對する質疑と不滿とをよせる所の一つの立場の生起したる原因がある。(1)これは畢竟各々の立場に據るものの社會觀、延いては世界觀に依據するものである。それと共に一つの問題となるのは政治と國家との問題に關聯して政治概念構成上の態度である。假に今、通説の見地を持する場合と然らざる場合とにおいて夫々構成・定立せらるる政治概念が、假令内容的にはさしたる相違性を呈示せざる場合があるとしても、政治若しくは政治現象の妥當領域を國家に限局すると、せざるとにおいては、夫々の立場における政治概念構成上の態度に關しては顯著なる相違性が觀取せられる。即ち、論者によつて所謂通説による政治概念構成が屢〻前科學的

認識に基くものであると批判せられることのあるのは、この事象を指示してゐる。(2)

政治學が一科學として認められ能ふためには斯學の基礎概念たる可き政治若しくは政治現象につける概念、卽ち政治概念が能ふ限り純粹な、能ふ限り客觀的な立場において定立せらる可きことが要請せられなければならない。かかる見地からして政治學の構成上、政治概念の論理的先行性への要請が確認せられなければならない。かくして始めて斯學基礎概念構成に關する態度が能く科學的態度たり得る。然るに斯學通說にありては、一般に政治概念の樹立は國家概念の嚮導に俟つの概がある。しかもこの場合、謂ふところの國家概念は或は獨逸系統の『國家科學』(Staatswissenschaft) 或は英米系統の『政治科學』(Political Science) 等に據るところの何等か一定の既成概念を內包とするものたることが一般である。從つて茲にては一科學の基礎概念としての獨自性と純粹性と自由性とが當初より缺除してゐる。この意味において、通說のこの類の態度が前科學的態度であるとして、反省と研究とを要求する主張は至當であると言はなければならない。もとより上記の所謂『國家科學』といひ『政治科學』といひ、またわれわれが要求するところの眞にある可き政治學といひ、夫々の立場・觀點よりして相互に緊密なる社會現象を認識對象として成立する科學たる以上、相互間に多かれ少かれ緊密關係を有してをり、從つて各者の基礎概念に關して要請せらるる所の所謂『獨自性』や『純粹性』や『自由性』においても、その嚴格なる語の意味に於ける、卽ち絶對的意義において解釋せらるる如きものが與へられるなどといふことは、具體的にはあり得ないであらう。そこには自づからなる一定の制約が實在するであらう。玆において政治學の如き一科學の基礎概念に纏はつて要求せらるる獨自性や純粹性や自由性は、許容せられ能ふ限りといふ、なほ一定の相對性においてであることは說明を必要としないであらう。而して、斯くの如く一科學の基礎概念に關する要請は、當該科學の研究上の態度が能ふ限り科學的たる可きことと複合するのである。

いふまでもなく、政治は人間の諸々の社會現象中に內含せられたる一定の社會現象であるからして、後述するであらう如く政治は一定の社會的行爲として規定せらるるのであり、而して一般に社會的集團に關聯して認識せらるる一種の文化現象なのである。あまねく文化は自然とは對蹠的なるものとして根源的には人類が何等かの形態において相互的に協働し努力することに、その發生を負ふて居るのであり、此樣な人類の相互作用の營まるる協働的生活が畢竟社會なのである。玆に文化現象の一つたる政治若くは政治現象が、文化發生の實在的基礎たる社會と一定の關聯の存することが明かである。從つて、政治が國家に關聯して或は國家に於て認識せらるるといふことは、毫も奇異なる事象ではない。政治と國家との關係が相互に極めて緊密なるものたるは、今更特に論證するまでもなく明瞭なるものであるとして肯定的に認められ能ふからである。玆で問題となるのは政治と國家との緊密關係からして、直ちにもつて、政治は國家においてのみ認識せられるといふ論斷がくださるることである。このことは、單に先述の、國家に關聯して或は國家概念の嚮導の下において政治概念が誘導的に構成せらるるといふことに對する危懼、反對にもまして反駁せらる可きことである。われわれは、此の二つの事例において政治學の國家科學との傳統的惡緣の如何に深淵なるかを考へさせられるのであるが、政治學が獨立の一科學として成立し能ふためには、既述の如く第一義的に政治概念の科學的樹立が願はしい。これが尠く共事態に對する論理的要請である。かく政治概念の本質的意義を定立することを得たる上に、人はその概念の成立を妥當ならしむる一定の形式要件を內含する所の一定の社會現象を社會現象一般中より、始めて政治乃至政治現象として選擇抽出することが可能であり得るからである。斯くして始めて政治が政治として所謂獨自的分野を占據・形成し能ふことを論理上妥當ならしめることを得、而して進んでそのものをもつて認識對象と成す所の科學を政治學となして、その科學的成立を論理的に可能ならしめることが出來るからである。

以上政治學の學的構成、延いてはその研究に關して政治概念の論理的先行性を主張するのは、單に科學の方法論的要請に基くのみならず、所謂通說の態度並に見解が斯樣に方法論的過誤の故に、政治概念の本質的意義を明瞭にならしめざると共に、屢〻政治と國家との關聯に就ける解義をも歪め易いからでもあるといふことを述べた。そこにては政治と國家との特殊的近密關係といふこと、いひ換へれば、政治は國家において最もよく、或は最も典啓的態樣においてあらはれるといふことを主張するに留らず、多くは進んで政治は國家の獨占的現象であつて、國家以外の諸多の社會にはあらはれない現象であるといふ極めて獨斷的なる謬見が樹立せられるのである。斯くの如き見解の成立が肯定的に認められ能ふ爲には、尠く共次の如き點が原理的に且つ論理的に確立せられたる後であらねばならない。卽ち、政治に關する政治概念が規定せられ、これによつて政治現象の何たるかを解明し、而して政治現象が國家において更に國家においてのみ經驗せらる可き所以を合理的に且つ論理的に論證し得る場合、否、實に斯く確證し得る場合においてのみ始めて此の種の見解は成立し能ふであらう。然るに此の種の見解に立籠る所の今日の通說の立場からして、斯る原理的究明に接すること、われわれ寡聞にして殆んど絕無である。惟ふに、通說の斯くの如き過誤の淵源は國家の社會性乃至社會形態につき國家を以て所謂全體社會とみることを以て、正統的見解とする所に據ること多大であらう。尤も、今日では社會科學諸部門において科學方法論の唱導は漸く盛んとなり、また他面にては社會學の急速なる發達によりその爾余の社會科學への寄與は著しくなり、その結果ともして國家と所謂全體社會との自同を唱へる見解は從前に較べて比較的に僅少とはなつた。(3) 併し乍ら、そのことの絕無、否そのことの減退を積極的に肯定することは未だなほ許され難いうらみがある。政治が國家においてのみあらはれるといふ見解、換言すれば政治は國家のみの獨占的現象なりとみる見解が今なほ政治に關する通説として廣く通用してゐることもその有力なる證左である。それにはその統制力において、その成立せる領域の人間の社會生活に對して占むる意義の重要性において、或はその構成員の決定等々において、國家が爾余の諸々の社會に對して夫々ある一定の相對的意義においては高次的特異性を有してゐると從來考へられ來たれること、乃至はかく考へられ勝ちであつたといふことが與かつて有力なる根據であらう。しかも亦從來政治又は政治的なるものとして、目せられきたれる現象がとかく統制とか統治とか支配とかいふ概念によつて表象せられる類のものであつたといふことも考へ合せられる。このことが一方にありては政治と國家との關係を獨占的に歪曲して解義せしめ、他方にては國家を所謂全體社會と同一視するの見解を構成せしめた重要なる原因として擧げ得るであらう。國家はワットキンス (Frederick Mundell Watkins) が説ける如く、力の行使せらるる所の一定の領域 (Territorial Area) の直接的縮限 (Immediate Contraction) に依つて成立するのであり、これは延いて國家は社會における統制の中心といふ點において、社會中における自己の所在を明示する。いひ換へば統制の中心が社會内に生起したといふことが國家の所在を示すのである。(4)併し國家が統制の中心であるといふことは國家が社會内の諸々の團體、集團に對して直ちに以て、又は必らずしも恆に最高の乃至包括的なる統制力を具備するといふ意味ではない。斯く事態を觀ることがあるならば、それは歴史的經驗的事實を無視するか、或は社會的現實を正しき態度を以て把握せざることを表明してゐる。併し玆からして國家は統制をその第一義的任務乃至機能とするものの如く看做され易く、しかも統制と政治とが恰も同義語の如く解釋せられ、かくして國家の政治に對する獨占と共に國家と所謂全體社會との自同が論斷せられ易い過誤の實在的地盤となつたの趣が觀取せられる。この點からしても政治概念構成の先行性につける論理的意義の重要性が肯定的に理會せられ能ふのである。既述の如く人は政治現象の意義を論理的に認識したる後においてて、多種多用なる複雜なる社會現象中の如何なる現象をして政治現象として選擇抽出して理會し能ふ譯である。然るに斯様に政治若くは政治現象につける論理的意義が當初に認識究明せられずして、直ちに特定の社會における特殊現象に着目して所謂前科學的に政治概念が構成せられるといふ所に通説の見解の成立ちが認められる。加ふるに此の場合國家が政治の妥當領域として採上げられ、しかもその獨占的妥當領域として理會せらる可く要請せられる。此の場合にも政治と國家との關聯の意義を論理的に認識し得たる後において始めて通説の見解は樹立せらる可きにも拘はらず、其處にては單に從來名義的に政治若くは政治的なるものとして考へられきれるものに着目して、政治概念も成り立ち、また謂ふ所の政治と國家との關聯の排他的絶對性も肯定せられるに外ならないであらうことが觀取せられる。茲にては、一般的に政治が國家以外の諸多の社會的集團においても成り立ち得るか否かは毫も問題とせられないのであつて、これは確に方法論的に過誤である。政治乃至政治現象が文化現象乃至社會現象であることが肯定的に認められ能ふとすれば、後述するであらう如く政治なる文化現象を成立せしめ能ふ一定の形式と要件とが具備せられ、與へられる場合、政治は社會的集團一般に關聯して成立し能ふであらうからである。

併し乍ら今茲に政治と社會的集團一般との關聯といふ點に想ひを致して、特定の社會の結合形態乃至構造若しくは性狀が顧慮檢討せらる可き意義を擔ふであらうか否かを考察するの必要があるであらうか。卽ち謂ふ所の意味は國家が爾余の諸々の社會的集團と本質的にその結合形態乃至構造を異にするものたることを前提として、政治が斯る特殊性を構造的に內含する國家なる社會的集團においてのみ成り立つ文化現象たるか否かが別途に吟味檢討せらる可きであらうかといふことである。併し國家は上記の意味における特殊性を具備する社會的集團に非ざることは今日においては特に社會學的攻究に俟つまでもなく明かである。從つて斯る前提が既に過誤を含んでゐるのである。惟ふに、社會一般の構造が政治と社會的集團一般との關聯上何等の連繫が絕無ではないとしても、更にまた斯る社會の構造論との關係もさることながら、それよりも政治的文化現象の性質乃至性格がこの種の問題に對する、卽ち國家のみならず更に國家以外の社會的集團にも政治の成立ちを認識可能ならしむるか否かを決定し、且つ規定する第一義的要因である。洵に政治概念の先行性への要請は斯様な方法論的基礎に底礎せられてゐるのである。この意味において政治は社會的集團一般に普遍的なる性質との關聯において認識さる可きであり、特殊の社會的集團にのみ固有する性質からして理會さる可きではないのである。(5)社會的集團の構造的性格が政治と社會との關係を因果づけるのではなく、文化現象としての政治の性質乃至性格が社會的關聯を決定するのであり、また斯くある可きである。斯くしてこそ、政治的文化現象の論理的意義が能く客觀的に且つ純粹性をもつて定立せられ、また理會せられる。もとより政治も諸々の社會現象一般とひとしく社會現象の恢として、單にその論理的意義が認識せられることのみを以て事態の全面的理會を把握せられ能ふといふ譯にはゆかないであらう。併し乍らその論理的意義の認識の先行性は否定せられてはならない。玆にも政治學における政治概念定立の論理的先行性の意義が更に確認せられるであらう。

轉じてかかる斯學における不整備は上來既述せる所に由來してゐるのではあるが、更に所謂國家科學の政治學に對する元來からなる深き關係、且つそれ故に近代における所謂國家科學の發達普及に依る所の政治學への宏大なる影響等々の結果も亦、看過し難いことを附言しなければならない。これらの影響は斯學において由來政治の意義の論理的認識が明確を缺いだところからして一層その深甚なる樣相を呈しえた。この場合單にその影響の宏大・深甚なるに留まるのみならば問題はその限度に留まる譯であらうが、これが延いて政治學の一科學としての獨自性を不明にし或は更に恰も毀損したことに事態の重要性が存在してゐる。卽ち政治學と獨逸系統の『國家科學』並に英米系統の『政治科學』との關係並に差異等を無視乃至は紛更したことである。併し乍ら、この場合、人あつてもし獨逸系統の『國家科學』や英米系統の『政治科學』を直ちにもつて政治學として規定するといふ立場を採ることとありとしても、それは敢て失當ではないのみならず可能でもあり得やう。併し乍ら、政治なる現象に就ける純粹なる獨自的なる理會を構成せむことを庶幾するの立場からしてはこのことは直ちにもつて許容せられない。今日の通說においては既述の如く且つ事更なる例證を擧示するまでもなく、政治學を以て或は國家に關する學(6)、或は國家目的達成の爲の學(7)として規定することを以て一般とする。斯る場合における『政治科學』といひ『國家科學』といひ、いづれも國家に關する一義的科學ではなく實は國家に關する廣汎なる部門より成り立つ所の數個の科學の綜體である。(8)然るにこの事態を無視して獨立の一義的科學として政治學を樹立しやうとする所に、一般通說の謬妄がある。玆に於て一般通說にあつて政治若しくは政治現象に對する一義的認識が確立しないことは、謂はば事理の當然であつた。

上來述ぶるが如くわれわれは政治概念の一義的成立を庶幾するのであるが、しかも皮肉にもこの企圖が時として極めて皮相なる解義の下に理會せらるることのあるのは、われわれの誠に意外にも思ひ且つは遺憾にも感ずることである。例へば、われわれの企圖せむとする立場を目して、國家に於ける政治現象の研究すら廣汎なる分野に亙る攻究を必要となし既にそのことすら複雑多義に關する研究による多くの困難を伴ふ、然るに國家における政治現象のみならず諸々の社會における政治現象を研究せむが爲には、國家や諸多の社會を研究せねばならなくなり、それでは研究が餘りにも廣汎に亙り、餘りにも抽象的・概括的なる成果を期待し得るのみであつてその實益甚だ乏しいといふが如き批難が擧げられることである。この類の批難・抗議は、政治の成立は社會的集團一般に普遍的なる性質との關聯において認識さる可きであるといふことを誤解し、われわれの意圖が政治學を以て恰も國家始め諸々の社會的集團を研究對象と成す所の科學たらしめやうとするものの如く理會することに基くものである。[9] 國家始め爾余の各種の社會的集團を研究對象とすることは寧ろ社會學の任務には屬しても、政治學の直接的なる課題ではない。われわれはただ國家や其の他の諸々の社會的集團において認識せらるる政治若くは政治現象をもつて政治學の研究對象と成す可きであると言ふのみである。この故に政治學につけるわれわれの態度を目して、その内容・内包を徒らに擴大化するの無益の努力と解義するのは概して以上の如き謬見においてわれわれを批判しようとするものである。

更に他の種類の抗議を顧みよう。即ち曰く、政治の妥當領域を社會的集團一般に擴張しようとすることは要するに政治を國家に關聯して理會しようとすることを事更に排斥し、ただ、國家に替ふるに社會の概念を以てするのみであつて、政治の理會のためには何等積極的に役立つ所はない、加ふるにこれは國家の代りに社會といふ更に廣汎なる複雜なる實體につける解明を必要とするが故に、却つて政治の意義を曖昧にし徒らに問題を紛糾せしめるのみである。しかも其の立場に立つ者と雖も結局は政治學の研究に當つては尙國家を中心として之を行ひ、且つ解明することが恆であり、また明瞭である、と。(10) 今玆にかかる抗議・反駁に對し詳述する暇はないが、われわれは前者につけると同樣に簡潔に次の如く答へるであらう。既に他の機會にも述べたるが如く、政治の成立ちを社會的集團一般においてその普遍的なる性質との關聯において認識定立しやうとする者と雖も政治が國家において極めて、或は最も、典型的なる態樣をもつて成立するといふことを全面的に拒否しようとする者は多くはあるまい。從つて立場や世界觀の相違はあるとしても現在にあつては政治の研究上、その研究の重心を國家に置くといふことも亦否定し難い事象であらう。然し乍ら、これらをもつてこの類の反駁者の提起するが如き抗議を毫も妥當なりとはなし得ない。何となれば政治學の研究に當つてその研究の重心を國家に求めるといふことがあるとしても、それは併し乍ら論者のなすであらうが如く政治が單に國家にのみ關聯せしめられ能ふが故からではなく、政治が國家において極めて典型的な態様において成立つが故に外ならない。更に又他の觀點から見れば、國家は政治の成立する社會として典型的であり、それ故に誤解してではあるが國家は唯一の政治社會（政治の成立つ社會）として一般に理會せられてゐることさへあるが故からでもある。要するに、政治若くは政治現象の解明を國家に求めるといふことと、政治は國家にのみ關聯し成立する所の文化現象であると解釋し、理會することとは明かに辨別す可きことでなければならない。この樣な點にこの類の批難・反駁は清算せらる可き概念の混同を内含してゐる。

既述においてみらるるが如き諸多の原因は端的に言へば政治學にとつて獨自的立場や觀點を形成するに障碍となるにおびただしきものであつた。就中、政治現象として規定せらる可き一定の現象に對する獨自的な一義的なる認識の觀點を確立することを久しく妨げるものであつた。政治學の一科學としての成立が可能なりや否やが問はれしことの屢〻なる原由も亦玆にその主因が存する。かく考察しきたると政治學の一義的成立を阻んだ複雑多岐なる障碍や外部的要因もさることながら、一義的認識の觀點の下に政治の概念が構成せられなかつたことを最も深く反省しなければならない。而して政治の概念が最も純粋性を以て構成せられ能ふがためには事態の論理的意義の認識に第一義的重要性が存することは自明のことであり、しかも謂ふ所の認識は能ふ限り特殊の既成概念の介在或は嚮導を斥けつつ而して能ふ限り獨自的なる立場に卽して樹立せらる可く要請せられる。從つて特定の社會的集團の構造的特性や特殊的機能との關聯からして、政治概念が影響を享けつつ構成せらるることは最も避く可きことの一つである。

註(1)　本稿第一部における註(1)參照（本文二四一頁）

註(2)　戸澤鐵彥教授の諸多の論著において隨所に論ぜられてゐる。一例、『政治學概論』昭和五年、一五五頁以下。

註(3)　恒藤恭博士『政治、特に國際政治の概念』（立命館三十五周年記念論文集・法經篇、昭和十年、一八〇頁）

戸澤鐵彥教授『政治學の硏究對象としての政治』（其二）（國家學會雜誌第五十卷第十二號、昭和十一年十二月、二七頁）

註(4)　F. M. Watkins,—The State as a Concept of Political Science, 1934, p. 45.

註(5)　恒藤恭博士『價値と文化現象』昭和二年、二一一頁（第五篇、政治現象の本質）

註(6)　R. G. Gettell,—Introduction to the Political Science, 1910, p. 3.

J. C. Bluntschli,—Die Lehre vom modernen Staat, Bd. 3, 1876, S. 2. (quarted by Leacock in "Elements of Political Science", 1913, p. 11.)

註(7)　G. Jellinek,—Allgemeine Staatslehre, 3. Aufl. 1922, S. 12.

註(8)　戸澤鐵彥教授、前揭論文（其二）一―八頁。

註(9)　L. Nelson,—System der philosophischen Rechtslehre u. Politik, 1923. SS. 130―131.

註(10)　今中次麿教授『政治學概論』八―九頁（大思想エンサイクロペヂア第十七卷、政治思想、昭和三年）。

同教授『政治學要論』昭和三年、一六―二三頁參照。

三　政治概念の定立

一般に各般の事象或は物象に就ける基礎概念を定立することは極めて至難なることである。就中、自然科學的概念の構成、即ち主として感覺を基調として認識せらるる事象或は物象に對する概念の構成とは異つて文化科學的概念、即ち主として抽象的に思惟し理會し得る事象に對する概念の構成は前者に比較して一般に一層困難である。(1) 言ふまでもなく文化現象一般に對する認識を與ふるものは多種多用なる吾々の經驗であり、人はそれに基いて夫々の對象たる文化現象を抽象的に思惟し得るのであるからして、斯くして定立せられる所の各種文化概念は抽象的形式的概念である。政治現象も文化現象たる以上政治若くは政治現象に對して定立せらる可き政治概念も、ひとしく抽象的形式的概念である。われわれは在來の所謂通說の論者が一般に政治概念の定立に對して採つた所の態度を以て前科學的なるものと解してそれに賛同し難く、能ふ限り客觀的普遍妥當の立場に立脚して政治概念の定立を期すべきものと考へる。抑〻概念は一般に夫れによつて表象せられる所の經驗乃至事實そのものでは固よりないが故に、概念的表徵には完全を期し能はぬ一定の制約・限度の存すること、また必定である。一般に概念の定立に當つては一面においては最も普遍性に富める内容の定立が要請せられることが必定であるが、他面においては最も普遍的なる意義を有する内容を内含する概念は一般に概念の内包が極めて廣汎である可く、從つてその意義が謂はば漠然たることを以て特徴とする。しかも斯くの如き類の概念は概して事象並に物象の科學的解明に縁遠く、且つ又相互に近接し交錯せる諸事象乃至物象の辨別を解明せんとするの意圖に對しては屢々役立たざるの嫌ひがあることまた言ふまでもない。從つて科學的研究對象としての概念たり能ふ所のものは、事象に對して能ふ限り具體的妥當性を備ふ可く要請せられ、又要請せられねばならない譯である。茲に事態の至難性が横つてゐる。これは政治概念の定立においても異る所がないのである。

茲において如何なる現象乃至事象或は又對象が政治又は政治的なるものの意を以て考へられてゐるかが先づ問題として生起する譯であるが、それは既に屢々繰返して述べたるが如くその最も粗笨的なる形式においては、政治若くは政治現象につける概念は國家現象なる概念と恰も自同的なるものたるが如く理會せられてゐることである。或は又かくの如く兩者の謂はば全部的同一視を指示するが如き程度に迄には至らずと雖も、尠く共政治乃至政治現象を以て國家現象中の極めて特殊重要なるものとして理會し、政治の成立は國家の存立を必須的前提とすることに依つてのみ可能とされ能ふものとして理會せられ來つたのであり、現今なほ斯る見解を抱くものは極めて普通のこととせられてゐる。併し、この類の見解の支持し難きことは上來記述の如くである。そこでこの意味における政治と國家との兩概念に纏はる問題と同時に又兩者の辨別の下における政治概念の規定・定立を要請する所の問題が生じた譯であつたが、それらは本稿においては既に簡單ながら一應の解明濟みの問題として以下論述を進めるであらう。併し乍ら本稿はこれらの見地を飽くまでも持しつつ當面の課題の究明に當らうとするのである。

總じて文化現象一般において、各々の特定の文化現象は夫々妥當し、成立つ所の領域全面中の或る一つ又は幾許かの特定の領域・層面において特別に深く堅固にその足場を占據し、而してその成立つ態様を特に顯著に呈示するの傾向のあることが經驗的に觀取せられる。恒藤恭博士はこれらの點を極めて精緻にまた含蓄的に解明せられ、これを『文化現象の凝聚傾向』又は『文化現象の凝聚作用』と指稱せられたことがあつた。(2) 即ち、各種の文化現象を通じて『同一種別に屬する文化現象の一切は論理的に觀て、其の文化現象に特有なる本質的屬性を具備するのでなければ恰もその特殊の種別に屬する文化現象として認識されることを得ない』(3)と前提され、其れに特定の文化現象が能くわれわれの理會にまで具體的にもたらせられ能ふ爲の觀察に際して、『或る限られた範圍の現象においては、其れをして特定の種類の文化現象として成立し得させる所の論理的要素が、それの把捉を可能ならしめる實在要素との關聯において極めて明瞭に極めて純粹に現はれる』(4)と指摘された。而して斯様な傾向乃至作用は文化現象一般において認められるからして、『各種の文化現象の本質を理會する目的から言つて、その特定の文化現象の成立つ事實的範圍を通觀し、その現象の凝聚せる部分に着眼することが著しく便宜であり適當な譯である』(5)旨を述べられた。

ここにおいて惟ふに、從來政治若くは政治現象と國家現象とにつける恰も自同的なる概念、或はそれに類する概念が最も廣き通用をみるに至つてゐるといふ所以のものは、蓋し政治なる文化現象が國家において、換言すれば諸々の社會的集團中、而して諸々の社會的集團の占むる廣き領域中、國家の占據する特定領域に政治が特別に濃厚にその態様を示し、その存立を體現してゐるものと思惟せられるが故である。併し、政治が本質的に成立し能ふのは屢說せる如く國家に限局せられずして、政治なる文化現象の成立を妥當ならしむる所の一定の形式を具ふる所においては社會一般においても同斷なのである。然るに政治なる文化現象の本質的性格が後述するであらうが如く、社會的行爲であり且つ又團體の意志決定を中核とするものたるが故に、社會的集團にありても特に合議體制の活動・經營の見られる所において最も顯著にその所在と態様とを呈露し能ふのである。卽ち極めて端的に言つて、謂ふ所の合議體制の下において政治なる文化現象は最もよくその凝聚傾向を有することが觀られる譯である。茲に問題を再び國家に移して考ふるに、合議體制のいとなみにおいて國家は——近代文明國家一般は——爾餘の社會的集團に比して一般的に多種の事例を有し、しかもいづれのものもそのいとなみにおいて一般的に活潑なる狀態を呈して居り、尠く共斯く見られ、斯く考へられることが一般的には强く、それは又その限りにおいては妥當なる思惟であると言はねばならない。これらのことが政治と國家との關聯に就ける理會を歪曲し易かりし確かに有力なる素因の一つであつたとも認め得られるであらう。併しこのことは他面また政治は一定の條件の下に社會一般において認識せられるが、その場合合議體制が存在しそのいとなみの下において最も闡明に認識せられ能ふことを示唆する。同時にこのことは政治なる文化現象を文化現象一般の體現につける一般的傾向乃至作用に從つて觀察することが、最も顯著に夫々の所與たる社會的集團において、政治の成立を把握し認識することの便宜なる所以を亦示すものである。例へば株式會社、勞働組合等における總會、その他各種の委員會等々においても事例は同樣である。

既に以上において、われわれは各種の科學においてその對象につける基礎概念の重要性を確認すると共に、その眞によく科學的意義における構成定立の容易ならぬを考へさせられた。このことが斯く困難であるといふことは眞に適正なる類のものの與へられ難きことを示すと共に、また斯くの如き類のものに非ざる限り事態に對する要求に能く副ひ能はざるを示してゐる。斯樣に考へ來ると、科學一般に於て夫々の基礎概念につける形式的規定を構成することの意義に對して一種の疑惑の如きものを覺えしむるなにものかが感じられなくもない。われわれは茲に於て謂はば相矛盾する、相對立するが如き前提的要件からして——即ち、政治概念の形式的規定の定立に對する要求と、そのものの作成の可能への意義に對する疑念との——政治概念に形式的規定を與へることを暫く後段に讓り、併し乍ら飽くまでも政治概念の定立がわれわれの當面の根本課題たることを恆に堅持しつつ、先づ政治として考へられ能ふ概念に對する幾許かの典啓的なる屬性とも言ふ可きものを選擇抽出して點檢したい。かくして後、政治概念の形式的規定に及びたいと思ふ。そこで政治と考へられ能ふ概念の屬性について以下考察を始めよう。

（A）　政治は一定の社會的行爲である

一般に政治のいとなみが考察せられる場合、政治の主體即ち政治の主動者と政治の客體即ち政治の受動者とを分別して考察する必要があり、同時に又政治のいとなまれる領域即ち政治圈なるものの所在をも考察の視野の基礎に置かねばならない。われわれは、茲に政治主體、政治客體及政治圈の名稱や夫々の意義につきこれ以上深く追求する必要なしとして論述を續けるであらう。

さて、政治が一定の社會的行爲であるといふことは言ひかへれば政治は個人的行爲ではないといふことを表象する。更に敷衍すれば政治が社會的行爲であるといふのは、假令或る場合には政治が個人に依つて行はるるが如き外觀が觀取せらるることがあるとしても、政治の政治たるは決して個人的行爲ではなく、その個人の背後に集團又は階級が存在して居り、その個人が夫等の集團又は階級を代表して行ふ行爲たることを表象してゐる。(6) 政治はその行爲においてかく社會的性格を有するが故にその行爲の效果的志向はその個人の所屬集團又は階級に向けられる。この故に政治主體の單純なる單獨行爲は如何なる場合にも亦如何なる意義においても、政治行爲としては解釋し難い。(7) 併し乍ら、謂ふ所の意味は政治主體と政治圈との恆なる合致、若しくは兩者の同一視を表はす意ではない。從つて又これは社會的集團の構成者全員の全部的なる活動・行爲に非ざれば、政治に非ずと言ふのでは固よりない。謂ふ所は政治主體をなすものが假に單獨個人である場合においても、其の個人の單純なる單獨的個人行爲は政治行爲とは解釋され得ないと言ふことである。併し乍ら、斯く言ふとも政治行爲の成立のためには社會的集團の構成者が恆に必らず全部政治上の主體と成ることを要するのでもなく、固よりまた政治主體の行爲が悉く政治客體の積極的なる同意・支持を得べきことを强調する譯でもない。

此の場合假令政治が政治主體を構成する單獨個人或は一定多數の個人に依つて行はれる場合、他の個人(單數又は複數)又は他の集團に向けらるるものであつても、その行爲は個人(單數又は複數）に依つて行はるる行爲たる以上この行爲は個人の行爲であり、從つてこの場合この政治は個人的行爲であり又あらねばならないといふ見解がある。(8) この類の見解は事態を極めて論理的に究めその意味における考察を貫徹せるものではあらうが、然し乍ら政治主體を構成する單獨個人の行ふ行爲であるとしても、當該個人が政治行爲として妥當す可き行爲と意識して行ふ行爲は、それは當該個人が單純に單獨個人たるの立場において、或は單獨個人としての意識の下において行ふ行爲ではなく、當該政治行爲の妥當する分野における政治主體として行ふ行爲である。斯樣な行爲は個人が純粹に個人としての立場において行ふ所の行爲とは自らその性格を異にす可く、また此の兩者は概念上區別して考ふることが可能であり且つ至當である。或る一定の行爲が個人に依り、また個人において行使せらるるが故に當該行爲の目的及び志向並に性格の如何を問ふことなくして、一概に個人的行爲なりと解することは恆に必らずしも妥當ではない。況んや政治なる行爲は假令單獨個人において發端し單獨個人に依つて行使せらるるにもせよ、必らずや該行爲は一定多數の個人の間において或は社會的集團において顯現し成立つ行爲であり、しかも該行爲は恆にその妥當する客體を有するのである。此の場合個人的行爲とは正しき語の意味においては、單にそのいとなみが個人において、或は個人に依るが故に個人的行爲たるものと解す可きものではあるまじく、當該行爲者が純粹に個人たる意識乃至立場に立ちて純粹に自己の爲めに、換言すれば當該行爲の志向が自己のために向けらるるのみならず、併せてその效果が自己に終止するが如き行爲を表象するものではあるまいか。政治行爲とは固より斯くの如き行爲ではない。政治行爲には必らずその妥當す可き政治圈があり、又そこにはその行爲の對象たる可き客體が存在してゐる。斯る意味において政治は社會的行爲なのである。

轉じて、特定の社會的集團において若し夫れ或る特定の政治行爲が集團構成者の同意・支持を享くると考へられる場合を想定するに、そこには實際上は尠く共積極的同意と消極的同意、換言すれば明示的同意と暗默的同意との二種が存在するであらう。後者のうちには同意とは解し能ふとしても、これを少しく具體的に吟味すれば單に反對せざる程度に留まる類のものも亦多く、更に一層深く究むれば多くの構成者中には當該政治行爲を何等意識せざる者も亦多數に上る場合もあるであらう。今斯る場合をいささか極端に推し進めて考ふれば、上記の如き事例において全構成者が消極的同意、しかも上述の如き無關心的狀態にすら留る場合をすら豫想する事も概念上は敢て不可能ではないであらう。然し乍ら、假令斯くの如き狀態を假定し能ふとしてもわれわれは政治を以て政治主體の側における單獨行爲、個人的行爲として考へることは出來ない。政治の政治たる所以に基いて考察すれば玆に設定せるが如き場合においても、當該政治行爲の效果が單に行爲者自身卽ち政治主體に單獨に終始するが如き行爲たるものではないからである。ただ、玆に肯定的に考へられ能ふことは、政治行爲の主動的乃至主要的役割を演ずるものは實際上においては政治主體であるといふことである。固より所謂政治客體に發動せる行爲乃至作用が政治主體を動かし且つ誘導してそこに政治行爲として妥當するものが惹起せられ、發生せられ、生成せらるる場合の少からざることはわれわれの屢〻經驗する所である。然し乍ら實際上の問題としては前者の事例が通常たることは言ふまでもない。また、政治はその現象の性格からして集團構成者全體の積極的活動にまで導かるることが望ましいとしても、斯くの如き事態はこれ又政治行爲の自づからなる性格上現實には仲々あり得ない。然し乍ら斯る程度の狀態においても政治行爲の成立ちにとつて別段何等缺ぐ所はない。われわれは以上述ぶるが如き諸種の思惟に基いて政治を社會的行爲として措定するのである。

（B）政治は社會的集團のいとなみに纏はつてあらはれる行爲である

われわれは政治を以て社會的集團のいとなみ、即ち集團的なる營みに關聯して成立つといふ見解に立つ以上、社會的集團とその構成者たる各個の個人との關係に就いて先づ止目しなければならない。このことは、人間の社會的生活型態は如何なる原由に基いて、或は如何なるものを本源的なるもの、乃至本質的なるものとして形成せられしかの究明を要求する。更に、人間の社會生活型態の成るにおいては、その特異性をたづね、謂ふ所の特異性と人間の社會的集團的行爲乃至集團的なるいとなみとの關聯を探ることをも亦必要となるであらう。

恒藤恭博士は嘗て『法の本質』に關して論述を試みられし際、これらの點にも言及されて次の様な解明を施されたことがあつた。われわれはその言説を玆に煩を厭はず引用したいと思ふ。即ち曰く、『社會的實在の世界の特色は、人々が互ひに交渉し、互ひに協力しつつ形成して行く世界たることに存するとは言ふものの、人々が各自の思ひのままに行爲することによつて、おのづと社會的實在の世界の形成が可能とされるわけではなく、一定の時、一定の場處における社會には、必らず特有の社會組織があたへられて居り、人々は與へられた社會組織の制約の下に互ひに交渉し、互ひに協力することによつて、社會的實在の世界の形成に寄與するのである。もとより、いかなる社會組織の下においても、何らかの程度において各人が自由に交渉し得る餘地は殘されて居るのであり、特にいはゆる個人主義的社會組織の下においては、その程度が著しく大きいのであるが、いづれにせよ、一の社會の全構造はその社會に特有なる社會組織により根本的に制約されるのであり、人々は斯かる制約にしたがつて生活しつつ社會的實在の構成に參加するものに他ならない。(9)』と。

社會的集團の生起存立のためには何等かなる統一化的なる目的の所在が論理的には肯定されなければならない。凡そ社會的集團の存在にして目的なくして之を考ふることは出來ない。所謂全體社會乃至共同社會と呼ばるる社會の存在にしても尙且つ嚴格なる語の意義においては、假令極めて漠然たるものにもせよ、何等かの目的の所在を尠く共論理的には豫定し得なければならない(10)。以上、所謂部分社會乃至目的社會の生起並に存立に關しては、目的の所在・介在が其の存在の第一義的先行的要因たるは蓋し自明の事理であらねばならない(11)。かく社會の存立が考へられるについて、社會の發生・生起、言ひかへると人々の間において如何なる狀態の發生を目して社會的集團の發生となすかは多くの究明を要する問題である。言ふまでもなく一定多數の個人の偶然なる集合を以ては未だ社會的集團とはなし難い。エルウッド (C. A. Ellwood) は、二人又は二人以上の個人の交互作用を以て社會發生の概念を定立したことがある(12)。これに對し、シュタムラー (R. Stammler) はエルウッドの見解は交互作用なる概念を時間空間の因果的範疇の下に統一せむとするものとして、結局これは各個人の相互間の作用を自然科學的に觀察せむとするものとして排斥し、而して彼の所謂外部的規制 (Äussere Regelung) なる標識を以て社會成立なりと主張したのである(13)。そこで彼においては『社會とは外部的に規制せられたる人間の共同生活』なのである(14)。

然し乍ら、彼の謂ふ所の外部的規制の所在を以て社會の成立を定立しようとすることも、なほ正鵠を究めざる觀がある。それは未だ社會的集團を形成しない所の人々の間にも何等かの外部的規制の所在を觀取し能ふ場合もあり得るからである。一般に社會生活をいとなむといふことは人間のみに特有なる現象ではなく、人間以外の動物の間にもこれを見出し得るのである。併しこの後者の社會にあつてはその構成者は專ら自然的本能に支配せられて活動するのであり、かくして各種屬に特有の社會的生活型態が形成せられる。そこにては各々の構成者の自由なる意志の働きに基く行動に依つて社會生活に參與するといふことは見出されない。從つてこの場合この社會を制約するものは自然的生活秩序に過ぎない。これに反して、人間社會にあつては各々の構成者は自然的本能によつて動かされて活動することが絶無ではないことは明かであるが、單に自然的本能に基く行動に依るのみではなく、更に自由なる意志の働きに基いて行動しつつ社會生活に參加するのである。從つて人間社會の社會生活の根柢には自然的生活秩序の恆存的支配が見出されると共に、それのみならずして斯る根柢の上にさまざまなる人爲的歷史的生活秩序が存立して居り、その制約の下に多種多樣なる社會生活が展開せられるのである。併し乍ら人間の社會生活に自覺の要素が生起して來るのは、相當の進化・發展の後におけることであつて、人間社會と雖も、その社會生活は最初は與へられたる自然的還境のうちにおいて自然的要因に基因して形成せられるのである。これが暫時は持續せられ幾分か發展したる後において、これをより高き發展に向つて發展せしめる爲に、自覺の要素が人間生活のうちに生れ來るのである。人間の社會生活が爾餘の動物のそれとの本質的差別の存する究極の所以は、實にこの自覺的努力に基いて生活を營むの點に存する。言ひかへれば人間が爾餘の動物と異る點の究極なるものは人間が理性・人格を有する所、即ち人格的存在者たるの點においてその本質的契機が存する。然りとすれば、人間の社會的生活型態が爾餘の動物のそれと區別せられて成立するが爲には、自覺的・人格的存在者としての人間の性格が人間の社會生活のうちに反映せられることによつてでなければならない(15)。

斯樣に考へきたると一團の人々が與へられたる自然的環境のうちにおいて、與へられたる自然的生活秩序の規制を受けつつ自然的本能の衝動的活動に基いて、互に一群乃至群生的共同生活型態を形成したといふことをもつては、未だ以て人格的存在者としての人間の性格が本質的に人間の社會生活のうちに呈示せられ、發現せられたとはなし難い。約言すればこの程度の楷梯を以てしては人間の社會的・歷史的生活秩序が發現し、成立しえたとは解し得ない。眞に人間の社會生活が成立せりと決定し能ふが爲には、上述の如く人間の人間たる性格が人間の社會生活のうちに反映せしめられ能ふことに由つてでなければならない。併し斯く自覺的努力が人間の社會生活のいとなみの間に生起し能ふといふことに就いては、そこにはなほ根源的に人間がその社會生活を營むに當つて、多かれ少かれ何等かなる意味における統一化的なる目的に對する社會的意識の働きがあらねばならないことを、人は理會しなければならないであらう。斯樣に何等かなる統一化的なる目的が各人の意識に反映し、且つ働きかけ、而して社會的なる自覺的なる努力的行爲を促し、これに依つて外部的規制の成立並に作用を實現し能ふ時において、人は眞に人間社會の生活秩序型態の成立ちを語ることを得るのではあるまいか。言ひかへれば、外部的規制が各個の統一化的目的の宿る主體と內的關聯をなすに及んで、卽ち何等かなる統一化的目的を各人が意識し、斯くの如き個人の一定多數が其の目的に關聯して主動的・能動的役割を演じつつ行動することにおいて社會生活に參加する時に及んで人間社會の本質的性格が實現するのである。併し乍らこの場合、特に具象的に考察するまでもなく人間社會の構成者全員に亙つて、その悉くが一定の志向に基く所の謂ふ所の統一化的目的を意識して、その目的に關聯して全員擧つて自覺的自律的な力る努行動を演ずるといふことは寧ろ稀有である。この樣な意味における自覺的努力は概して主動的・能動的立場に屬する一定多數のものにおいてのみ、意識的行動にもたらせられる場合が多いのであり、且つ又それが最も具體的實際の樣相であり、われわれも亦人間の社會生活型態において謂ふ所の統一化的目的の所在を語るについても、此の程度を以て足れりとするのである。高き發展階梯に到着せる人間の近代の社會生活においても、夫々の社會型態とその下における統一化的目的と、社會構成者との關係にあつても構成員全般に亙つて意識的なる統一的なる協同的なる社會的行爲を期待することは恆に必らずしも可能ならざるのみならず、また其樣に高次的狀態が社會的行爲の成立の要件として要請せられることも恆に必ずしも必要ではない。これによつてみれば人間の原始的未發展の社會生活のもとにおける樣相としては、なほ更それらの條件の具備を必らずしも恆に必要ならずと解することは、自づから承認し得る所であると言ひ得やう。併し乍らこれを以て人間の社會生活の原始的未發展の楷梯においてはその社會生活の存立の爲に、自然的本能に基く行動によつてのみ社會生活への關與は可能にして且つ充分であるとなし、此處に謂ふ所の統一化的目的の所在を必要ならずとなすの根據又は理由とは斷じてなし難い。何となれば、人間が單に生の本能にのみ支配せられて衝動的に活動しつつ生活するに留まる限りにおいては、人間の社會生活と爾餘の動物の夫れとの間に何等の本質的差別を認め難いが故である。人間の社會的生活型態と共に何等かなる統一化的目的の所在を前提とする所以は、凡そ玆に理會し得らる可きであると解釋する。

われわれは以上長々と述べてきたが、人間の社會生活型態はその志向の如何を問ふことなくして、その成立ちにおいてはあまねく上述の如くであらう。人間の世界に社會生活と言ふ社會的・歷史的生活秩序が成立しても、その社會生活型態を形成する所の各個の構成者はその結合關係の内面においては、各々その個性を全部的に喪失することなく且つ又全面的に剝奪せられることなく、各々個性に即して對立するの餘地は殘存する。併し乍らかくの如き各人の自由なる意志による交渉並に對立をして單に分立・分化・分裂に終始せざらしむるものがあらねばならない。それがとりもなほさず謂ふ所の統一化的目的に纏はる所の社會的意識である。然らば、斯かる統一化的目的に對する意識を人々に發生せしめ促進せしむるものは如何なる要因であるかと言ふことが次段の課題となるであらうが、それは畢竟先驗的なる觀念、例へば社會價値とか社會理想とかに歸するのであり、而して斯る先驗的觀念の究明は經驗科學の領域を超出したるものであり、從つてそれは經驗科學の企圖を許さざるものであらう。

茲に明瞭にしておかねばならないのは、謂ふ所の統一化的目的の所在は夫々の所與たる社會的集團において、その構成者間に種々の副次的な卑近目的の成立・存在を毫も排斥且つ拒否するものではなく、他方また後者の所在が前者の成立を牽制・妨害且つ不可能ならしむるものでもないといふ點である。

なほ今一つ明瞭にしておきたいのは、謂ふ所の統一化的目的は必らずしも恆に所謂共同目的ではないといふ點である。社會的集團において共同目的の成立・存在をみることは無論あり得るのであり且つそれは人々の經驗する所でもある。併し、共同目的が社會的集團において認識せられるのは、例へば所與たる社會的集團の構成者一般が餘程高次的なる自覺を自己の社會型態に對して有して居るか、或は當該社會的集團が端的に言つて極めて特殊的限定的自的を有するものなるか等の場合においてである。(16) 政治の如き社會現象が或る特定の社會的集團において、その構成者の共同目的の實現達成の爲に行はるる行爲であることは、政治にとつては謂はば理想的狀態であると言ふ可く、併しそれは事實上極めて限定的な場合に限られるのである。人間の歴史的・社會的生活經驗においては、社會的集團に關聯して共同社會と共同目的とが併存し難いが故に、統一化的目的を中核としての自覺的努力を必要とするのである。政治が要求せられることの所以の一つも亦この樣な點に見出される。(17)

社會的集團の生起成立は上來述ぶる如くして理會せられるであらう。また既述の如く、社會的實在の世界の特色は各人の協力のうちに形成せられゆく點に存しつゝも、しかもそれは各人が銘銘勝手な行動をなすことに由つて可能とせられるのではなく、一定の時空の下における社會には必らず特定の社會組織が與へられて居り、人はその與へられたる組織の下において相互に交渉し協力し、かくして社會的實在の世界の形成に參加し且つ寄與し能ふのである。斯樣にも個人の概念と社會の概念とは相關的である。洵に社會を考へずして個人の概念を考へることは無意義にもひとしい。併し乍ら個人は社會なる全體の單なる部分としてのみ意義を有して何等の獨立的方面、即ち個性を有せずとみることとの誤謬なるは既に説述するが如くである。われわれが先きに政治といふ文化現象は社會的な集團的なる現象であると定立したことの究極的なる根源は茲に存ずる。ある統一化的目的が各個人の自覺的要求の發展的發現であるといふことは、諸々の社會的なる文化財が悉く具體的個人の意識目的として意欲せられて生起し、成立したといふことを意味するものではない。ただ諸々の社會組織其の他の諸々の文化財は人間以外の外力の目的とする所に由つて成立しえたと考へられ能ふ論據がないのみならず、諸々の社會組織や文化財は人間の自覺的努力によつて成り立ち、構成せられ、また變形せられることは否定することを得ない。更に一歩を進めて考ふれば、社會を構成する人間はこれらの諸々の文化財に對して全然無關心たり得ず、これらに對して考慮し、批判し、又價値評價をなすことによつて一層確實に鞏固に社會に關與し能ふものである。しかも社會そのものは獨立なる意識をそれ自體としては持つとは考へられないのであるからして、社會の概念を成立せしむる價値や理想や或は目的等を把持するものは構成者たる各個の個人であるとみなければならない。斯樣に各個の個人は社會を成立せしむるものとしては、各種の目的や理想や價値等を内在するものとみなければならないのである。

茲において、政治を以て特に社會的行爲と限定して考ふることは餘りにも偏曲せる見解であるとなし、政治は既に人々の間に一定の結合關係の成立したる後における一定の社會的行爲たるのみならず、更に謂はばそれ以前の、卽ち未だ一定多數の人々の間に何等の結合關係の成立せざる場合、夫等の人々が一定の結合關係の形成に向つて始めて行動し努力する過程のうちにも、政治行爲若しくは政治現象を認識し把握し得可き事理を說き、政治は必らずしも社會的行爲ではなくして、なほよく個人的行爲であるといふ見解の存することを再思しよう。これは既に先段にも紹介したる如く、本邦においては戸澤鐵彥教授が夙に說述せられてゐるのである。(18) 惟ふに同教授は先きに蠟山政道教授が政治を以て社會的行爲として規定せられたるに對し、(19) 政治を能ふ限り客觀的普遍妥當の立場から考へようとせられ、加ふるに同教授の論理主義的貫徹の志向の故にかく唱導せられたものであらうかと考へる。而してこれに對して大石兵太郎教授が政治の個人行爲說なる名稱をもつて呼び且つこれを反駁せられしことは既に前註において揭出するが如くである。この場合、戸澤教授の所說中に謂ふ所の結合關係といふ類の語の概念は多義にも解釋せられ、究明を要す可きものの存するを覺ゆるが、抑〻一定多數の人々が新たなる結合關係の形成に向つて努力し行動すると言ふことが、既に夫等の人々の間に一定の交涉があり、協力があり、從つて其處には何等かの共通的な統一化的目的に纏はる自覺的要素が働いて居るのである。そのことは其處には既にある程度にまで一定の結合的關係が成就してゐることを表象してゐる。從つてこの種の現象を個人的行爲としてよりも、寧ろ一定の社會的行爲として觀念することがより妥當であると考へる。以上の如き考察からしてもわれわれはまた政治の社會的行爲たる所以を確認し得る。しかも人間の社會生活とその生活型態並に社會組織との三者の謂はば一聯の關係の殆んど不可避的にまで必然的なる關聯を、一つの根本見地として考ふるならば、政治行爲の社會性は積極的に肯定的に認め能ふ所となるであらう。

さて、人間の社會的・集團的行爲はその構成者各個の自由なる行爲によつてさまざまなる複雜なる作用の交錯せる結果として惹起せられることは、疑ふ餘地ないことではあるけれども、社會的集團の本質的なる集團的行動或はその發展は、單に各個の構成者が對立の相において行ふ所の銘々勝手な連絡なき行爲に依存し、或は隨伴するものではない。今斯る社會的・集團的行爲の具體的現實的なる樣相に着目してみれば、それは屢々多くの場合、集團の主動的乃至能動的立場を占むる一定多數のものが、集團の統一化的目的の志向に副うて努力する所にその本質的態樣を呈示するであらう。この場合單に主動的乃至能動的立場を占むる人々の間に留らずして能ふ限り廣範圍において、而して最も理想的狀態としては全構成者間において、共同的に自覺的努力が拂はれ、傾倒せられることが望ましきことたるは言ふまでもない。後者の如き理想的場合においては、又斯る場合においてのみ、當該社會的集團における所謂統一化的目的がその構成者全般の共同目的となり能ふのである。

斯くの如き集團的行爲は、集團において多數の意志主體の行爲、活動に依つてのみ可能とせられ能ふのであり、同時に又それは集團の存續する限り持續的に繼續せらるることを原則的とする。茲においては單獨個人の意志とは一種別個の意志が體現せられて活動するものである。これを各個の個人的意志に對して、且つ又それと區別するが爲に茲にてこれを集團的意志と呼稱するとすれば、謂ふ所の集團的意志は次の樣な規定を有す可きものである。即ち、社會的集團の活動、從つて發展が可能なるが爲には各個の個人の意志の構成要素が同一事項に關して各自の意志內容を決定して表示し、その表示せられたる意志內容を基礎として更に高次的立場において統一せしめられたる、新たなる統一的意志內容が成立せしめられる。かくして、この後者が社會的集團構成の各個人によつてその全體の意志として妥當する場合における意志を意味するものであらねばならない。(20) 茲に謂ふ所の集團的意志は集團構成者たる各個の個人的意志の單なる總和ではなく、上述の如き意味において一定の高次的立場において統一せられたるものであらねばならない。且つ又、それはかくして集團構成者において全體の意志として妥當するものでなければならない。何となれば、それは必らず集團構成者たる各個人の意志の內容として存在し能ふものと認識せらる可きことを要し、集團構成者たる各個人の外に獨立なるもの、超出せるもの、從つてそれ故にわれわれ人間の經驗的事實にもとるが如きものであつてはならないのである。

われわれは屢〻繰返して政治なる文化現象を特殊の社會的集團においてのみ限定的に認識せられ能ふものとせずして、一定の條件の下において政治は社會的集團一般に普遍的なる性質との關聯において認識せらる可きことを述べてきた。而して政治が文化現象たる以上、文化現象の成立ちに關する一般的性狀に基き、卽ち恒藤恭博士の言はるる文化現象の凝聚傾向なる點に想を致して、茲からして社會的集團一般中、別して合議體制のいとなみを有する場合は、そのものに着目して考察することが政治の本質につける理會を構成するに特に便宜が多いと述べたことである。而して集團的活動の本質的なる態樣は集團的意志の內容に基いて、集團が活動する所に現はれるのである。そこで合議體制の存する社會的集團にありては集團的意志の內容の決定は言ふまでもなく合議體制のいとなみに依るのであるが、其の場合、それが合議員一致の原則或は又多數決の原則に依るとを問はずして、それは恢にそれに參加した具體的個人の個々の意志とは全く別個の存立をもつ所の集團的全體の意志を發生せしめることを以てその本質とするのである。

さて上來述ぶる如く、統一化的目的を樞軸として形成せられたる人間の社會的集團が個人的意志とは別個たる集團的意志を主張し、その貫徹を努力する所に政治は現はれるのである。

既に前段までにおいて政治の本質につける全貌が殆んど明かとせられたと思ふのであるが、最後に政治の屬性としてはなほ看却し難き强制的性質につき極めて簡單に、卽ち附則的に言及しようと思ふ。

（C）政治は强制的性質を有する行爲である

社會的集團にあつて集團的意志が構成せられるといふこと、而してそれを中核として集團の任務の遂行がいとなまれるといふことは、畢竟集團には集團構成者たる各個の個人が個人として果す可き目的乃至任務とは異り、集團それ自體として遂行す可き任務があり、實現す可き目的が存在すると考へられ能ふが故である。然るが故に、集團には集團的意志の內容を決定し、又は既に決定せられたる集團的意志の內容に適合せる事實を發生せしむることに依つて、集團の任務遂行の中心となる可き一定の組織が存在しなければならない。謂ふ所の組織は、夫々の任務の種別に依り各種の機關を內藏することが普通である。而してそれらの機關によつて集團の任務の遂行に當る可き集團的意志の內容が決定せられてその實現化が促進せられるに至るのである。斯樣な點は玆に事更に詳述する必要もあるまじく、また政治の屬性としての强制的性質に關する解明の必要上からしてもこれ以上の說述を要さないであらう。洵に政治の成立の爲に考へらる可き集團の活動、いとなみが集團の機關を通してその目標・指針が內容的に決定せられ、方向づけられるとすれば、政治には一定の拘束性乃至强制の隨伴することが承認せられ能ふであらう。卽ち、集團はその構成者が集團的意志の內容の決定せられたる志向に副うて努力するの過程に當つて、構成者に對して一定の行爲を義務づけるのである。(21) 而して集團構成者は當該集團に所屬する限り一般的には斯くの如き集團の課する一定の强制的義務づけに對しては反抗を許容せられない。併し乍ら、謂ふ所の强制は單なる壓制や又は暴力とはその本質を自づから異にするものたることは特別に斷るまでもないことである。强制は社會的集團が集團的任務の貫徹實現の爲めに努力する過程中において、集團の機關を通してその構成者に課せらるる一定の作用である。斯る强制の根據は本源的には集團を規制する社會規範の內に內在するものである可く、實質的には集團的意志を成立せしむる構成者の承認をその究極の根據とするのである。而して集團は上述の如くその機關を通じて構成者の個人的意志に對して、その恣意を抑制し、以て集團の任務の遂行に當らしむる爲に構成者に一定の强制を加へる譯である。これは一團の人々が單に生存の共同より進んで生活の或は目的乃至任務の共同に到る發展的過程に應じて派生・生起する所の謂はば必然的結果である。社會的集團の强制にして上述するが如きものたる以上、謂ふ所の强制は單なる個人的作用に非ずして、必らず恆に一定の機關の行動を媒介として働く所の作用であり、またあらねばならない。

このことは政治が必らず一定の組織に聯關して行はるる行爲たる可きことを裏書する所の一つの典據である。然し乍ら强制は集團の活動乃至は發展的過程に伴ふ所の一定の派生的なる屬性たるにすぎない。假令强制の集團に對する附隨關係が集團の活動・行動に關して殆んど不可分的關係にあると假定し得ても、强制は政治の存在理由にとりては第二義的意義を有するにすぎないことは看過せられてはならない。何となれば、政治は決して直ちに以て强制作用ではありえないからである。

われわれは以上政治として考へられ能ふ概念を把捉し理會せむが爲に、先づその屬性とも言ふ可きものに着目して考察しきたつたのであるが、上來述へし所からして政治若しくは政治現象につける概念の形式的規定を構成するとすれば、それは次の如きものとなるであらう。卽ち、

政治とは人間の社會的集團において、集團的意志のはたらきを中核として集團の任務を決定し、その志向に副うてその實現達成に努力し行爲する所に現はれる現象である。

この定義はもとより不備、不完全たるを免れない。併しそれは既述の如く多かれ少かれ定義一般の性格である。われわれは政治の概念を斯くの如く解するが故に、屢說せるが如く政治は或る特殊の集團に限つて成立ち能ふ所の特殊的現象なりとはなさない。政治の政治たるの所以は繰返

して述べし如く、集團一般においてその普遍的性質との關聯において認識せらる可きことである。特殊の集團においてのみ成立ち能ふ所の政治は政治一般中の特殊的種類の政治である。

さて玆に定立せられたる政治概念につける形式的規定に對して、嘗て戸澤教授が恒藤博士や大石教授の政治概念に對して言及せられし所よりすれば、なほひとしく次の如き批判が與へられるであらう。卽ち、この様な政治概念は政治學的思惟よりも、寧ろ社會學的思惟に基いて築き上げられたといふ可きである。而して政治學においては、須らく政治學的思惟に基いて政治概念が定立せられ、構成せらる可きであつて、政治の概念が集團の概念に關聯して構成せらる可きではあるまいといふ趣旨の批判である。(22) この類の批判は確かに深く反省して味識す可きものを有する含蓄深きものであり、政治概念を飽くまでも論理的思惟方法に卽して構成せむことを企圖せらるる努力に深く傾聽す可きものを有してゐる。併し乍らこのものへの解義、解明はわれわれの說述の内より既に與へられて居るであらう。

註(1) 戸澤鐵彥教授『政治學概論』昭和五年、一五三―一五五頁。

註(2) 恒藤恭博士『價値と文化現象』昭和二年、一八四―一八五頁、なほ同博士著書『法の基本問題』昭和十一年、五一―五二頁(第二篇、法の本質とその把握方法)

註(3) 同著『法の基本問題』一八四―一八五頁。

註(4) 前揭、同頁。

註(5)　前掲、同頁。

註(6)　蠟山政道教授『政治學の任務と對象』大年十四年、一五九―一六〇頁。

註(7)　大石兵太郎教授『政治學論』一九三三年、三四頁參照。（戸澤鐵彦教授「政治學の研究對象としての政治」（其三）（國家學會雜誌、第五十一卷、第四號、昭和十二年四月號、四七―四八頁引用）

戸澤教授はこの點において夙に政治を社會的行爲として規定することを拒否して居られるのであり、これに對し、大石教授は反駁的批判をなされてゐる。なほ戸澤教授の此の意味の所説は同教授の諸多の論者、論文にあらはれてゐる。

註(8)　戸澤鐵彦教授前掲『政治學概論』一八六―一八九頁。なほ同教授の前掲論文及び其の他（註(7)參照

因みに、同教授の此の點に關する見解に對し、前記、大石教授は政治の個人行爲說といふ呼稱を以て指定し、且つこれに反駁して居らるるのである。（註(7)參照）

註(9)　恒藤恭博士『法の本質』（第二講）（公法雜誌第一卷第二號、昭和十年二月號、八一頁參照）

註(10)　玆に統一化的目的といふ名辭を假に用ひた。筆者もこの名辭には不滿足なのであるが、今の所他に適正なる名辭を考へつかないのでこの儘にしてをく。謂ふ所の意味は集團の成立の契機ともなる所の目的を表象する。卽ちその集團成立の契機となり、從つてその意味において其の集團の存立にとつては基礎的なるものの一つであり、且つ又構成者が集團の任務の內容――思想的內容――を決定する場合にも自づからその中核となる可きものである。卽ち斯るものに對して構成者の活動の志向が謂はば集約的に、協働的になりゆくものと言ふが如き意味において統一化的目的と假稱する。

註(11)　拙稿『國家目的論の考察』（臺北帝國大學文政學部政學科研究年報第三輯、昭和十一年、一五一―一六六頁）。なほ筆者は當時この拙稿を草したる際にも政治の概念については本稿に記述するが如き見解を抱きつつあつたことを附記する。

註(12)　C. A. Ellwood,—Sociology in Psychological Aspects, 2. ed., 1928, pp. 124—142, (esp. p. 125.)

註(13)　R. Stammler,—Wirtschaft u. Recht, 3. Aufl., 1924, S. 81.

註(14) R. Stammler,—op, cit., S. 82.

註(15) 恒藤恭博士『法の本質』(第二講)(公法雑誌第一巻第二號、八九―九〇頁)

註(16) 例へば、秘密結社の如き類の社會的集團においては、殆んど恆に共同社會と共同目的とが一致して成立つものと考へられる。

註(17) 蠟山政道教授『社會集團の政治現象』(今泉訓夫氏編「産業組合と政治」昭和十年、二六七―二六八頁)

註(18) 戸澤鐵彦教授の諸多の論著及論文において屢々説述せらるること前述の如し。その最も最近のものは蓋し下記のものであらう。即ち、「政治學の研究對象としての政治」(其三)(國家學會雑誌第五十一巻第四號、四七―四九頁參照)

註(19) 蠟山政道教授『政治學の任務と對象』大正十四年、一五九―一六〇頁。

註(20) 堀眞琴氏『科學としての政治學』(小野塚教授在職廿五年記念・政治學研究、第一巻、昭和二年、六六―六七頁)

恒藤恭博士『價値と文化現象』昭和二年、一九二頁。

註(21) この點に關する文獻的典據は極めて多く、若しそれを掲ぐるとすれば、それこそ所謂枚擧に遑なき程とでも言ひたい程であらう。よつて玆には特にそれらを掲出しない。惟ふに、國家に政治が獨占的に成立するといふが如き見解や、或は國家を以て唯一の政治社會、乃至は最も典型的政治社會なりとするが如き見解が生ずる所以の一つの根本的原由は、蓋し國家の强制作用が極めて顯著であり、强大であることに負ふこと多大である。人は屢々誤つて國家のみを唯一の、或は絶對的强制社會なりと言ふ。併し乍ら斯る見解は社會的事實を正しく把握しない謬見である。强制は大なり小なりに、あまねく集團において見られ能ふ現象なのである。

註(22) 戸澤鐵彦教授、前掲論文(其三)(國家學會雑誌第五十一巻第四號、五一―五二頁)

(一九三八年一〇月二九日了)

昭和十四年五月十五日印刷
昭和十四年五月二十日發行

政學科研究年報〔第五輯〕第一部
定價貳圓參拾錢

編輯兼發行者 臺北市富田町
臺北帝國大學政學科研究會
代表者 安平政吉

東京市牛込區改代町二十四番地
印刷者 山中末吉

發賣所 東京市神田區一ツ橋二丁目
岩波書店
電話九段(33)一一八七番 一一八八番 一一八九番 一一八〇番
振替口座東京二六二四〇番

理想社印刷 田中製本

臺北帝國大學文政學部

政學科研究年報

第五輯

臺北帝國大學
文政學部 政學科研究年報 第五輯

第二部 經濟篇目次

「穀物條例」に關する一論爭

東嘉生

目次

農業は保護せらるべきか自由に放任せらるべきかの問題は、いふまでもなく、それが持つ歴史的具體的諸條件の下に於て把捉せらるべきである。それを一つの國民經濟の實踐問題と見る限り國によつて或はその資本主義成立發展の諸段階によつて自らその歸趨を異にするであらう。

十八世紀末葉より十九世紀初頭にかけてのイギリスは擡頭しつゝある資本主義の洋々たる道を踏み出してゐた。産業革命はいよいよ進展し、機械の發明とこれが應用、生産の規模の擴大とその社會的生産力の增大とは嘗つて見ざる全盛を極め、新産業は勃興し貿易は膨脹した。ところで一方に於ては尙穀物條例の施行、ドーヴァー海峽を隔つるナポレオン戰爭およびその大陸封鎖に原因する穀物の價格騰貴、同時に地代の增大といふ顯著な事實があつた。「物價並びに地代騰貴の原因とその救濟策は如何、如何にして賃銀を決定すべきか、勞働組織の及ぼす效果如何、租稅の據つて懸る階級は如何、すべてこれらの問題が資本家の利益に影響するところ如何。」(1) かくの如きが當時の問題であつた。此等の諸問題に對してマルサス (T. R. Malthus) とリカアド (D. Ricardo) とは殆んど常に反對の見解を抱いてゐたのであるが、殊に農業の保護か自由放任かを中心とする「穀物條例」(Corn Laws)に關する兩者の論爭はその最も華々しいものゝ一つであつた。この論爭卽ち所謂「穀物論爭」(Corn Controversy)を比較的忠實に眺めながら、その社會經濟史的背景との關聯に於てそれが持つ社會政策的意義を探らうとするのが私のこゝでの意圖である。

ところで當時のイギリスと今日現在の日本とがたとひそれが歷史的發展段階を異にするとはいへ餘りにも多くの類似點を持つてゐることは注目に値するであらう。農業は資本主義的組織に於て經營せられ、地主對小作の爭議は頻々として起り、穀物の、就中米の價格は安定を缺きこれが調節のために少からざる考慮が拂はれてゐるのがわが國刻下の狀勢ではないか。而かも內に於ては凶作は周期的運命であるかの如く殆んど例外なく起る。外には印度、和蘭よりの乏しき割當に甘んぜねばならず、一葦帶水を隔つる亞細亞大陸の支那と砲烟を以てまみえてゐる。百年前のイギリスが穀物の凶作に見舞はれ、同時に一葦帶水を隔つる歐羅巴大陸と戰を交へてゐた事情とは、その時と處とを異にするとは云へ、その間大いなる徑庭があると誰が云へるであらう。私が今こゝに「穀物條例」に關する當時の二學者の互に相反する立場に立つ見解をかへりみることは、かくてあながち徒爾ではないと思ふ。

(1) L. H. Haney; History of Economic Thought. 3 rd ed. 1936. pp.285—289.

二　「穀物條例」と「穀物論爭」

英國に於ける穀物條例は何時から始まつたか。吾々はこれをそれが廢止せられた十九世紀中葉を六世紀以上遡る中世の前期に求めることが出來るのであるが、然しそれがその形態を具備したのは十七世紀末葉に於てであるといふことができる。(1)即ち一六七〇年の輸入關税制と一六八九年の輸出奬勵金制とがそれであるが、前者は小麥の內國價格クォーター當り五三志(シリング)三分の一以下なるときは輸入穀物一クォーターにつき一六志の、五三志三分の一以上八〇志以下なるときは八志の關税を課し八〇志以上の時にのみ自由なるものとし、事實上穀物の輸入を禁止したものであり、後者は小麥クォーター當り四八志以下なる時は其の輸出に對し五志の補助金を與ふることを定めたものである。かゝる規定は農業に資本を吸收し相當の利得をあげしめ以て安定價格にて穀物を自給せしむるの目的達成を可能ならしめ、爾來イギリスは穀物輸出を原則とし以て十八世紀の半ばに及んだ。然るに一七六〇年代以來、産業の進展、人口の增加等に基き需要が擴大せらると共に穀物の自給困難となり、穀物價格の騰貴は年と共に激しさを加へた。其處で穀物の滿足なる供給をはかるがため、遂に一七七三年穀物條例を改め、輸入の自由となる限度價格の引下げを實行した。(2) しかしこの改正の結果、穀物輸入增加し穀物價格の低落を來すや、一七九一年再び輸入の自由となる限度價格を引き上げたのである。

然るに一七九三年フランスと開戰以來、穀物の輸入は困難となり、かてゝ加へて國内に於ける凶作を原因として、穀物價格は未曾有の暴騰を告げた。次表を參照せられよ。(3)

年次	價格(一クオーター當り) 志	片
1797	53	1
1798	50	3
1799	67	6
1800	113	0
1801	118	3
1802	67	5
1803	[illegible]6	6
1804	60	1
1805	87	10
1806	79	0
1807	73	3
1808	79	0
1809	95	7
1810	106	2
1811	94	6
1812	125	5
1813	108	9

かゝる穀物價格の騰勢は、自ら農業保護の結果を來たし、地主は連年の高價格に慣れ、又これを豫想して頻りに共有地の圍繞を行ひ、通常價格を以てしては收支相償はざるが如き土地の耕耘を開始し、又その日常生活を豪奢なるものたらしめた。農業企業家も亦同樣なる豫想の下に資本を土地に投下し、又高率の地代を以て其の小作契約を更新してゐた。この間にあつて穀物條例が地主の側からは殆んど中絶の貌をとるに至つたことは云ふまでもあるまい。

然しながらナポレオンのモスコーを退軍するの止むなきに至ると共に平和回復の曙光見え始め、それと共にアメリカおよびバルチック沿岸諸國よりの穀物輸入增進の勢あるや、穀物の自給は國防止必要なりといふ大陸封鎖によつて强められた思想と相俟つて、農業家特に地主を恐怖に陥れた。一方國内の急速なる人口增加のため略〻世紀の改新と共に輸出は止み却つて漸く穀物輸入國となつてゐた。こゝに於て國策としての低廉なる穀物の供給を外國に仰ぐことの可否如何は當然問題となつて來なければならぬ。穀物論爭の生起である。

而してこの穀物論爭の端を開いたものは、一八一三年五月發表せられた下院特別委員會の穀物貿易に關する報告書および六月右委員會會長パァネル(Sir Henry Parnell)の議場に於ける、現行穀物條例改正の必要を述べた演說であつた。こゝに現行穀物條例とは一八〇四年に改正せられたもので、輸入小麥一クォーターに對して對内價格六三志以下となる時はこれに禁止的重稅を課した法律であるが、委員等はこの六三志なる課稅價格の引上げを可とする結論に到達した。この特別委員會が指名せられた當時に於ては、小麥の價格は、遙かに課稅價格を超過してゐたのであるから(前表參照)、特別委員會の任命は穀物價格の下落を憂ふる地主階級の代表者の任命であつたといふのは速斷に失するが、然しこの問題の討議の開始後に於て、異常なる豐作のため、穀物價格は急激に下落したから(十二月に於ける小麥價格七三志六片)地主階級の困窮は、穀物條例改正の要求を甚だ切實なるものとしたといふことはできるであらう。

他面に於て穀物條例の改正に反對する世論も喧しくなつた。穀物價格は低落して回復の徵を示さず、農民階級の窮狀は遂にその極に達したかに見えた。其處で議會は一八一五年二月緊急の故を以て穀物條例改正問題を議事に上した。各都市からの反對請願者、院外民衆の騷擾ありしにも拘らず、遂に、原則として小麥の價格八〇志に至るまでは穀物、穀粉等の輸入を全然禁止すべしとの商務院よりの提議が上院を通過した。

一八一三年より一八一五年にわたる穀物條例改正の經過は以上の如きものであつた。この穀物條例問題を目前にして諸學者は夫々これに對する意見を發表した。中でもマルサスはこの問題に關して二つの小册子を執筆してゐる。その一は「穀物條例並びに穀價の騰落が農業と國家の一般的富に及ぼす諸效果に關する諸觀察」Observations on the Effects of the Corn Laws, and of a Rise or Fall in the Price of Corn on the Agriculture and General Wealth of the Country. London. 1814. と題せられ、その二は「外國穀物の輸入を制限する政策に關する一見解の基礎――穀物條例に關する諸觀察の一附錄」The Grounds of an Opinion on the Policy of restricting the Importation of Foreign Corn: Intended as an Appendix to "Observations on the Corn Laws." London. 1815. と記されてゐる。

ところで一方リカアドはマルサスに對する反對意見として「穀物低價格の資本利潤に及ぼす影響に對する一論、併せて輸入制限の不可を證明す。(4)」An Essay on the Influence of a Low Price of Corn on the Profits of Stock, shewing the Inexpediency of Restrictions on Importation. London. 1815. を公にし、且つ「經濟學及課稅の原理」Principles of Political Economy and Taxation の最後の章「マルサスの地代に關する意見」を第三版に於て著しく補訂した。

この問題に關しては、マルサス、リカアドの外、ウエスト (Sir Edward West) が A Fellow of University College, Oxford なる匿名の下に、「土地への資本利用論」Essay on the Application to Land, with Observations shewing the Impolicy of any Great Restriction of the Importation of Corn, and that the Bounty of 1688 did not lower the Price of It. 1815 を書き、又トレンス (Robert Torrens) も「穀物貿易論」An Essay on the External Corn Trade; containing an Inquiry into the General Principles of that Important Branch of Traffic; etc. 1815 を書いてゐる。然しながらこゝではこれを問題とせず、專らマルサスとリカアドとに限る。

マルサスとリカアドとの論爭は、一八一四年に入つて、通貨および外國爲替なる問題から轉じて、穀物關稅の影響を主題として論爭したのであるが、吾々がこゝに眺めんとするところのものは、以上の諸小冊子にあらはれたところの、穀物條例に關するマルサスとリカアドとの論爭である。

（1） 穀物條例が廢止せられたのは正確には一八四六年五月十六日である。

（2） 輸入の自由となる限度價格をば、從來の五三志三分の一より四八志に引下げたのである。而して輸出奬勵金は穀物價格が四四志以下なる時に交付することとした。

（3） カール・デール著、鷲野隼太郎譯「リカルド經濟學」第二卷、二七三—二七四頁、原表は Report 1814. 附錄十二頁、及び Report 1833. 附錄三八二頁より。

（4） 詳しくは、An Essay on the Influence of a Low Price of Corn on the Profits of Stock, shewing the Inexpediency of Restrictions on Importation with Remarks on Mr. Malthus's two last publications: "An Inquiry into the Nature and Progress of Rent;" and "The Grounds of an Opinion on the Policy of restricting the Importation of Foreign Corn" である。

三　マルサス對リカアドの穀物論爭

a　穀物條例に對するマルサスの見解

そこで吾々は、穀物條例に對するマルサスの見解を、冗長に流るゝ嫌ひはあるが比較的忠實に辿り行くことから始めよう。

マルサスの穀物條例に關する第一書「諸觀察」(Observations.) は、穀物條例に對する賛成論及び反對論を調停せんとする目的を以て書かれたものであり、「彼自身の友人と雖も彼が何れの所見に傾いてゐるかを疑つた程賢明にこれをなし遂げたものであつた。」(1)、この小冊子の中前半は、穀物價格は勞銀に影響を及ぼすといふアダム・スミスの獨自の議論を反駁し、穀物を食物と同一視してこれに不變の價値を歸せしめんとするスミスの見解は、若し穀價が上騰する場合耕作の奬勵も無用になることを結果するではないかとの検討に當てられてゐる。卽ち「勞銀の全體は決して穀物價格の變動に比例して昇騰又は下落し得るものではない」(2) 而して「吾々が若し、穀物の眞實價格が勞働や他の商品に對比して不變であるか或は價値の相對的増減を經驗し得ないものと假定すれば、農業は、スミス氏によつて非常に麗しく說明せられ描寫せられたところの、よつて以て資本が社會の雜多な必然的な動搖する慾望に從つて一使途より他の使途へと流動して行くところの、かの原理の作用からは直ちに除外せらるゝといふ結果になるであらう。而して穀物の生長は、如何なる時に於ても、如何なる國に於ても、農業資本の一樣なる增加によつてのみ惹起せられて、同一不變の步調を以て進展し來り、需要の變化によつては決して促進せられ或は後退せしめ得られるものではないといふ結果になるであらう。(3)」「かくして理論と經驗の兩者からして、穀物價格が勞働の價格及び他のすべての商品を急激に又は一般的に規制するものではないこと、及び穀物の眞實價格が、充分な長さの時期においては變動して農業に對して決定的な刺戟或は妨害を與へ得るといふこと程明らかなことはあり得ない(4)」と。從つて彼によれば、目下の問題を論議する場合には穀物に關する特殊なる論證を罷めねばならぬといひ、而して「穀物條例」によつて耕作は促進せられ得ると考へるのである。かくてこの書の後半は穀物條例が當を得たものであるかどうかの檢討に向けられてゐるのである。

然らば果して穀物條例はよい政策であつたかどうか？　との問題を提起し、マルサスはこの問題の解決には次の三點が先づ解決されねばならぬと考へてゐる。卽ちその三點とは、

「第一に、輸出入の最も完全な自由を想定して、大ブリテンおよびアイルランドは穀物の自立供給を惹起する

蓋然性があるかどうか、

第二に、自立供給が若し自然になし得ぬとすれば、それは眞に望ましき事柄であるかどうか、及び立法府の干渉を是認すべきものであるかどうか、

而して第三に、自立供給がかゝる事柄であると考へらるゝならば、如何なる程度にまで、また如何なる犠牲によつて目指される目的に到達するために、輸入に對する諸制限が採用せられるかどうか。」(5)

第一の點についての答はマルサスによればからである。先づこの問題は事柄の性質上一般原理によつては決せられ得ずして、耕作の面積、土壤、容易さに及び當該國の穀物に對する需要に依存せしめねばならぬと前提し、「一八〇四年から一八〇八年に至るまで、卽ち、この兩年を含めての五年間は、穀物の地金價格はクォーター當り約七五志であつた。然かもこの價格に於ては、わが國の土地を吾々自身の消費を增加せしむるに足る耕作の狀態にもたらすよりは、吾々の供給の若干部分を輸入する方が吾々にとつてより適當であつた。」(6)と言ひ、而して「この國には、救貧賦課税、十分の一税、租税の出費を加算するとき、それの耕作の費用は、農業企業家の地代の形態に於ける價値の五分の一或は六分の一以上を支拂ふやうな品質の土地が、可成りの量に存在する。」(7)農場のすべての必要費用、卽ち土地に對するあらゆる租税、農業資本に對するあらゆる租税、農業企業家の必需品に對するあらゆる租税を支出して後、尙生產物價格が一般利潤率に從

ひ、使用資本に對して正當なる報酬を殘さぬとすれば、土地の十分なる改良は行はれないであらう。かくて又增加する人口を供養するために投ぜらるべき新資本は利潤率の低下に從つて新しい土地には投ぜられないであらう。

「かくて全體として歐洲に於ける他の如何なる國と比較しても、英國の工業人口の現在の蓄積、圍込みに伴ふ諸費用、勞働の價格及び租稅の重さを考ふれば、大ブリテンが自然的には穀物の自立供給を齎らすが如きことは殆んど起り得ない。」(8) 然しながら他の諸國は英國に比べて豐饒な土地を有つてゐる。從つて若し全歐に自由貿易が行はれるときは英國以外の豐饒地は近隣の不足を救ふためにその食料を送ることになる。

次に第二の點については次の如く云ふ。經濟學の一般原理は、吾々が最も低廉なる市場にて買ひ、最も高價なる市場に於てそれを賣るべきことを敎へる。而して吾々が、「富、人口及び力」の外に何事も考へないとすれば、この法則は不變であらう。外國からの穀物の輸入は如何なる場合に於てもその國にとつて有利である。勿論時には外國貿易が穀物の異常なる購買によつて影響をうけることがあるだらう。然しそれは凶作などのための異常なる需要によるのであつて、その原因が輸入の平均額にあるのではない。「穀物の自由貿易はより低廉なると共により確實なる穀物の供給を保證するのである。」(9)

然し他方穀物の自由貿易の結果として認めらるゝ禍害に注目せねばならぬ。マルサスによればこゝに禍害とは、第一に生活の必需品を他國に仰ぐことは、その最大の必要の起つた場合重大なる供給を忽ちにして失ふといふ危險があるといふことである。戰爭が非常に擴大せられたといふ場合には國民は全く政治的不安定な狀態に陷るであらう。そしてこの依存が相互的であるにしても、なほ貿易上の利害の同一なることが、やゝもすれば戰を誘發するを免れぬものである。禍害の第二としては自由貿易の結果として、製造業のあまりにも甚だしき進展を結果することにある。吾々が若し農業を棄てゝ製造業をとるならば、吾々はイギリスの國民の性格を一變するであらう。製造工業は精神的活動力に、愉樂の擴大に、中流階級の增加にそしてそれと共に政治上の中庸に資するでもあらう。然しながら、それは農業よりも流行の變遷を被ることが多い。そして手工業者の生活狀態は、その最善の狀態に於てすら健康と德とに對して面白からぬものである。彼によれば德と幸福とが結局に於て目的であり、富、人口、及び力は手段に過ぎないからである。而してマルサスはこの農業と製造業との平衡は可能であると信じ次の如く述べてゐる。曰く、「道德及び政治の兩者に於ける多くの問題は、微分に於ける極大極小の問題の性質を有するやうである。その中には常に一定の效果が最大であるところの點が存し、この點の兩側に於てこれは漸次に減少するのである」と。(10) 最近に於けるイギリスの工業の進展はめざましきものがあるが、而かも尙、

「この國に於ける下層階級の人々の幸福と大なる災難に對する恆久的な安全との觀點からすれば、私はある程度まで工業の發展を遲延せしむるといふ犧牲を拂つてさへも、その農業にその工業と足並を揃へて行かしむることが望ましいことだと考へるにあまり躊躇しない」(11)と云つて農業の重要性を言外にふくめてゐるのである。禍害の第三としては、自由貿易による穀物價格の廉價からして、勞働者の收入をその價格に於て相對的に減少せしむるといふ結果になるのであるが、この事はこの國の下層階級の人口の狀態を惡化せしむるであらう。其處で「穀物及び勞働の高い名目價格は、それがたとひ商工業を阻止する傾向があるにしても、尙且勞働者階級にとつては有利であらう。」(12)第四に次の如きことが觀察せらるゝであらう。卽ち、穀物貿易調整に於ける人爲的政策はすゝむべきことではないが、然し港を開くことによつて極めて急激な穀物價格の下落が起るといふ結果を冒すことがすゝむべきことであるかどうか。地主及び農業企業家の大群の利益は、政策のかゝる變化によつて强く損害を蒙むるものである。彼等は國產品および外國品の何れをも一種の獨占價格を以て購ふことを餘儀なくせられながら、彼等自身のものを最も廣範圍の競爭價格を以て賣らねばならなくされる。「最も低廉〔の價格で――東〕に獲得し得るところで穀物を購ふことが國民の利益であるとしても、尙土地財產の所有者は公平な正義を以て取り扱はれないであらうことは認めねばならぬ。」(13)かくてわが農業を抑止することが不得策であるとすれば、この目的のための立法府の繼續的干渉を正當化するが如き、穀物自立供給の確保がマルサスによれば望ましきこととなのである。

若し然りとすれば、次の第三の問は、外國穀物の輸入に對する諸制限は、如何なる程度に、又如何なる犧牲によつて所期の目的に到達するやう計慮せらるべきであるか、である。さてかゝる意味での自立供給を確保することが實際的に可能なるためには、どうしても外國穀物がこの目的を完全に確保するやうに禁止せられ得るといふことが容認せられねばならぬ。然しながらこゝに吾々が海外よりの穀物の輸入制限を容認するに當つて注意せねばならないのは、それに伴ふ諸種の弊害の存することである。卽ちその弊害とは次の如くである。

「一、必要とせらるゝ穀物量を獲得するに必要な以上の大量の資本の投下による、國民的資源の若干の浪費、

二、輸出商品に影響を與ふる限りに於て、穀物及び勞働の比較的高價格及び銀の低價値によつて惹起せらるるところの、すべての外國商取引における相對的不利益、

三、輸入の完全な自由の結果であるべき、穀物の豐富及び製造業勞働者に對する需要を阻止することによつて惹起せらるゝ、人口に對する或る抑止、

四、殆んどあらゆる人工的政策に伴ふところの恆常的改正及び干渉の必要。」(14)

其處でマルサスによつて以上を總括するならば、論爭の目的は利益か不利益かの問題である。

如何なる方法に於て打ち建てられようとも何等かの犧牲に甘んぜねばなるまい。外國穀物の無制限なる輸入を辯護する人は、それによつて生ずる低價格は耕作の進歩を停止せしめるであらうし、或は寧ろ退歩せしめるであらうし、又人口の大なる割合を外國の供給に依存せしめるし、又工業國が必然的に蒙る商業上の衰退におとし入れることであらうからして、これに對する充分な注意を必要とするであらう。反對に輸入制限に贊意を表する人は、農業以外の部門はそのために非常な損害を受ける、特に商業に於て然り、其の結果として必然的に農業自身も害を被ることあるを注意せねばならない。而して現在の制限政策を固守する場合には、通貨の狀態に注意せねばならぬ。地金が穀物、勞働に對して現在の價値を持ちつゞけるとすれば、穀物條例は變更する必要はない、然し通貨が現在の名目價値を持ちつゞけるならば、條例の改變は必要である、若し地金の價値が下落するとせば、この中間の改正が必要である。而して價格は、輸入品に課せられた高關税によつて惹起せらるゝ高價格と、輸入によつて除去され得ない供給過剩によつて惹起せらるゝ低價格との間を動搖する傾向がある。其處で政府は現在に於ては如何なる窮極的な條例調節もこれを延期せしむることが望ましいであらう。「然しもし現行法律をより實效的ならしむるために、その改正に急激に着手しようと決心せねばならぬとすれば、一時的方策としても又恆久的方策としても、禁止として作用するのでなく保護的なると同時に有利な税として作用するところの、外國穀物に對して不變的關税の形を、諸制限に對して與へることに若干の利益が明かにあるであらう。……而して供給過剩によつて惹起せられるかも知れぬ「價格の—東—暴落を阻むためには、舊來の奬勵金が繼續せらるべき」(15)であらうと結んでゐる。かくてマルサスはこの書に於て、どちらかといへば穀物條例擁護の側に傾いてゐることを知るべきであらう。

穀物條例についてのマルサスの第二書、Grounds of an Opinion on the Policy of restricting the Importation of Foreign Corn &c. は、前掲書の「附錄として企てられたもの」であるが、その輸入制限政策賛成論者としての態度たるや、こゝに至つて全く鮮明なものとなつてゐる。曰く「吾々は一般原則が眼前の場合に適應せられるや否やを苟くも注目せずして一般原則を追及すべきものであるといふ説及び政治學や經濟學に於ては道德に於て正しく爲すべきやうに他人の行爲や言動に關係なく、吾々は眞直に前進すべきであるといふ説に強く余は反對する」(16)とマルサスは明言してゐる。而して彼は彼をしてかゝる保護主義者たらしめた所以のものは一部は「諸觀察」の中に示したところであり、一部は最近に於ける若干の新事實によるものであるといふ。こゝに若干の事實とは、

「一、現在の穀物價格の結果に關し議會に提出された出席者の陳述並びに本年の諸經驗、

二、改正爲替相場と金價格の下落、

三、最近フランスに發布せられた穀物輸出に關する法律」(17)

の三つを指すのである。

穀物條例の結果に關する議會に提出された陳述から次のことが云へる。即ち「價格騰貴と結合せる、土地耕作に於ける資本の迅速なる增加は、國内の穀物生産を大いに增加せしめたからして、吾々の供給に對し外國の供給は何等關係はなくなつたといふこと」(18)更に「高い價格に於ては土地には尙依然として資本が缺乏してゐ、又資本には、それによつて更に增加しつゝある人口がその完全な需要を充たしうるが如き擴大が許されてゐること、最近生じた價格下落、及び繼續的な穀物輸入のためのそれ以上の下落に對する恐怖が、單に耕作の進歩を妨害するのみでなく、既に現今農業に投資された資本に著しい損失を惹起したといふこと、又小作料の下落にも拘らず、低廉なる價格の維持は疑ひなく、全國に亙つて、小作階級の大量資産の破壞、並びに耕作面積と收穫の大減少」(19)を結果するであらうといふことであつた。

次にマルサスは、「諸觀察」に於て、貨幣制度の變動關係を指示することによつて、よつて以て穀物が輸入せられうる價格の最後的決定的確定をなほ差し控へるといふ提議の基礎づけをなしたが、このことは最近に於ける爲替相場の狀態及び貴金屬價格の下落によつていよいよ確定づけられたことを述べてゐる。(20)更に「諸觀察」に於て自由穀物貿易は原則的には比較的公正なるのみならず、又均一的穀物供給をなすことを指示して置いたが、然し最近フランスが穀物輸出に關する法律を發布した。何處の國と雖も、外國穀物貿易の自由を保證する力を持つ個々の國民といふものはないから、イギリスもこれによつて影響をうけるといふことはあるであらう。(21)

其處でマルサスの意見は次の如くである、卽ち「平年に於てわが國をして外國の穀物輸入とは全く無關係ならしむることを考量するところの制限方策は、ヨーロッパの現狀に於ける外國穀物の自由輸入よりも、より效果的に、わが國及び大多數の人口を富ましめ、幸福ならしむるであらう。」(22)マルサスによれば吾々が保護政策か自由貿易か何れかを選擇する場合に、如何なる方法で多大なる民衆の最大の幸福が永續的に保全されるかが考量されねばならないのである。然らば英國の港を開くことによつて社會の各階級は如何樣に富と幸福とを確保するのであらうか。マルサスはこれを一、勞働階級、二、農業者を主とする資本利潤による階級、三、地主階級、及び四、株主及び俸給生活者階級に分けて說く。

彼は先づ第一に勞働階級から始めてゐる。

穀物の高貨幣價格は、勞働への需要と、よつて以てそれが持つ生活手段への購買力といふ點を考慮すれば、勞働者にとつては有用であり、過剩なる生活必需品の購買に當つては極めて大なる利益をもたらす。然しこれとて現在の様にクォーター當り五〇或は六〇志の小麥價格から受取る賃銀では勞働者の地位は改良されない、これがためには八〇志の小麥價格は必要であらう。開港によつてこのことが可能であるかどうかは疑問である。それは寧ろ低價格を惹起せしむることによつて勞働者を窮乏に陷れるであらう。尤も仕事を失ひ行くかゝる人達を收容する多量の工業的資本が存在すれば問題はないが。然し實際に於てはさうではなくアイルランドの、最近に於てはイングランドの勞働者の窮乏は激しくなりつゝあるのである。[23]

「開港によつて通常價格は下落し、恐らく平均價格も下落するであらう[24]」最近十四年間（一七九二―一八〇五）は、最近百年間に於て最も變動が激しかつた。[25] かゝる事實が直ちに絶對的な證據となり得るとは思はれないけれども、少くとも主張を確證づけるに與つて力あるものである。而して「諸觀察」に於ては輸入制限政策から生ずる價格變動の若干の原因について述べたが、この價格變動は、然しながら今こゝに述べた開港による變動程大きなものではないと云つてゐる。

次に農業企業家を主とする資本利潤による階級であるが、「農業企業家が開港によつて苦しむであらうことは疑ひない[26]」然らば商工業に從事する社會階級は如何。これ等の中で「全く外國貿易を營む人々だけが穀物輸入の政策の利益を享受するであらう[27]」富は價値尺度の低廉或は高價格に存するのではなくて多量の生産物に存するのであつて、農業が受ける強力なる制限によつて多量の生産物が實際に増大するためには、商業はどうしても大進歩をなす必要がある。然しこれはなかなか困難なことである。外國貿易に從事して資本利得によつて生活してゐる人は、當該階級の極めて少數の部分であるから、此等の人々の利益をはかる必要はない。其處で大多數の人人についてであるが、彼等は開港による價格下落による資本の貨幣價値の減少を感じ、生産物の多量輸入によつて、農業地帶に於ては需要は減少、從つて又供給を減少するから國全體としては損害である。

第三に、地主階級についてはどうか。彼等は前二階級の如くには生産的階級とは考へられないが、然し「彼等の利害が國家の繁榮に彼等以上に密接に結合してゐる社會階級はない。」(28) 通常は穀物價格の騰落は地主の利害には關係ないと考へ勝ちである。然し「理論及び經驗はその反對を指示し、普通狀態に於てはすべて、價格下落は收益の減少を招來し、收益の減少は自ら地代の減少を招來することを教へる。」(29) 從つて開港が地主の地代を、貨幣形態に於てあれ商品形態に於てあれ、減少せしむることは疑ひ得ない。偖てこゝに二つの資本があつて、一は工業に、他は耕地開墾の强化に使用せられたとする、然るとき工業に投ぜられたものは何物をも遺さぬけれども、耕作に費されたそれは實に著しき地代を遺すのである。さてこそ地主階級は保護されねばならぬとマルサスは言ふ。

次に第四に、株主及び俸給生活者の階級である。この階級は諸港の解放によつて利益を受ける階級である。然し彼等はかの「勞働階級及び地主のそれの如くには、國家の福祉とはそんなに密接には結びついてゐない(30)」而して「今穀物價格がクォーター當り五〇志に下落し、勞働と他の商品とが略ゝ同一關係になつたとすれば、動産所有者は、生産者階級の出費に於て、從つて全國の富と福祉の出費に於て不當の利益を受けるものである。(31)」

以上社會の諸階級が諸港の開放によつて遭遇する狀況を見たわけである。これによれば、國民の最大部分卽ち生產者階級は利益よりは多くの損害を蒙ることは明かである。其處で暫時的輸入制限を招來せしむることが必要であらう。然し若し熟考の後穀物輸入を自由ならしめんと決定したならば、次の點に、卽ち、不況の際には耕作の收益は減少するであらうこと、最重要食料品を外國に仰ぐことは不安であること、土地收穫能力に對して國債を引上ぐるが如き强大な壓力が加はるであらうこと、等の點に注意し不安なきを期さねばならぬ。(32)又他方穀物貿易の制限を繼續的に固持せんと決心するならば、次の諸點に卽ち、穀物價格は繼續的に高くなるであらうこと、貨幣の本質及び貴金屬の交換價値に從つて輸入制限は法律に變更を加ふることになるであらうこと、確定收入は繼續的に減少するであらうこと、等の諸點に留意せねばならぬ。(33)

要之、マルサスによれば、外國穀物の輸入を制限することは政府によつて望ましいことであり、航海條例と同一種類の目的をもつものである。即ち公衆を利することが窮極の目的であり、農業企業家や地主の利益といふことのみが窮極の目的ではないのである。然し現實の問題としてはどこまでも輸入制限に賛意を表するものなることを述べて、「歐洲の現狀及びわが現下の實際の事情の下において、吾々にとつて最も賢明な政策は、吾々の穀物の平均供給を自ら耕作することにあることを余は確信し、而してかくすることによつて、わが國は人口、權力、富及び幸福の大なる且つ繼續的なる增加にとつて充分な資源を持つてゐると余は自任する。(34)」と結び、穀物輸入を制限することにより穀物の自立供給を可能ならしむることの賢明なるを主張するのである。

(1) J, Bonar; Malthus and His Work. 2nd. ed. 1924. p. 923. See. Malthus's Grounds of an Opinion, etc., p. 2.
(2) Malthus; Observations on the Effects of the Corn Laws, etc. p. 6.
(3) ibid. p. 8.
(4) ibid. p. 14.
(5) ibid. p. 16.
(6) ibid. p. 18.
(7) ibid. p. 19.
(8) ibid. p. 21.
(9) ibid. p. 27.
(10) ibid. p. 30.

(11) ibid. p. 30.

(12) ibid. p. 31.

(13) ibid. p. 33.

(14) ibid. pp. 34—35.

(15) ibid. pp. 43—44.

(16) The Grounds of an Opinion on the Policy of restricting the Importation of Foreign Trade &c., p 16.

(17) ibid. p. 3.

(18)—(19) ibid. pp. 4—5.

(20) ibid. pp. 8—10 參照。

(21) ibid. pp. 10—19 參照。

(22) ibid. p. 20.

(23) ibid. pp. 23—26 參照。

(24) ibid. p. 27.

(25) ibid. p. 27. マルサスによれば一七九二年は四二志、一七九六年には七三志、一八〇三年五六志、殊に一七九八——一八〇三年の間では五〇——一一八——五六志となつてゐる。

(26)—(27) ibid. p. 30.

(28)—(29) ibid. p. 34.

(30) ibid. pp. 36—37.

(31) ibid. p. 39.

(32) ibid. p. 44 參照。

(33) ibid. p. 45.
(34) ibid. pp. 47・49.

b　穀物條例に對するリカアドの見解

リカアドの「穀物條例」に對する見解は、マルサスの「地代の性質及び增進に關する研究」[35]及び前掲「根據」とに對する駁論として書かれた「穀物低價格の資本利潤に及ぼす影響に對する一論」と、「經濟原論」第三版の「マルサスの地代に關する意見」とにあらはれてゐる。

リカアドは一八一四年に入つて以來、既に幾度となく穀物條例を中心とする問題についてマルサスと私信を以て意見を交換してゐたのであるが、彼がマルサスに對して反覆主張したところのものは、利潤を決定するものは賃銀の高低卽ち食物の廉不廉であり、一般利潤率を左右するものは農業資本に對する利潤の多寡である、といふ原則であつた。「一論」はこれ等について彼の理論の骨子を與へたものであり、「經濟原論」に於てはその理論が充分に述べられてゐるが、その根本に於てはかはりがない。こゝでは前者を據處としてリカアドの語るところを聽かう。彼は先づ利潤の問題から說き起してゐる。

「人類の最初の定住の際、肥沃なる土地が豐富であり、これを得んとする者は何人も自由に處分し得る時は、耕作に必要な費用を控除した殘りの全生産物は資本の利潤となり、何等地代のため控除を蒙ることなく、悉く資本の所有者に歸するであらう。例へばかゝる土地に個人の使用する資本が、小麥二百クオーターの價値に等しく、其の半は固定資本、他の半は流動資本より成るものとし、而して固定資本及び流動資本を回收して後殘る生産物の價値が、小麥百クオーターなる時には、資本の所有者の純利潤は五十パーセントになるであらう。」

而して若し農業資本の利潤が假定により五十パーセントなる時は　他の商工業に投ぜられる資本の利潤も亦五十パーセントであらうと云ひ、「若し商業資金の利潤が、五十パーセントを越ゆるならば、資本は土地より回收せられて、商業に使用せらるゝに至るべく、若しそれを下る時は、資本は商業より農業に移されることであらう」(3)と。かくてリカアドは、かゝる社會發展の段階に於ける平均利潤は、あらゆる資本利潤の平均であつて、必ずしも農業利潤のみによつて律せられるものではないと解してゐる。

ところが、「最初の定住者の近接地に於ける肥沃地が悉く耕作されて後、資本と人口とが增加するならば、より多くの食物が要求せらるゝこととならうが、それは以前のものほど有利でないところの土地からのみ獲得せらるゝであらう……然るときは勞銀に何等の變動が起らぬとするも、同量の生産物を獲得するためには、常により多くの資本が使用されねばならぬことにならう」(4)然るときは「資本の一般利潤は、農業資本の最も不利なる使用に於ける利潤によつて律せられるからして」(5)第一等地に於ける利潤は下落し、商業に使用せらるゝすべての資本の利潤も下落するであらう。同樣にして更に限界土地に於ける利潤が下落する時は農業資本はもとより、他の商工業資本の利潤も下落するのである。かくてリカアドは、平均利潤は限界土地に於ける農業利潤によつて律せられ、而してそれは勞銀と關係なしに、舊耕作地に於ける地代が騰貴すると精確に同一程度に於て、下落するといふ見解に達してゐるのである。(6)

其處で彼は「かくの如く順次、より劣等地を耕作することにより、先きに耕作されたる土地の地代は騰貴し、それと正確に同一の程度で利潤は下落する」(7)といひ、又「されば地代はすべての場合に於て、從來土地に於て獲得されたる利潤の一部であり、決して新なる創造ではなく、常に既に創造されたる所得の一部をなす。」(8)

かくてリカアドによれば、平均利潤は限界土地に於ける農業資本の利潤であり、而してそれは勞銀の騰落には關係なく、本來地代の增進に伴つて下落するものである。然るにかくの如く利潤を低下せしめ、地代を騰貴せしむる生產の困難增進は、恰も穀物其他の農產物の價格を騰貴せしむるものである。然るに貨幣勞銀は、穀物價格によつて支配せらるべきものであるが故に、この結果として自ら騰貴するに至る。然るに土地生產物以外の財貨は、その生產には變動はないから、その價格は上騰しない。從つて利潤はこの原因により更に低下するのである。尤も農業企業家は、

穀價騰貴の影響を受くるけれども、穀物が安價にして其の獲得量の多き方が有利であらう。(9)

かくて彼は資本家の利潤の增大が社會的目的であるといふ見地から、「地主の利益は、常に社會に於けるあらゆる他の階級の利益に反するものである。彼の地位は、食物が缺乏し且つ高價である時程繁榮してゐる時はないのである、ところで反對に他のあらゆる人々は食物を廉價に獲得することによつて大いに恩惠をうける。高い地代と低い利潤とは必然的に相隨伴するものであるから、それが事物の自然の成行の結果であるならば、決して不平を云ふべき問題ではない。(10)」と明言してゐる。

かくてリカアドは、地主の利益は資本家の利益に反するものであり、從つて社會全體の利益に反するものと解してゐるのである。然し地代の發生及び增進が、人口と土地生産力との自然的原因に基き、地主の如何ともする能はざる必然の結果と解するから、地代收得の故を以て地主を攻擊せんとはしなかつた。唯地代の增進が國民全般の利益に反するものなる以上、それが經濟の自然的成行によらず、却つて地主の意識的努力に基く時に於ては、彼は敢然として國民全般の利益に於てこれを排斥したのである。

一國民は其の貨幣の夥多なること、若しくは其の貨物が高き貨幣價値に於て流通することによつて富むのではなく、其の慰安と享樂とに貢獻しつゝある其の貨物の夥多によつて富むのである。

而して地代及び利潤を支配する原理が正しいとすれば、資本の一般利潤はひとり食料の交換價値の下落によつて引上げられるものであり、而して食料の交換價値の下落は次の三原因によつてのみ惹起せしめられるのである。即ち、

「一、農業企業家をして更に大なる生産物剰餘を市場に持ち來らすを得せしむべき眞實勞銀の下落、

二、同じく生産物剰餘を增大せしむるところの農業の或は耕作器具の改良、

三、よつて以て穀物が國內で生育せらるゝよりも低廉な價格で輸入せらるゝが如き新市場の發見。」(11)

而して「富と人口との進展しつゝある社會に於ては、自由な或は稀少な賃銀による效果とは無關係に、農事改良或は穀物がより低價格で輸入せられ得るにあらざれば、一般利潤は下落せねばならぬのである」(12)から して、農事改良の行はれること、或は穀物の海外よりの輸入が行はれることが、資本利潤を上騰せしむるために必要であるといふ。然し又、如何に農業上の改良進歩を以てしても、若し穀物の輸入が禁止又は制限せらるゝ時は、富及び人口の增進に伴ひ、劣等地を耕作せざるを得ないのである。

一國が貿易によつて利益するを得べき途が二つある。一は一般利潤率の增加によるものであり、他は商品の夥多により、又その交換價値の下落によるものである。前者によつてその國の收入は增大せられ、後者によつては、同一の收入は生活必需品及び奢侈品のより大なる高さを取得する

の力あることとなる。商業の擴張、製造業に於ける分勞及び機械の發明は、それによつて商品の高を增大はするけれども、利潤率の上には何等の效果をも有することがない。こゝに於て利潤は食料の價格に、若しくは寧ろその價値に依存する。食料の生産をして容易ならしむるあらゆる物は、利潤率を引上ぐるのである。而して「食料を取得するの容易は資本の所有者にとつて二つの點に於て有利である、それは同時に利潤を引き上げ、又消費商品の高を增加する。(13)」ところで穀物の輸入はその價格を低減するに資すべきものであるから、これはすゝむべきことであるとリカアドは云ふ。而して英國は穀物の自由輸入を斷行するも、たゞ劣等なる土地のみが無地代たるに過ぎぬであらうといふことを繰返し指示してゐる。即ち曰く「若し立法が穀物貿易に關して決定的政策を追ふならば、即ち人々が永續的自由貿易を許し、而して各々の價格變動に由つて交互的に或ひは輸入を阻止し或ひは輸入を奬勵することをしないならば、わが國は疑ひもなく正規の輸入國となるであらう。わが國は、人々がわが國の土地の豐度をわが隣國の土地と比較するとき、わが國の富及び人口が有勢である結果、輸入國となるだらう。一國が相對的に富んでゐる場合、その國の一切の肥沃なる土地が高度に耕作される狀態にある場合、及び其國の人口に對して必要なる食物を獲るために一層劣等なる土地に賴るの必要がある場合、又はその國が本源的に肥沃なる土地の利益を享受することが出來ない場合、たゞこれ等の場合に於てのみ、穀物を輸入することは有利であり得る」(14)と。

食物を輸入することは一般に有事に際し外國側の食料遮斷に陷るものではないかとの議論に對しては、リカアドは、其際輸入食物は高々需要量の八分の一だけに過ぎないことを述べて曰く、「わが國の普通の必要量の大なる減少――それはわが國の全消費の恐らく八分の一であらう――が著しき弊害であらうといふことは首肯されなければならぬ。然しながら吾々が戰爭狀態にない所の諸國から大量の穀物を獲るといふことは疑ひなきところである」(15)と。ところで「それが立法により制限されないならば、かくの如き土地よりは、資本は漸次撤回せられ、その上に於て今日收穫せらるゝ穀物は輸入されるであらう。撤回された資本は、穀物の代償として輸出さるゝが如き商品の製造に使用せられるであらう。一國の資本のかゝる分配はより有利であらう、さもなくばその分配の採用される筈はないだらう。」(16) かくて穀物輸入の制限は、資本の自然的分配を害し、利潤を低下させるものである。

マルサス氏は、勞働の實際の交換價値（卽ち生活必需品便宜品を支拂ふ力）は低い貨幣價格によつて減少せしめられるとの故を以て、穀物の低い貨幣價格は下層階級にとつては恩惠的ではないと言つた。實際この問題についてのマルサス氏の意見は確かに重要である。然しながら「彼は一方下層階級への國民的資本のよりよき分配の効果を充分に認めてはゐない」(17) この國民的資本の分配がよくなるといふことは、より多くの勞働を傭ひ得るのであるから恩恵的であり、より多くの利潤が蓄積せられ、かくて永い間勞働階級の狀態を改善し來つたところの高賃銀によつて人口も增大し行くであらう。

又マルサス氏は、商工業者特に直接外國貿易に從事してゐる者が輸入政策の利益を感ずるといふ。若し一般利潤が下落するとき地代が騰貴し、一般利潤が騰貴するとき地代が下落するとせば、而してマルサス氏の云ふが如く、輸入穀物の效果が地代を低下せしめるものならば、「あらゆる資本家はそれが農業企業家であれ、商工業者であれ、皆利潤を增大するのではないか。(18)」農業改良或は輸入の結果として穀物價格が下落することは、穀物の交換價値のみを下落せしむることであり、他の商品の價格は何等影響を受けるものではないのである。

次に穀物輸入制限が行はれても、外國貿易の如何なる部分も失はれるものではないといふマルサスの意見には賛成である。成る程自由貿易の場合には喪ふものが大であらう。「然し問題は同一外國貿易を吾々が保持するかどうかではなくして、此の二つの場合に何れが、利益多きや否やといふことである。わが商品は多かれ少かれ、自由貿易の、及び穀物の低廉なる價格の結果として海外に賣られるのではない、が然しわが製造業者の生產費は、穀物價格が、八〇志であるか七〇志であるかによつて異なるものであり、結局利潤は、輸出商品の生產費の節約によつて增大せしめられるであらう。」[1]

次にマルサス氏は價格騰貴は、「貴金屬の眞實價値の下落によつて、鑄貨の名目を引き上げることによつて、或は紙幣の過度なる發行によつて生ずる貨幣の減價に伴ふ多くの禍害を相殺するための、利益の一つである」[20]と述べてゐるけれども、私は強く主張する、「貨幣價値の騰貴はあらゆるものを低落せしむる。ところで穀物價格の下落は勞銀を低下せしむるのみであり、從つて利潤を高めるものである」[21]ことを。

かくて、「若し穀物が、この國の比較的良好の土地で獲られるよりも廉價で輸入せられ得るとすれば、地代は低落し、而して他の種のよりよき土地が、利潤獲得のためにのみ耕作せられるであらう。わが進展の如何なる段階に於ても資本利潤は增加し地代は下落し、そしてより多くの土地が放棄せられる。その上、國は、海外から受けとる量を以て、穀物が國內で生育せられ得る價格とそれが輸入せられ得る價格との間のあらゆる差を省くのである。」[22]

次いでマルサス氏は、穀物の低價格が、わが國の莫大な公債の利子に貢獻する人々に對する影響を考察してゐるが、「私は彼の結論の多くに全く同意する」とリカアドは云ふ。「イギリスの富は穀物價格の大なる減退によつて非常に增大せしめられたであらう、が然しその富の總貨幣價格は減ぜられたであらう。……然したとひわが商品の總體の貨幣價値が下落したであらうことが眞であつても、それは、わが年々の收入が同程度に下落したといふことにはならない。輸入を辯護する人は、その利益なることについての意見の基礎をわが國の收入がそんなには下落しないといふ確信の上に置くのである。(23)」

其處で「戰爭によつて最も打擊をうける者は、株主及び固定收入によつて生活する人々であると眞に主張せられる。彼等の收入の價値は穀物價格の上騰によつて、及び紙幣の減價によつて減ぜられ、同時に一方、彼等の資本の價値は資金の低價格によつて大いに減ぜられる。(24)」

かくの如くリカアドによれば穀物輸入制限は、資本の自然的分配を害し、利潤を低下させる。然るにそれは全く特定階級のために、社會全般の利益を犧牲にするものである。かくて彼は最後に輸入制限政策に對する批判を、次の如き皮肉な言葉で結んでゐる。即ち、「特定階級に對する考慮のために、一國の富及び人口の進步が阻害されてゐるのは、余の極めて遺憾とするところである。若し地主の利益が、低價格なる穀物の輸入より生ずべきすべての利益を顧みざるやう決定するに充分なる根據ありとせば、それは又吾々をして耕作法及び器具に於けるすべての進步改良を排斥せしめなければならぬ筈である。何となれば穀物の價格は下落し、地代は減少し、地主の租稅支拂能力は減退する。從つてかゝる改善は、少くとも穀物の輸入と同一の打擊を地主に與へるからである。だから徹底的にやらうとすれば、同一の法令によつて農具の改善と穀物の輸入とを同時に禁止せねばならぬ」(25)と。

（1） Malthus; An Inquiry into the Nature and Progress of Rent. 1815.

（2） Ricardo; An Essay on the Influence of a Low Price of Corn on the Profits of Stock &c., 1815. edited by E. C. K. Gonner. in 'Ricardo's Essays'. 1926. pp. 225—226.

（3） ibid. p. 227.

（4） ibid. pp. 227—228.

（5） ibid. p. 228.

（6） ibid. p. 229.

（7） ibid. p. 229.

（8） ibid. p. 231.

（9） ibid. pp. 233—235 参照。

（10） ibid. p. 235.

（11） ibid. p. 236.

（12） ibid. pp. 236—237.

（13） ibid. pp. 239—240.

（14） ibid. p. 240.

（15） ibid. p. 242.

（16） ibid. pp. 244—245.

（17） ibid. p. 247.

(18) ibid. pp. 247—248.
(19) ibid. p 248.
(20) ibid. pp. 248—249.
(21) ibid. p. 249.
(22) ibid. pp. 250—251.
(23) ibid. p. 251.
(24) ibid. p. 252.
(25) ibid. pp. 252—253.

c 穀物論爭の一應の要約

十九世紀初頭に於ける英國にあつて、穀物自由貿易が、穀物價格の下落とそれに隨伴する勞銀の下落とを通じて、資本家階級にとつて有利なるに對し、穀物保護貿易が、戰爭中に開墾せられたる、より肥沃ならざる土地の耕作を繼續せしめることによつて、高き且つ多き地代を維持するところからして、地主階級に有利であるといふ情勢を前にして、マルサヌ及びリカアドはその孰れをとるべきかを決せねばならなかつたのである。この事を問題とする兩者の見解を、私はあまりにも永くふりかへつて見たやうである。其處で私は一應こゝにこの論爭を要約して置きたい。

係て、マルサスの「諸觀察」に於ては、穀物輸入制限に對する贊否兩說の論據を先づ公平に紹介し、「諸基礎」に於て自家の態度を明かにしてゐるのである。先づ彼によれば穀物輸入制限による弊害は次の如くである。穀物輸入を制限するに於ては、必要以上の多量の資本が投下せらることになるから、國民的資源は若干浪費せらるゝといふことにならう。輸入制限は穀物の高價格、勞働の高價格を招來し、それが輸出商品に影響を與ふる限りに於て外國貿易に於ては相對的不利益を招來するであらう。輸入制限によつて穀物の潤澤といふことがなくなり、工業勞働者に對する需要を阻止し、人口に對して或る抑止となるであらう。而して輸入制限政策は人工的政策であるからして常に改正及び干渉の必要があるであらう。

穀物輸入制限政策にはかくの如き禍害がある。然しながらこの政策によつて、穀物價格を騰貴せしめ、この穀物價格の騰貴は地代を增進せしめ、國民の經濟的文化的發達を促進するのである。穀物價格は地代によつて決定されるのではなく、反對に地代が穀物價格によつて決定されるのであるからして、地代の增進は穀物生產費の遞增によつて生ずるものではない。穀物價格の騰貴は國富を增進せしむるものであり、如何なる意味に於ても有害視すべきではない。學者には穀物の價格騰貴を以て勞働者階級にとつては不利益であるとなす者がある。生活資料の價格はそれに照應した賃銀の增加を伴はずして騰貴し得るものではあるけれども、然し若し勞働に對する需要が同一比例で增加するとし、且つ勞働者の生活慣習に變化がないとすれば、かゝる狀態は決して永續するものではない。勞働階級の最も恐るべき問題は、勞働の需要が減退することであつて、穀物價格が上騰することではない。穀物價格の高い國の勞働者階級は穀物價格の低い國の勞働者階級と同樣な又ヨリ多くの福利を得ることが出來る。若し穀物の輸入が自由に行はれるとすれば、穀物價格は低下し、そのために農業の衰退を來すであらう。かくては勞働の需要を減退し、勞働階級は賃銀低下と失業とに苦しまねばならぬことゝならう。更に穀物條例を撤廢し穀物の自由輸入を許すといふことは、勞働者と共に農業企業家をも苦しめるのである。穀物の輸入が增大して、穀物價格の低落を來たし、その結果、農業資本の利潤が著しく減少することになるであらう。利潤率が舊に復するまでは農業資本の上に莫大なる損害が釀される。しかも穀物輸入のかゝる自由によつて利益をうける者は、殘餘の商工業者中、外國貿易に從事してゐる一部分に過ぎない。大多數の商工業者たちは、穀物價格と共に農民の購買力が低減するため、非常なる打擊を受けねばならぬ。次に穀物の自由輸入を許すことによつて、穀物價格の下落を來たし收益の減少を招來し、收益の減少は自ら地代の減少を來たして、最も密接に國家の繁榮と結合してゐるところの地主階級の利益を侵害することになる。かくて社會の諸階級の中、勞働者階級、商工業者階級（直接外國貿易にたづさはる者を除く）、地主階級と、大多數の者は、穀物の自由輸入によつて損害を蒙むるものである。これによつて利益を受ける階級は、唯一つ、資本家及び俸給生活者の階級である。然しながら彼等は、かの勞働者階級或は地主階級のそれの如くには、國家の福祉とは密接な關聯を有してはゐない。何れの政策と雖も多少の制限は免れないのであるから、この場合、彼等の利益を省みる必要はない、とマルサスは云ふのである。

いふまでもなく、リカアドの全體系の支柱は彼の分配論である。彼はこゝで勞銀、利潤及び地代の關係を研究してゐるのであるが、然し彼に於てはこれらの範疇は、特殊の形態として彼の興味を惹いたものではない。彼の興味を惹いたものは一方ではこれらのもの丶量的規定であり、他方ではその相互關係——これがこゝでの問題なのであるが——であつた。

彼は勞銀を規定して、それは勞働者及びその家族の生活資料の價値によつて決定されるといひ、利潤を規定して勞銀以上の商品價値の剩餘であるといひ、地代を規定して優良地及び平均地に投下された資本から得られる利潤と勞銀以上の剩餘であるといふ。このことから次の如き結論が生ずる、卽ち、勞銀と利潤とは互に對立するといふこと、及び社會の進步、人口の增進に伴ひ地代は增大する、實質的勞銀は變化しないが、利潤は低下さるゝといふこと、卽ち地代と利潤とは對立するといふことが。

リカアドはマルサスの土地收穫遞減の法則を信奉し、土地の占有は最初に優良地が占有せられ次いでそれよりも惡しき土地が次々に占有されるといふ風に考へた。從つて彼によれば農產物の價値は增大するとの結論が生れる。何となれば現在耕作せられてゐる下等な土地に投下された勞働によつて決定されるから。社會の進展に伴ひ農產物の價値の騰貴に伴つて名目的勞銀は增大する、（尤もその實質的勞銀は變化しないが）、而して名目的勞銀の騰貴によつて利潤は低下する、而して地代は增大するとリカアドは云ふ。尤も勞銀卽ち勞働の價格は穀物價格の一時的騰落にはそれ程速かには隨行しない。この點に於て、穀物價格の騰貴運動を起すところの自然的發展過程に際して勞働者の福利は害せられると云ひ得る。然しながら反對に價格低落の場合には、低き穀物價格の結果を惹起せらるゝ經濟界の活躍が勞働需要の增加を來たし、從つて勞銀の騰貴を來たす限りに於て、勞働者の利益を高めることになるのである。マルサス氏の言ふ如く、穀物價格の變動が勞銀高の上に及ぼす影響よりも、その勞働の機會の上に及ぼす影響の方が遙かに大なのである。尤もこの變動はマルサス氏とは反對に低落を意味するのであるが。

次に利潤と地代との對立については、リカアドは次の如く云ふ。なるほど地代の增大は利潤の減少を意味する。然し前者は後者の原因ではない。兩者とも社會がよき耕地から劣等なる耕地に移るといふ同一原因に基いてゐる。穀物需要が增大し、より劣等な土地が耕作されると共に地代は騰貴し、同一比例で利潤は低下する。資本利潤の低落は、だからして穀物價格の騰貴から獨立しては示され得るものである。

ところで社會を進歩させる要因は資本の蓄積にある。そしてこの資本の蓄積は利潤率が一定の高さにある場合に於て始めて可能である。然らばこの利潤率を一定の高さに保つには穀物價格の異常なる高騰を阻止せねばならぬ、これがためには農業技術の改良を行ふと共に穀物輸入を自由ならしめねばならぬ。廉價なる穀物の輸入は、穀物價格の下落、地代の減少を招來するであらう。かくて地主の利益を減退せしむることになるだらう。然し國民全般の利益からすればこれ又止むを得ない。

而して反對に穀物價格の騰貴によつては一般消費階級及び商工業者は損害を蒙むるであらう。消費者にとつては、穀物を購ふものは常に貨幣及び商品であるから、そのものと比較して穀物價格がより低廉であることが望ましいことであり、又製造業者にとつては、高い穀物價格はその結果として賃銀を騰貴せしむるであらうが、製造業者の商品の價格を高めるものではないから、これ又利益とはならぬ。從つて地主以外の一切の階級は穀物騰貴によつて不利益を蒙むるのである。其處で彼は穀物價格を吊り上げ、延いては勞銀（名目的）を高め、利潤を低下せしむるところの穀物條例に反對した。而して彼は、穀物の輸入を自由ならしめてもイギリスの穀物が外國穀物に驅逐されるやうなことはない、外國穀物によつて驅逐されるのは、國內の劣等地から得られる穀物だけである。穀物輸入の自由は穀物價格が異常な高さに達することを妨げるだけであつて、正常な高さを保つことを妨げるものではない。從つて穀物輸入の自由は少しもイギリスの農業國たるの地位を動搖せしめないのみか、それは穀物生產に投じられる勞働の增加を防ぎ、工業的發達を可能ならしめる。穀物の輸入によつて穀物價格が阻止されるか又は穀物價格が下落するに至るとすれば、總ての國民は損失を免れる。しかもそれによつて損失を招くものは、國民の極少部分たる地主階級だけであるから、穀物の貿易はこれを自由ならしめねばならぬ。とリカアドは云ふのである。

四　結　語

佛蘭西革命とナポレオン戰爭との經過中に於けるイギリスは、農業に於て、完全なる革命を成立せしめた。かゝる變化がなかつたとすれば、英國農業はその人口增加に伴ふ食料品の需要に應ずるといふことは不可能であつたに違ひない。然し幸か不幸かエンクロジュアによる耕作のかゝる進展は農民を土地から分離せしめ、且一般社會に與へられるものと信ぜられてゐた利益は所をかへて地主の懷にと入つて行つた。前進的耕作を可能ならしめたところのナポレオン戰爭によつてもたらされた穀物價格の騰貴は地主の收入を激增せしめた。一七九一年改定せられた穀物條例は四六志乃至五四志の間に穀物價格を安定せしめんとする法令であつたが、一八一五年に於ける平和の見越しや、米國或はバルチック地方に於て生産せられた穀物の、イギリス諸港への輸入は、突然地主の眼を開いて彼等の繁榮の不安さを敎へた。其處で彼等は、若し彼等が破產すれば、イギリスの農業制度は瓦解し、イギリス王國の財政は紊亂するに至るであらうことを理由として、嚴重な穀物條例の改正を議會に迫つたのである。かくて遂に政府は一八一五年、小麥價格一クオーター八〇志以上になる迄は、外國穀物の輸入を禁止することとなつたことは既に述べたところである。

其處で、マルサスはかくの如く穀物條例を維持すれば、當然穀物の價格が騰貴し、引いては地代は騰貴し、地主の增收をもたらするものである、而して穀物價格の騰貴は、勞働の自然價格の騰貴を結果し、資本家の利潤を減じ、その不利益を招來するものであると、主張するのである。此點に於てマルサスは資本家の不利益に於て地主の利益を辯護したといふことができよう。ところで、リカアドはマルサスとは正に反對に、穀物條例の維持は穀物價格を低落せしめ、このことは引いて地代を低落せしめ、一方資本家の利潤を增大しその利益を招來すると主張する。従つて彼に於てはマルサスとは全く反對に政策論に於ては、(1)地主階級の不利益に於て資本家階級の利益を主張するものであるといへよう。

云ひかへれば、穀物條例に關するマルサス對リカアドの論爭は、一方が地主の利益に於て、他方が資本家の利益において爲されたものといへる。而して兩者の論爭は當時の地主及び產業資本家兩者間の對立乃至有產者相互の自由競爭の事實を表示するものでもあらう。いふまでもなく、資本主義が尙未だ初期の發展段階にあつては、従來の封建的經濟組織の殘存せる關係上卽ち新興資本家階級と傳統的封建的階級の對立との存在せるため、資本と勞働、従つて又有產者階級と無產者階級の對立は明らかに表面には出でなかつたであらう。然し資本主義制度の發展は、マルサス及びリカアドの時代に於て、一般的福利の問題を解決するどころか、一方には致富を與へ、一方では失業人口の増加、勞働者の貧困の現象を惹起してゐたのであるが、而かも尙兩者の見解は失業人口の或は勞働者階級の利益をはかるといふ體のものではなかつた。マルサスの見解は、一見穀物價格の騰貴によつて勞働者階級に利益をもたらすが如くには見えたけれども、而かも尙穀物輸入制限政策、穀物價格の騰貴が一般公衆の利益と調和することも出來なければ、又勞働者の利益とも調和し得るものでもない。卽ち八〇志に穀物價格を維持することは、食料品の供給を明らかに制限することであり、延いては大多數の人々に餓死か、榮養不良を惹起せしむるのみならず、更にその後の經驗の示すところでは、(2)かゝる方法による穀物價格の安定は不可能であつた。嘗つて人口の大部分が農業に從事してゐた時代に於ては一般民衆の利益は大體地主の利益と一致してゐたでもあらう。然しイギリスが產業革命を經て次第に工業國となるにつれて、この事は眞實ではなくなつたのである。穀物條例はかくて一階級政策であり、これを擁護せんとするマルサスは、所詮彼の意圖とは寧ろ反對に勞働者階級の味方ではなかつたと云へるであらう。然らばリカアドに於てはどうであつたか。リカアドによれば、當時イギリスはその產業發展のために、有力な技術以外に尙安い勞働を必要とした。安い勞働は安い穀物を前提とする。(3)而してこの穀物の低廉なる價格は穀物條例の下では不可能であつた。かくて彼は穀物輸入の自由を主張することによつて穀物の低價格を、從つて又勞働の低價格なるべきを主張した。彼の主張する穀物條例の廢止が所詮勞働者階級の味方となるものではなかつたことは明らかであらう。(尤も彼に於ては、社會の進展につれて實質的勞銀は變化しないが、利潤は低下する傾向があると述べることによつてこの對立を解消せしめようとしてはゐるが。)

かくて勞働者階級に對しては、マルサス、リカアド共に有產者階級の擁護に終つたといふことができる。かゝる意味からすれば、穀物條例は地主階級と資本家階級との闘爭の頂點であるといふことも出來よう。然しながら兩者の論爭が資本家對地主、利潤對地代といふ形に於て爭はれ、勞働者との或は勞働との對立に於て——兩者ともこの對立を意識してゐたとは云へ——爭はれなかつたことは、當時の如き資本主義の發展段階に於てはまた止むを得なかつたところであらう。否それどころか、客觀的には兩者の見解は資本主義の發展に寄與することに大いに與つて力あつたものといはねばならぬ。

マルサス對リカアドの穀物論爭の持つ社會政策的歴史的意義は以上の如くである。ところでこの論爭の持つ意義は貿易政策にもかゝはる。

事物が、自由貿易、自由放任、需要供給の制度の下に於ては、一つの生產物の經濟的成行はどうなるかを知るべき手段を持たない。競爭的價格制度の下では、物價が上向する間は生產は增大し行き、この傾向は供給が需要を追ひ越し、物價が下るまで續けられる。然るに不幸にしてこの下落は、自由貿易による増加供給量に比例するものではなく、全く釣合を失したものとなる。かくては生産は減少し、然る後に物價は騰貴し始めて遂に生産過剩が起り市場が再び沈滯するに及んで、又物價が騰貴し始める。自由貿易による價格制度の下ではこの循環論法から免れることは出來ない。それは社會の平等を助長せずして、結局少數者に大なる利益を與へ、多數者に大損害を與へることになるだらう。こゝで少數者とは資本家である。其處で、損害を蒙むるところの生産者の利益の保護が必要となつてくるであらう。これがためには輸入制限による物價の安定といふことが必然となつてくるのではないか。かくてマルサス對リカアドの論爭による保護貿易か自由貿易かの貿易政策に對しては、一般論としては吾々はマルサスをとらねはならぬであらう。

然しながらマルサス對リカアドの穀物論爭の其の後の歴史は、マルサス一派が涙を流さず、歎も歎はずに沒落しはしなかつたとしても、所詮、リカアドの流れを汲む穀物條例撤廢運動の、從つて又自由貿易の勝利を物語つてゐる。其處では自由貿易の歴史は、無制限なる機械使用による、競爭物價制度への反響の歴史を意味することゝなつてゐるのであるが、(4)この無制限なる機械使用による資本主義的生産の進展は遂に生産量の增大を結果し、餘剩商品を投賣することとなつた。これと交換に食糧品と原料品を獲得するための市場を發見することはイギリスにとつては死活問題となつた。然し如何なる國民と雖も、無限に他國民の製造業の消費者となることは出來ない。他國民も順次機械生産を採用して其の幼稚産業を保護するために關税を引上げた。かくては、資本主義化された國家をして永久的に新市場を求めて益々進出せしむることとなるのである。それが何を必然的ならしむるかは自ら明らかであらう。これ等の發展に照して國家政策を、或はブロック政策を形成することが賢明となるであらう。吾々がかゝる危險狀態から免れる唯一可能なる途は、具體的には、あらゆる社會が自給自足的であることを願ふことであらう。かゝる意味から云つて食料は自給自足でなければならぬ。若し然りとせば、國家の基本的産業たる農業を犧牲とするところの自由貿易は拒否せられて、保護貿易政策がとられねばならぬであらう。

かゝる意味から云つてマルサス對リカアドの論爭は現代社會の、而して又わが國現下貿易政策への一つの暗示を與へることになりはしないか。尤も彼等の論爭は關税政策による國内産業の擁護如何を目標とせるものであり、機械生産の發展から招來せらるゝ諸問題への對策は、たとひ意識せられてゐたとは云へ、結局講ぜられなかつたのではあるが。

そればかりではない、この穀物論爭はなほ又わが國現下の米價改策に對して多くの示唆を持つてゐることを知るのである。即ちわが國の現狀を見るとき、穀物の、就中米の價格は安定を缺き、これが調節のために少からざる考慮が拂はれて居り、(5) 一方農民の苦惱を救ふる地主對小作の爭議收取されてゐるからばかりではなく、都市民對農民の經濟的利害關係の對立を基底とする。然る限りに於てこれは米價問題にかゝはる。從つて農業企業家兼小作人であるところのわが農民は、農業はピラミッドの基底であるといふ意味から云つても、保護されねばならぬであらう。(6) かゝる意味から云つて穀物高價格の是非を論じたるマルサス對リカアドの穀物論爭は、わが國米價政策にも或る示唆を與へるものといふこともできるであらう。

(1) リカアドは「影響」に於ては、「地主の利益は、常に社會に於けるあらゆる他の階級の利益に反する」Ricardo; An Essay of the Effects etc. Gonner's Ed. p. 235. と明言してゐるのであるが、「經濟學及び調税の原理」Principles of Political Economy of Taxation に於ては、却つて勞資間の利害の對立を主張すると解すべき文章が多い。3. B. Ricardo; Principles. p. 28, 91, 96, 105, 272. etc. 然しながら其處には全く根本的差異はないと考へられるし、(Ricardo; Priniples. p. 104. 177 參照) 又「影響」に於ける所論は、云はゞ彼の一つの政策論であり、こゝに政策論を問題とする限り、「影響」の所論に從へば足りるであらう。

(2) 一八一五年以後三十年間に於ける穀物の平均價格は六一志四片であつた。その結果農業は著しく投機的事業となり、又地代は物價の高いことを前提として決定されてゐたのであるから、物價の下落した時には、無數の農業企業家が破産してしまひ、結局、穀物條例が喜ばしたものは地主以外にはなかつたのである。

(3) 當時の勞働者の或る層では、安い穀物は彼等の實質賃銀を高めるものと考へ、自由貿易に共鳴したものもあつたが、間もなく、自由貿易の未然の姿が明かとなるにつれて、その信奉者は急減した。

（4）　A. J. Penty; Protection and Social Problem. 北野大吉譯「貿易思想史」二五二頁。

（5）　わが國に於ては今や米穀統制法が施行せられてゐる。その制定の精神こそ多少異なれ、それが高穀價政策であるといふ點に於て當時のイギリスの穀物條例と多くの類似點を持つ。最近それの破綻がとなへられ、二重米價制の設置が叫ばれるに至つてゐるのではあるが。

（6）　尤もこの場合、本國と植民地とに於ては兩者が經濟的諸條件を異にするから、一率にはゆかないといふことはあるであらう。

（昭和十三年十月三十日）

工業會社高率配當の抑制に就て

今西庄次郎

一　はしがき

「はしがき」のはじめに　私が本稿を書いたのは昨年の夏であつたが、今校正の時までに半歳に近い月日を閲し、茲に「はしがき」にも先だちて一言附加すべき要を生ぜしむるに至つた。既に知られるでもあらうが、國家總動員法による會社配當の制限が我國にも現實、卽ち法制的に定められんとするに至つたことに基く。この總動員法による配當制限は主として戰時金融的目標を有つものとして、其批判の角度はその點にあらねばならないであらうが、然もさういふ制限の起れるのは、つまりそのバックをなせるものは矢張り確に近時に於ける資本主義抑制の思想であるのだ。右の法律の實施に際し、勞働者賃銀所得の制限に對する釣合、社會正義等の云はれた所にも、その片鱗は窺はれると思ふ。茲に總動員法の配當抑制も斯の本道的な抑制論と關聯を有たすべく、今は專ら戰時金融といふ臨時目的に應ずるやう定められて事は足るかも知れないが、單にそれだけで配當抑制といふ問題は解決されないのである。而して私の本稿はこの本道的な制限を取扱へるものであるが、上の意味より、總動員法による配當制限を眺むるに、撤囘どころこ、立論の必要、價値は少しも失はれてゐないと信ずるのだ。唯、現實事態の推移は、「はしがき」や我國の現狀の所に於ける經過の說明に幾分附言訂正すべき事柄が生じてゐるのである。この部分を今校正に際して書き改めることも考へられたが、便宜そのままにして置くことにした。讀者、この點、本稿が我が總動員法實施問題の起れる前の執筆なることを含まれて眺められ度く、これ「はしがき」に先だちてお斷りして置く次第である。

高率配當の抑制も近來の統制經濟趨勢と共に發展せる企業統制中のその營利性に對するものである。營利性に對する統制は必ずしも抑制とは限らず、近き過去に於ては反對に保護せんとする態度、例へば企業團結の是認、助成も——之等は積極的に營利の増大を計らうとするものでなく、その減少を食止めるに過ぎないとも云へやうが——少からず見られたのであるが、近時に於ては寧ろそれを抑制せんとする風が、營利性不信任、又代位の現象と共に强まらんとするに至つた。營利性不信任とは、當該事業の性質が營利目的に充分でないため私企業の營む所とならず、然も事業の必要性よりそのままに放任し得ずとして結局國家が助成するを云ひ、營利性の代位とは、非常に必要な事業なるも營利の餘地全く無きか、或は公益上營利を許す餘地なきため國家が非營利的に經營するを云ふ。

配當抑制が我國に於て一般的な問題にまで取上げられるに至つた事情は大抵の人が知つてゐるがやうである。先づドイツ、イタリー、就中ドイツに行はれし配當抑制の影響である。卽ちナチス政府は一九三四年三月の資本投資法 Kapitalanlagegesetz（之は更に同年十二月の公債資金法 Anleihestockgesetz により補完された）により、會社の配當を年六％以內、年六％以上を續け來れる會社に限り特に八％まで認めるといふ風に限定すると共に、餘分の利益は政府の公債財政の助成に向けしむることとしたのである。註 統制經濟の先輩國となし何かしら見倣はんとする傾向のありし我國に於て、それが所謂革新的論者の恰好の目標とされたことは疑のなかつた所だ。そこへ恰も勃發したのが所謂二、二六事件である。申す迄もなく、從來の社會一般に宿りし因循退嬰の氣を打破し我國を新しき發展態勢に進めんとせる運動の激發であるが、省みて內、庶政一新をなさゞるべからずとの彼等の叫びは、資本主義改革の一方途として配當抑制を一層表面的な論議に押出すに至つたのである。

註 長谷川安兵衞氏著「配當統制の研究」昭和十二年二月 三―九頁。
ナチスの法律の詳文に就ては左記參照
Hoche, Die Gesetzgebung des Kabinetts Hitler, Heft 7 S. 274―275.
〃 〃 〃 〃 Heft 11 S. 246―248.

之に對し一般に會社當局としては如何なる態度をとりしかと云ふに、高率配當の所謂自制であつた。が、それは忌憚なき批評からは、自制の爲の自制としか云はれないものだつた。卽ち彼等は、認識の點に於て、高率配當は惡いのか良いのか明確なるものを持たざるが如く、唯蓄積の多い會社は配當率は高まるも實質的な利益率は然るものに非ず、と辯ずるのが精々であつた。確たる信念の無き所、一方行動に於ても明朗さを缺くのは當然ともなるが、所謂ビク〳〵ものにて、向けられた攻擊や監視の鉾を兎に角一應は避けるに如かずとなすと共に、軈てその靜まらう機を待つものの如く、然も其間にも、配當率を高めずに株主の利益を計り得る工作あらば、夫をとらんとするの態度であつたのだ。

而して一般に此種の問題の起れる毎に賑はす學者方面の意見も、配當抑制に對しては、時勢を認めてか、極めて數が少かつた。その少き意見を綜合するに、ドイツに配當統制の行はれしは財政上の窮迫を主たる事由となすものにて、我國としては其點未だそこまでに至つてゐないこと、一途な配當抑制は生產の增進に支障を招く虞がありて一般的に强行することは賛成し難く、唯事業の公益性の大なるものと過度な高率配當をなせる會社に就ては、寧ろ相當なる抑制を至當とするが、それも制度的に定むるよりも、彈力の餘地ある當業者の自制に任かす方が、望ましいといふこと以外、特別なものも見當らなかつたやうである。註 政策實行機關たる政府當局者も恰も、それらを裏書するが如き態度をとつてゐたと稱して宜しい。

註 長谷川氏「前掲書」九七―一三七頁

上述の經過に對し一言せなければならないのは、今春に至り、我國にも政府が會社の利益金の處分に關し必要なる命令を爲すことを得るといふ法律――國家總動員法第二十一條參照――が遂に制定せらるるに至つた件である。此法規は唯今の處、未だ實施せられてゐないが、本來それは同法條の前段にもある如く、戰時に際し國家總動員上必要ある目的に行はれるのであつて、此點臨時性を有するのみならず、會社の金融、資金運用に關する事項と共に規定せられてゐる所より見て、主として國家財政、金融上の意圖に働かされるものと窺知されるのだ。或は、夫の實施は一時本格的な配當抑制を中止せしむることにもならうが、それとしては時局的の政策たるに止まるものであるのだ。

尤も斯る法律の出現が本格的な配當抑制の緒になりはしないかと民間を　れさしたのは事實である。然も、政府として配當抑制がそのやうなものを出でないと考へてゐるとも思はれないとして、本格的な抑制に就ては未だ腹が出來てゐないといふのがほんたうの所であらうと思ふ。勿論、先に述べた如く、民間の配當抑制運動に對立する者（會社當局に學者を含めて）は彌縫的な對策、意見しか持合はさず、强ひて夫を時局的發生物と解さんとする風であつた。併し私は、私の所謂本格的な配當抑制は株式會社資本主義の進行と共に必ず生起せざるを得ずとなすものである。蓋し吾々の公平或は平等思想は社會と共に發展するものであり、一方統制經濟の名で呼ばれるが、社會經濟に對する國家の政策的關與力は次第に强化せられるを見るからである。從てそれに對する政策は又株式會社資本主義を如何に見るか、株式會社といふものを將來如何にもつてゆくかといふ見地より出發してこそ、眞に實のある答はなされると考へざるを得ないのだ。換言せば、從來現はれた配當抑制の對策論に特に吾々の胸を打つもののなきは、株式會社理想論を把握してゐない所に歸せられると思ふのである。

私は斯ういふ構想の下に配當抑制問題を眺めてゐる者であり、茲に機會を得てその大要を述べんとするのであるが、今、配當抑制は資本主義社會に特有な企業の、營利性抑制の一形態に外ならずとなすことは、それを營利性抑制一般中の地位に從つて取扱ふが論理的となる。詳しく云へばそれは製品の價格或は料金抑制と相並んで私企業の官公營企業化に對しては前段に位し、つまり後者は前二者を問題として後問題とすべき態にあるのだ。處で官公營企業化の事は、かの營利性不信任が經營形態に現はれた場合の半官半民企業、營利性代位の經營形態たる事業の官公營と共に、「國家を主體とする事業の經營」といふやうに纏めた方がよい問題で[注]もありて玆には觸れる所でないが、配當抑制の問題にとりてその學問的取扱には、右に對し相共に並んだ、價格或は料金抑制の事が前提に位するものとなるのである。

注　工業に就て他の機會に述べた事がある。拙稿「國家を主體とする工業經營」臺灣地方行政　昭和十三年八月號。

尙ほ配當抑制問題は獨り工業企業に限らず、一般に亙る所であるが、たゞ他の事業に及ぶ時は、說明に事業の特性より來る事情を擧げる必要のある場合も生じ、面倒となる故、專門とする工業政策の範圍に於て論を進めてゆくことにした次第である。

二　配當抑制の前段としての價格、料金抑制

製品の價格或は料金――瓦斯とか電氣といふやうなものの場合――抑制が配當抑制の前段に位するといふ事由に就ては、以下述ぶる所より追々知得せられると思ふが、兎に角、夫は企業の營利性抑制の最も一般的な方法と云へる。卽ち企業組織の如何を問はず――配當に於て抑ふるのは會社以外には行はれない――可能なるのみならず、本來營利性抑制と云ふことは消費大衆に關聯しての問題であり、價格に於てこそ直接謂はゞ抑制の實益があるからだ。斯る價格、料金抑制は廣い意味の價格統制と云ふ中に入るは勿論として、價格統制の中には營利性抑制以外の目的を以て行はるゝものゝあることを知らねばならぬ。それは或る市價の大いさが國民經濟上一定の目的、事態に都合惡しとせられ、引下げられんとする場合である。戰時經濟下に於ける價格統制が其適例なること申す迄もなからう。此種の價格のための抑制の場合には、企業の利益の點に於ては、標準以上の狀態を喪はすまでに至らざることとあり、時には標準以下に甚しく減少せしむるに至ることがある。尤もそこに營利性の考慮が絕對に行はれないといふのでもなく、(註)殊にその利益が餘りに減少せしめられることゝなるが如き場合には、引下げを加減せんともするが、其本來の目的

の守らるゝ限り、企業營利の問題は別に殘されたといふ大いさの價格に與へられんとするのである。之に對し營利性抑制の價格統制にありては營利の程度が第一義的となり、專ら過分な利益を制するやう——半面不當に利益を減らすこともなく——價格を定めんとするのである。

註　價格のための價格抑制の行はれる場合、營利性抑制の必要が感ぜられ、一つの市價の決定に一處に加味し行はれることがある。が、さういふ場合は自ら別とし、單に價格のための抑制の場合にありてもといふのである。

然らばこの營利性抑制目的に出づる價格の決定方法如何と云ふに、固定設備費、原料代と諸賃銀、營業費等の平均的なものに相當の利潤を加へた大いさとなすことは、多く異論なく採用される所である。利潤の大いさ如何は其主眼となる點として、其率の大いさそのものは、今この計算に於ては外部より與へられたるものとなる。蓋し營利性抑制なるものが主に社會思潮の所產であるに於て、その大いさも社會通念によつて定められるからである。大體は當時の典型的な利子步合、例へば公社債、銀行定期預金等、就中公債の利子步合に相當の企業危險を加味したる大いさとされる。夫等の利子步合は時によりて變動するが故に、利潤率も亦變動の餘地を有つ理である。尙ほ企業危險も事業の性質によりて相違するものであり、從つて需要の餘りに增減しない其他によりて收益狀態の比較的に安定せる事業界と、然らずして景況によりて動く尋常の事業界とによりて、利潤率に差等を附するが妥當と思はれる。此點は必ず考慮すべきものと確定されてゐないやうでもあるが、所謂話せば社會的にも納得される所であらうと思ふ。何れにしても、上述したる所では、事坦々として、問題の主眼が利潤にありと云ふ其言を疑はすほどである。併し矢張りさうではない。既に知れる如く、企業の營利性抑制が問題とせられるに至つたのは近來の事に屬し、從つて今問題となれる企業がそれ以前の歴史を有つといふ場合が多いのだ。斯くの如き場合、當該企業の經營規模の設備を作すに要する時價資本額と彼の資本として評價せる額とが一致しないことが考へられる。否、それらの企業は殆ど株式會社組織であることも手傳ひて、註 表面的な積立金或は内面的な銷却をなせるものあると共に、反對に過大評價 overcapitalisation をなせるものありといふのが常例だと看做してよい位である。何れに利潤率を乘ずるかによつて利潤の大いさに相違を來たすこと申す迄もないが、之が實に問題となるのだ。

註 個人企業或はそれに近き企業組織にありては、毎期資本の評價換をなさんとし、利益を積立てたり缺損をそのままにたし置くことは、團體的な株式會社企業に比べ、少ないものである。

之に就て一應豫想されるは、時價資本額を基とすべしといふ、詳しく云へば當該企業資本が時價資本より大なる場合は時價資本まで切下げると共に、小なる場合には大なる時價資本額に評價し直すべしといふ考である。が、之に對し當該企業資本が時價資本より大なる場合は時價資本にまで切下げるは當然としても、その小なる場合にはそのままそれによるべしといふ考が存立し得るのである。申す迄もなからうが、前者の主義にありては所謂暴利が取締られるに止まる。暴利取締と云へば古い時代から唱へられた事であるが、右のやり方に於けるものは、より型にはまつた、又程度も嚴しきに於て、それでも營利性抑制として充分に近代的意味は有つ。之に對し後者の主義にありては營利の抑制が更に強く、積立資本を社會の爲に謂はゞ無償で働かし、製品の廉價なる供給をなさしめることゝなるものである。

然らば何れをとるべきか。之は前者がよい、後者がよいといふやうに選ばれて行はれるに至るものでなく、先づ何より時勢の力による。換言せば玆に吾々は、近來の企業の營利性抑制が前者の程度で滿足する底のものか、後者にも及ぶものであるかの命題に到達し、その認識を持出さなくてはならないのだ。而して之に對し何人も近來の營利性抑制が後者の段階に突入しつゝあることを否定し得ないと思ふのだ。が併し、其選擇は先づ時勢の力のとる所として、そのまま直ちに實現となると限るものでない。蓋し今日の國家意思の成熟せる時代に於て、如何に國民的推進力によるとは云へ、其政策的評價を經ずして行はすものでないからだ。此國家政策的見地が、企業を不當に壓迫することはないか、産業の經營を合理的に進ましむるやの角度より眺むることは說明する迄もないであらう。然らば此政策的見地より見て、今日の我國として――戰時經濟の點を抽象して――如何と云ふに、上の後者の主義を原則として行うてよいと決論されるのだ。其事由は、既に競爭なく營業上獨占的な地位にある企業として營利が保障せられてをり、それを行うても謂はゞ營利の衷和化を與ふるに止まるからである。

上の如くに述ぶれば、恐らくは、價格抑制は獨占的な企業に對してのみ行はるゝことを前提とするものなりやとの質問が起らう。誠に然りで、營利性抑制の價格統制なるものは獨占的な企業に關してのみ起る問題なることを先づ知らねばならぬ。未だ自由競爭下にある事業界にありては、價格、從つて營利性は自ら抑制さるゝを通常とするのみならず、又需要が增加し一時價格が高まるとするも、其方が却つて妥當な大いさを齎すやう促すのである。而して獨占的な企業といふも大體二種に分たれるのであつて、一は一箇の企業より成れる唯一獨占 Einfachemonopol 他は複數の企業より成れる複數獨占 Kompliziertemonopol である。

先づ唯一獨占の場合であるが、事業的に云へば、瓦斯、電燈、鐵道軌道等の公益的なものと通常のものとがある。事業の性質上自然的に又國家公共團體の保護によりて、多いのは公益企業であることは說明する迄もないであらう。公益企業なるほど一般に收益は確定してゐるものであり、從つてそれとの比較に於て普通のトラスト企業には、かの適用利潤率に多少の差違を持つを認めてやらねばならぬであらうが、然も何れにしても之等唯一獨占の場合には、既述時價資本以下主義は最も典型的に適用せられる所である。尤もこの場合にも、其適用によつて企業の切角の積立資本が單に社會の用の爲のみのものとなり當該企業にとりて全く意味なきものと化するとまでは云へず、企業收益が豫期の如くならざりし時に――若し全くこの懸念なきに於ては企業の危險歩合率を見込む要もないわけだ――それを以て從來の利益配當を續け得るのである。上の利益が豫期の如く上らざりし場合とは主に景況の變動等によるを指すが、尙ほ事業によりては新規擴張部分の利益が急速に上らず減配を避けんとせば勢ひ新規の發展を差控へねばならぬやうなこともあり、斯る場合にも積立資本を活用せば敢て積極的に進出し得ることゝなり上に加へ得ることも、想ふべきである。（勿論、企業としては上のやうな評價よりも時價資本額に評價し直して貰ふに越したことなしとなすであらう。之と關聯せる所であるが）たゞ私の此唯一獨占の場合にも考慮してやらねばならぬと思ふのは、積立資本が極めて多く拂込資本金の數倍といふやうな企業を突如として價格抑制をする場合には――公益事業の時は本來ぼろ儲けといふことは考へられないが故、如何に長年の歷史を有つ企業にてもそのやうな積立資本を擁することはまづないであらうが、普通事業にて何等かの事由で獨占となつた企業には、其事例間々見受けられる所だ――株式價格（企業價格）の大きい下落のない程の緩和工作をとることである。更に一般的に、統制後も、積立は有益だとしてもそれを增す餘裕は直接低價なる供給に向ける方がよいとなるが、上記の計算による經營を行ひて尙ほ經營上手のために所定以上の利益の上るが如き場合には――直ちに通常以上の配當は出來難いであらうが――或年間蓄へて特別配當をなす餘地を殘してやり、以て所謂企業精神を存せしめ活用せしめんことである。

次に複數獨占の場合と云ふのは、二箇以上の企業が競へるが團結して競爭をなさず、寧ろ積極的に團結を恃んで市場獨占をなさんとするものである。その適例が一部トラスト、就中カルテルにあることは玆に擧げる迄もない。企業獨占運動の初期の頃に於ては、國によりて對策必ずしも同じでなかつたが、夫を抑制する態度をとりし所に於ても其構成そのものを彈壓する方針をとらんとした。先年に於ける世界的不況に入るや、各國とも產業統制の名の下に却つて夫等の組織を時には强制してまで勸めんとするに至つたのであり、たゞ價格下落による利益減少を避けんことを念願とした位故、價格の抑制をやることは殆ど問題とされなかつた。然るに最近時に於ける一般獨占の進展に、統制經濟の方向は獨占の組織そのものは支持するも彼等の營利性を抑へるを必要となすに至り、結局營利性抑制の氣勢はトラスト、カルテルが中心となりて上つたと云うてよい事態となつたのである。以上の事實も玆には周知の事として說く迄もない所であらう。處で之等カルテルに於ける價格抑制であるが、唯一獨占の場合の如く認可的となすまでの要はなく――營利性抑制の目的に出づる限りでは――彼等の協定價格を屆出でしめ、所定の程度以上にあるに於て抑制するといふ手續で足ると思ふ。尤も現實には屆出價格は當局が抑制發動するであらう限界に觸れ易い大いさに定められることが充分に豫想せられる。その點は兎も角、當局の所定の程度の價格としては、前者と同じく時價資本以下の時は時價資本を基とし利潤率を乘ずるの計算をとつて差支はなく、この事に强制カルテルと所謂自力的（任意）カルテルを分ち待遇するの斟酌は見出されない。但だ、此場合には、企業が複數にて所謂資産内容に種々の程度のものを含むに於て、その中に計上資本價額が時價本額と等しいといふ例のあることも考へられるのだ。その最下の企業を標準とせざるを得ない以上、それ以上の企業は自ら種々の程度に利潤所得が多からざるを得ず、實質的に時價資本主義に近いものとなるわけだ。（この點より企業の中には唯一獨占とならず、少數のより劣れる企業を殘し、自ら多き利潤を悠々收める手段をとることも考へられると云はれやうが）この價格抑制の不充分な點を補ふ方法として、劣等企業を可及的に優秀企業に合併整理し、資本優秀さの向上を計る手段がある。之は從來も任意的にとられて來た方法であるが、將來價格抑制と關聯し國家政策として進められるに至らねばならぬと思ふ。次にその優秀企業の多き利潤を擧げるものを價格抑制以外の方法にて抑制することが考へられ、實は玆に本論文の主題たる配當抑制に入る途が存してゐるのだが、今それは價格抑制の範圍としては別論に屬することとなるわけである。

三　高率配當抑制の起り得る場合

企業の營利性抑制の形式としての高率配當抑制は、會社、就中株式會社に關するものにて、一切の企業に及ばないやうであるが、實際に於て大規模な企業は今日殆ど株式會社組織とせられてをり、從つて營利性が多く問題となるが如き企業はその抑制網に引かゝるのである。而して營利性に對する此抑制方法は、前者の價格抑制の如く、謂はゞ營利を計る現場に於て抑へるのでなく、一度收めてしまつた後に働きかけ、勿論需要者大衆が直接恩惠を享けるものでない。茲に、或は配當といふのはその收めた利益の社員、就中株主への分配であり、從つて利益を擧ぐるも配當せない限り營利の抑制としての效目がないと考へるかも知れないが、併し株式會社なるものは擧げた利益を株主に分配するのが立前とせられてゐるのである。かの富豪財閥會社の如く利益を會社に殘して擴張に向けるを寧ろ常道とされるものもあるが、一般の大衆的な眞の株式會社にありては、利益は會社のものでなく株主のものとして取扱はれ、然もその分配が要請されるのである。斯の分配の要求は夫を生活費、その補助などに向けるべく欲することに强く基くのであるが、要するに、會社の利益は分配せられるによつて株主の營利が完結するといふ風に扱はれて來てゐるのである。右の點は兎も角、尙ほ多くの國に於ては、會社の得たる利益に收益或は所得稅を課せるものにて、其程度は利益額に應じ累進せしめられんともしてゐ、それは大體に於て當面の營利性抑制と其方向を等しうするのであるが、その課稅も從來は財政需要に出發しその負擔力といふ點に主眼が置かれ、營利性抑制を不必要ならしむるが如き程度でなかつた。

以上の前置きを經て扨て高率配當抑制の起り得る場合であるが、それは會社の收むる利益の大いさに關するが故、その餘りに大でない場合に問題とならぬことは自明である。斯くて價格抑制の處に述べた唯一獨占企業に就ては、原則として配當抑制の問題は起らないわけである。申す迄もなく、之等にありては、初めに高率でない利益配當を豫定し夫を基として製品の價格、料金が定められるからである。尤も其種會社――例へば都市の瓦斯會社――に就て高率配當抑制の叫ばれる事例はないでもないが、これはこれ迄相當と看做さるゝ以上の配當をなして來たのを非難する場合にて、其性質は過渡的或は臨時的なもの、換言すれば價格、料金そのものが相當の配當を豫定する大いさに定められる限り、配當抑制の問題はそれ自體に起らないものである。吾人の觀念によれば眞の意味に於ての配當抑制の問題は價格、料金抑制の以上に、或はそれと別に存在し得るものといふことになるが、事物の性質として此考は正しいと信ずるのだ。

然らば眞の配當抑制は如何なる場合に起るやと云はゞ、一には前記價格抑制のみでは營利性抑制が不充分なるが故、それを補完せんとする場合である。既述の如く獨占的となれる事業界にありて、企業が複數にある場合に、價格或は料金に入るゝ資本對價としてその時價資本以上――時價資本以下のやうなものは可及的に優良企業に合併さしてしまふ方途に出づべきことも既述の如し――にて最下の自己資本を擁するものを標準とすべしとして、それ以上の優良企業にては夫々の程度に、相當配當をなし得る以上の利益を收むることとなるわけであり、價格抑制のみの問題とせらるゝ限り、彼等は高率の配當をやるかも知れず、否やらんとするものだ。次には價格抑制の行はれ難き事業界の企業の營利性を抑制せんとする場合である。この場合には配當抑制はその唯一の方法だと云へる。而して從來第一の場合には配當抑制の聲も既に隨伴してをり、特にその公益的性質のものに就ては强かつたのに對せば、第二の場合にはそれほどでなく漸く最近に至りて現はれ出した態であるが、前段にも觸れし如く工業界の近勢は第一の場合を著しく增加しつゝある所だ。

終りながら觸れねばならぬやうにも感ぜられるのは、軍需工業會社の高率配當抑制である。軍需工業と云つても戰時下でないと問題とならず、從つて詳しく云へば戰時下に於ける軍需工業會社の高率配當抑制である。[註一] 上に觸れねばならぬと云つたのは、今我國が恰も戰時下にありて、軍需工業會社の收益多く、それに對する高率配當の抑制論が生產擴充の必要上よりする是認論と對立せるが故である。が、軍需工業なるものは平素は餘り振はざるに戰時には一轉立役者的地位に立つものにて自ら他より嫉視、所謂成金的に見られ易いのであるが、斯る感情は往時にも存せし筈にして、高率配當抑制の論の起れるは近來の統制經濟思潮普及後の事なると考へ併せば、たゞ戰時には平時の工業と代り軍需工業の營利性が多く問題となるといふに止まり、軍需工業たるが故に上來述べた所と根本的に異つた實體を有つものでないこととなる。先づ軍需工業と云つても製品によつて種々に分たれるが、政府、軍部のみの購入する純軍需的なもの――例へば兵器、造船、飛行機等の製造業――と政府以外民間需要のある關係軍需的なもの――例へば自動車、石炭、石油等の製造、採取業――とに大別され、更に前者は供給企業の唯一なる場合と複數なる場合とに分たれる。この前者の政府、軍部の需要の獨占、或はそれに近い場合に於ても、今戰時には需要が增大し、常時の如く價格上需要獨占力が揮はれず、寧ろ供給者の力の方がより強くもならんとする所であり、かの平常時の供給獨占企業に近づくのである。斯くてその供給唯一なる會社の場合は價格抑制にて足る場合に、又供給企業の複數なる場合と關係軍需的な場合とが上者は價格抑制を補完し下者は價格抑制の及ばざる自由競爭の企業の場合として配當抑制の行はれる場合に、各該當すると吾人は觀るのである。尤も夫を既述した平常時の抑制場合に比べ、戰時といふ事態より多少の斟酌の與へらるべきことがないでもない。詳しく云へば平常時にありては價格抑制をなすその至當價格の算定に、時價資本以上に評價した資本は少くとも時價資本に訂し夫の相當歩合の資本對價しか認めずとなしたのを、軍需工企業にありては假令水增があつてもそれにて相當歩合の對價を認むる價格に定めてやるべきだと思ふのだ。(註二) これで複數軍需工業の場合には夫々資本上より優秀さを有つものは利益が多くなるわけだ。既記の如く、軍需工業に對しては一方に感情も手傳ひ平常工業の場合より強く營利性を抑制すべしといふ見解と逆に生產擴充のためそれを緩和すべしといふ見解とが對立してゐるのだが、私は如上の斟酌により生產擴充に資すべく、然も一面その高率配當に就ては平常時の場合のものと同樣に取扱ふに於て、上の二つの見解の精神の正しき發揮はなされるものと信ずるのである。

註一 戰爭といふ非常時なるに於て、かの戰時價格抑制の行はれ、その程度が弱くて之等の問題を起さないことも考へられる。が今之等が問題に上れりとせば、そはさういふ價格抑制は行はれてゐないか、行はれてゐても輕度なることを前提とする。この事は既に斷はる迄もない所と思ふが、念のため一言して置かう。

註二 但しさういふ水增のある會社が得たる利益を直ちに配當に向けず、當分其償却に努むることが義務となること申す迄もない。

四　高率配當抑制の爲に行はれる方法と其批判

高率配當抑制のためとられんとする方法に、先づ相當配當をなし得る以上の會社利益を國家に收めるやり方がある。之が餘分の收益をなくして高率配當の根源を喪はしめ、營利性を抑制するに最も效力あるやり方なること申す迄もない。が、此やり方は、假令公益的企業より普通の企業、それも獨占狀態より自由競爭の時は多少より率の高い配當を認めるといふ掛酌をなすとしても、所謂藥が過ぎてゐると云はれる。今この會社配當の抑制のみが行はれ、個人企業の收益がそのまま許されるとせば、大規模經營に適する又個人的より大衆的な企業組織たる株式會社企業を壞るといふことになるが、株式會社配當に上の如き抑制の行はれるほどの所には恐らく個人企業にも其收益に相當な政府收用 Beitreibung が及ぶべく、結局同題ばそのやうな程度の營利性抑制といふ所に歸する。而して吾人は、社會の營利性抑制運動は、配當抑制のそのやうなやり方を敢てするまでに到らしむべきでない、又到り難いと見るものである。凡そ近世に企業營利性に對する抑制の起れるは、理知的には貧富懸隔の增大といふ事態に基けるものであるが、情的には平等といふ思想の絡みつけること疑ひない所だ。而してこの平等思想は不平等が何等かの不合理な實質に基ける——然も何等かの社會的な力が存在を敢てさして來た——もの——例へば企業內部的ではあるが勞働者を虐使せるが如き——を何より槍玉に擧げること想像に難くないが、更に不合理な謂はれなくとも利得の大きい差を齎す所に進まざれば治まらないものである。而して玆には經濟政策一般の議論を繰返す暇はなしとして、近來我國などに澎湃となれる全體主義は國民全體を本位とし、個人的、部分的立場を其中に隱さんとするのであつて、勿論經濟上の平等といふことがその全部ではないが、平等運動が一つの促因 Beförderungskraft となり、又一內容となりて進まんとせるものなることは爭はれないのである。だが、この全體主義は、國家非常時期には當然の主義ではあれ、平常時としてはその全面的な主義となすに足らないものであるのだ。人動もすれば、今日全體主義に則れる統制經濟時代たるを見て、經濟政策の基準は全體主義にありと思惟するかも知れないが、夫は從來の偏れる個人主義、資本主義の是正をなすべき中和劑といふ意味に於てであつて、政策基準の本體は確として全體主義、個人主義の精妙なる合一にこそあるのだ。企業が營利的な經營體として個人主義の精華たるや申す迄もない。卽ち斯の見地よりする時、全體主義、平等主義の營利性抑制程度は企業が企業としての活動心を害してはならぬとなるのである。企業を害すとは、今日——往々見る所であるが——平等運動が經濟上の不平等を齎す特別の謂はれなき點にまで到れるを以て、直ちにさうだとまでは未だ云へない。けれども會社が一度收めた所定配當以上の利益を國家に收用してしまふといふやり方が、企業としての進行を妨げるといふより殆ど致命的に響くことは、火を睹るより明かなりと云はねばならない所だ。

通常とられんとする配當抑制の次のやり方は、ただ相當と見らるゝ以上の高率配當を禁ずるものである。このやり方では會社の利益高は、獨占企業の時は價格抑制をうけるに於て多少影響されるのみで、自由競爭企業の場合の如き殆ど影響はないとも見られやう。併し前段にも述べし如く、會社企業では利益が株主に配當されて營利は完成されるのであり、從つて或程度以上の配當が制められ、增配が許されないと云ふならば、充分に營利性の抑制となりて働くものであるのだ。尤もこれでは所定配當以上の利益は會社に留まるのであり、直接高率配當、增配には向け得ないとしても、固定資本の銷却や積立をなして會社內容の堅實化を計り會社そのものの爲にもなるわけであり、前者の所定配當以上の利益を國家に收むるものに比べ、營利性抑制のやり方として不徹底、會社に卽して云へば寛大なものと評せられる。但し注意すべきは、この配當抑制が短期間に終る場合或は長期に亙るとしてその初期の間だけを見る時は右の批判通りにはなるが、今それが長期に亙りて行はれるその長期間に眼を注げば事態は大いに變化するを見るのである。要言せばその抑制のこたへることは相當配當以上の利益を國家に收用せられる場合と擇ばざるに至るのである。如何に會社に利益が保留され內容堅實となるとも、配當を一定度以上たらしめ得ないとせば、株主としてその堅實化も何の有難味もないものだ。加之、その配當抑制の繼續はやがて會社の利益收入を次第に減少せしむるに至る傾きを有つものとする。或は斯の會社收益の減少は彼の營利性が自ら抑制されるわけとなり、社會の望む方向に適ふとも見られるが、この事はそれが製品の價格引下等によつて齎されるによつてのみ揚言し得る所だ。然るに右の減少は營利性の抑制により彼の經營活動心が萎縮し、謂はゞ諸生產費高に由來するものが多いのである。從てかの配當抑制に依て會社は餘りある保留利益を以て——已むを得ない態乍ら——儲けは少いが所謂國策線に沿ふ、新事業の開拓に向つて努力するであらうといふ豫想も實は殆ど期待が持てないわけである。

尙ほ高率配當抑制として行はれるものに、利益の高率配當を禁じその餘裕資金を以て强制的に公債を保有さすやり方がある。このやり方に對する批判に當り大切な點は、强制保有の公債が支拂はるゝや否やである。無利子永久公債といふ、つまり公債の破棄であるならば、第一の所定配當以上の收益を國家に收用すると同じ結果とならざるを得ない。然らずしてそれら公債が將來支拂はるゝものならば、第二のたゞ高率配當を禁ずるやり方よりは稍ゝ嚴しいが、大體夫と似たる結果を齎す、詳しく云へば期間が短い間に限られるなら營利性抑制として寬大、つまり抑制力が强からず、期間が定めない程長期なら殆ど企業活動心を抑制してしまふのである。但し元本と別に、公債の利子の支拂はれると共にその配當處分が許されるならば、勿論それが配當に貢獻する程度は餘裕利益の公債利子%に過ぎないが故に言ふに足らない位なれど、上述したる元本の破棄される場合にも、又元本の支拂はるゝ場合にもその營利性抑制度合はそれだけ幾分緩められたものとなるわけである。それらの點は兎も角、上の公債强制保有のやり方批判は凡て專ら工業政策上の立論である。處で旣にも知れるが如く配當抑制には財政緊急的な目的に出づるものがあるのであり、是にありては殆ど常に公債强制保有策が採られると見てよい位であるのだ。つまりそのやり方は財政上に貢獻するの效果を持てるものであるのだ。が併し、吾々の如く今本格的な配當抑制を對象とせる所には、假令財政上の目的を併せ考慮することが認められる場合にも——認められない場合は勿論問題外だが——その財政上の效果——之が國家財政上の必要さに應ずること言を俟たない——と上記の經濟政策上の價値とを比較してみるの餘地を有するものとする。[註]

註　ドイツに現行中の配當抑制が財政上のものが、本格的な抑制に財政上の目的を併行せるものか、吾人として明確な判別は困難であるが。

以上述べ來つた各種の高率配當抑制のやり方の批判に就て斷つて置かねばならぬ事がある。それは會社の增資である。會社配當の率は利益金に對する資本金の割合なるが故に、その高率は資本を薄める、より具體的に云へば有效な働きをなさゞる分子を加ふれば自ら解消され、然も利益そのものは悠々株主に分配されることとなるものだ。玆に於てか會社は高率配當抑制の逃避行として專ら資本を薄める爲に增資をやらんとする。附言する迄もなく增資は會社が事業を擴張する經營の爲にも行はれるのであり、私は後者を擴張增資と呼ぶに對し前者を資本增資と名附けてゐる。今、當該經濟界が愚直か或は溫和しく、資本增資といふ意圖に出でざれば兎も角、會社當局がそれを敢て選ばんとする傾向ある所に於ては、國家當局はそれをも抑制せなければならない。申す迄もなく、然らざれば高率配當抑制は所謂尻拔けの問題と化してゐるからだ。換言せば高率配當抑制には尻塞ぎとしてこの資本增資の監視がなされてゐなければならない筈であつて、吾人の上來の批判もその事が行はれてゐるを前提とせる話であるのだ。

五　吾人の案

財政的な要求を別にし、純工業政策的に考へ配當抑制のやり方として吾人の最も無難なりと考ふるは、妥當と看做す率、例へば年八%を超ゆるに從ひ累進的な配當課税を行ふ[註]といふ方法である。卽ち會社の擧げた利益餘裕を直ちに國家に收めるるのでなく、それを配當する場合に其率に從ひて一部を國家に收用するのである。毫も配當を禁ずるのでなく、資本的に優秀な企業にありては其收益は資本の優秀さに從ひ次第に夥多となるが故に、それに應じて高率の配當を爲すも差支はないのである。ただそれに對する累進課税のため配當は困難を加へ、如何に優秀企業と雖も次第に率を增す高率配當は抑制さるゝに至るのだ。而して獨占的な企業、それも公益的なものと然らざるもの、及び自由競爭の企業などの間に差等を附すべきやの點は、前者の場合ほど價格或は料金に於て抑制せられてゐるが故、それによつて齎さるゝ利益の相違で、大體解決せられるのでないかと思ふ。尙ほ幾許以上の配當を次第に高率と看做すかといふ社會通念に應じて累進率が鹽梅さるゝことは、申す迄もなからう。

註　會社から分配さるべく出る所を課税するので、株主に入つたものを課税する所得税に屬するものとは別である。

以上要之、吾人のやり方に於ては配當の抑制或は制限は、高率配當を禁ずるものでなく、それを行ふを困難ならしめるといふものとなる。配當抑制と云へば必ず高率配當をしては不可ぬこと、さゝぬやうにすることと考へる者もあるかも知れないが、さうなすべきものでない。配當抑制は企業の營利性抑制、つまり過度の營利を抑へやうといふに基くもの故、右の如く配當を困難ならしめるのも充分に其埒内に入る態樣であるのだ。而して斯の如く高率配當の途を塞がずそれを困難ならしめる方式に於て營利性抑制をなさんとするものは、雄大な言ひ表はし方をすれば全體主義と個人主義の精妙なる合一のその一具體化であり、今一層直接的に云へば企業を企業として生き〱させ乍ら一方過度の營利性を抑へ得るといふ所に基く。

然らば吾人のやり方は如何にこの營利性の抑制と一面に企業の活動性を保有さすか。今假りに、配當年八%より一〇%に增さんとするに五〇%の配當税が賦課されるとせば、會社は抑制なき場合の一二%に相當する利益を要することとなり、假令或る營業期に相當利益が擧りたりとしても、それを續ける意向の下では一、二期だけでは安心ならず、恆常的とならねば敢て出來なくする。卽ち、自ら增配は控へられるわけとなる。更に利益の增加は經營の上手、幸運といふことも手傳ふれ、又大體に於て資本に應ずるものなるが故、それを達せんがため利益を可及的に社內に貯へて資本化せんとする。然も會社は、既述の如く、配當をなすを究極の目的とするが故に、その不可能でない限りそれに資する努力をなさんとするものであるのだ。而してそのやうにして獲たる利益を以て配當を增すに、或る部分を國家に收められることになるや申す迄もない。或は上に對し、會社當局としては配當上そんな窮屈な思ひをなすよりは寧ろ資本增資をなして形式上配當を低きレベルに落し、以て氣樂に經營をなす方法を選ばないかとの質問が起らう。この懸念を完全に解消せんには、玆にもかの會社の增資は國家の許可を要すといふことにせなければならぬでもあらう。併し吾人のやり方ではさういふ監視手段以外に途を有たないものでもないのだ。其途とは配當課税の累進率を適當巧妙に定むるにありて、その率の定め方にこそ吾人のやり方の妙所はありと云はれる。而して今一つ其途を有效ならしむるものとして、配當の高率を一概に非難するが如き從來の一般觀念を一掃せんことがある。既に會社が吾人のやり方の如くにして高き配當をなせる以上、それは社會が至當となす營利性抑制をうけた彼の努力の結果に外ならずして、毫も不當視さるべき謂はれはないのである。資本主義華やかなりし頃の如く配當の益々高率なるを自ら誇り他より拍手するには及ばずとして、率の高きもそれとして當然のものと觀てやることこそ、今吾人のやり方にとつて强い精神的バックとなるものとする。

右の吾人のやり方では株式會社は次第に或る一定の性質を有つたものに化さんとするが、私は株式會社は本來さういふ性質のものたるべきものと認めるのである。本來さういふ性質のものたるべしと認むるが故に、その方向に進ます吾人の配當抑制のやり方を採るのである。否、本來の性質のものたらしむるその一つの機會でもあるとしてそのやうな配當抑制方法を考へ出したと云つてよい位である。然らばその株式會社の一定の性質とは如何。株式會社は公的存在體たりといふことだけは大體想像せられるでもあらう。申す迄もないが、株式會社が私的性質より公的性質を帶ぶるといふことは二つの方面に於て行はれるのであり、一はその主體構成者が特定の私人、限られた少數者より社會大衆に開放されたもの——謂はゞ公衆的存在物——となることであり、他は對社會關係に於て營利一點張りのものでなく、公益的な方向にも活動する存在物となることである。今問題が後者の點に關してゐることは申す迄もないとして、株式會社の所謂公的存在體といふにも種々の內容、程度が指されるのだ。吾人のいふ公的存在物とは、株式會社の母體そのものは、私人の資本の集まりから出來たものであるかも知れないが、株式會社として出來上つた以上、社會の活動財產となり、私的に勝手に手をつけ處分することの許されないもの、私人卽ち株主の期待し得るは——謂はゞ母體素材の提供功勞者といふ意味で——擧つた利益の分配に預るのみといふのである。

吾人の株式會社本質觀に吾人の配當抑制のやり方が適ふ最たる點が、それが利益を可及的に貯へて自己資本の充實を齎す所にあることは、少し考ふる人々には自明なる事であらう。而して斯くの如き母體の充實は、直接にはそれによつて利益配當の多からんことを期する所に齎さるゝには違ひなしとして、それは又會社の經營活動上公的性質を帶びた好ましい效果を招來せんとするものであるのだ。卽ち不況時代にも夫々耐忍力を有ち、平素積極的に働いては生產費を低廉にし外國品との競爭に克ち、容易に收益期に入らざる方面、就中國策研究的な事業にも苦痛少く手を延ばし得るが如くである。但だ、之等の諸效果を發揮する所謂母體充實は自己資本に關する問題と見られ、詳しく云へば資本銷却の問題として其本體並びに作用、效果の詳細は別に述ぶるを適當とするのみならず、私としては最近別の雜誌に書いた(註)が故に、玆には觸れないこととする。

註　拙稿「資本銷却論——工業資本論の一節、五」臺法月報　第三二卷第八號。

六 我國の現狀及び無額面株提唱論の批判

我國に高率配當抑制論の起り始めたいきさつに就ては、「はしがき」に於て要述した。而してそれは如何に發展したかといふ經過もそこに一寸觸れて置いたが、我國では本格的なものは正式な法的抑制にまで至つてゐない（國家總動員法のは緊急財政的なものなること既述の如し）。けれどもそれは機會ある每に口の端に上り、例へば議會で何かに關聯しての議員の其質問に答へての政府當局の、業者の自肅自制に俟つといふやうな事も、敢てやるなら法的手段となつて現はれかも知れないといふふうに受取られ、殊に國家總動員法の出現は一層壓迫的な力となつて會社當局者に強く響いたものである。而してそこに漂へる抑制形式は先に述べた、たゞ無條件に高率配當を禁ずるといふ型に屬し、然もその長期のものたらんとした。一般の事業者は其抑制を時局的のものと觀ぜんとし、未だ其考は失へるものでないが、一面に又次第にその時局の雲が容易に霽れないことを觀念するに至つたやうでもある。而して彼等のとれるやり方を見るに、かういふ事は社會も寧ろ當然視するであらうと考へたものか、公益事業と普通事業、軍需工業等の間に高率といふ率に差を設けんとし、更にこれまで多年に亙り高率配當を續けて來た企業と時局的に利益の增加した企業とにより所謂配當政策が自ら別をなさんとした。後者の點は申す迄もなからうが、從前からの高率配當の會社が俄かに配當を減らすことは株主の計算を狂はすものであり、且夫は既得事實として世の非難も少かるべしとなし、配當抑制に比較的愚圖つけるに對し、時局會社の配當增加は、軍需工業會社など生產擴充の資本調達のため意義ありといふ辯護が一面に存せしに拘らず、莫大な利益を收めてゐる印象を與ふるを避けんとして強く控へられたのを云ふ。處で、我國の工業會社、否一般の會社は右の如き配當自制傾向にありたりとは云へ、そこに見逃すことの出來なかつたのは、彼等はどしどし資本增資をなせる事實である。この事は時局會社に於て特に著しく、尤もそれは確に生產力擴充の爲でもあつたが、半ば資本增資の意味の加働せしを嚴として否定し得ないのである。而して舊來の高配會社の中にもやがて右に倣ひ、最近時に至りかの戰時經濟見地より臨時資金調整法の制定せられ、不急事業の增資の困難となるや、殊更に所謂國策事業に手を擴げ、それを事由として決行するの態であつた。

私は我國に於ける企業營利性抑制としての配當抑制の批判には、第一に、配當抑制の前階段としての價格抑制を行ふべきことが問題とされず、又行はれてゐない點を指摘し度いと思つてゐる。實際、論者はこの點事物の順序を誤つてゐるわけである。が、その點は上來吾人のこの小論を讀み來れる人々には既に明かであらうから再び論ぜず、上に見逃すことの出來なかつた事實として述べた點を少くし強調し度い。これも、表から配當を禁じ乍ら資本增資を許して置いてはまるで尻拔けであつて、一體何の爲の配當抑制ぞと云ひ度くなる點は、既に配當抑制のやり方批判の所に述べたる其抑制の締くゝりとしての資本增資抑制より充分に感得せられてゐる所であらう。私の強調し度いのは、それが優良會社をなくする——既存のをなくし、將來出來難くする——ものとしての大きい社會的損失である。企業制度の粹は實に優良會社にあり、生產設備の改善進めると共に資本（自己資本）の充實せる所謂優良企業を樞軸として事業經營を擴大せしむる所にこそ、將來の工業（企業）政策の目標はありと思ふのだ。我國の現行配當抑制の如きは、形式上配當率の低いといふ安價な感情的滿足を得んとして實のある利益を喪はしめつゝあるものといふ許に歸着せざるを得ない。

　我國の高率配當抑制論に對し會社當局のとりし態度は、大體に於て默々として上來の如きやり方を選んだ姿である。配當抑制思想の如きは社會の感情的な流露にて、理窟を並べても益少しと考へたのでもあらうか。併し時として理窟的な意見の提出せられたものがないではなく、殊に從來からの高率配當會社の中より述べられたものである。この事は又「はしがき」にも要言して置いたが、其論旨とする所は、高率配當の會社必ずしも異常な利益を收めてゐるとは限らず、彼等の利益の多額なるは過去の利益を配當せずして保留し資本として用ひたる所に基くのであり、從て例へば拂込資本だけの會社、就中新設會社が一〇%の配當に相當する利益を擧げし場合、拂込資本と同額の積立資本のある會社が二〇%の配當をなし得る利益を擧ぐるは當然至極にして、唯分配の計算上高率になるのみといふのである。而して斯の論の系統をひいて最近時我國の一部に一層提唱せられ出したと見らるゝのは、無額面株制 No par (value) shares である。元來無額面株なるものは、或は知らるゝでもあらう如く、アメリカ合衆國に廣く採用されてゐる制度であり、その我國への紹介論は夙に一部の人々によつてなされてゐた所であるが、從來は專らその金融的利便に着眼しての話であつたのだ。要述せば、株式に於ける額面價格なるものは會社成立の時の數字たるに止まり、其數字の存續は資本の水增 Watering of Capital や會社合併整理の不圓滑を齎すのみならず、特に會社の資本卽ち自己資本調達を窮屈不便ならしむるが故に、宜しくそのやうな觀念的な存在數字を去つた無額面株たらしむべしといふのである。尤も此無額面株には反面、額面株に見ざる、株式評價の困難其他の短所も伴ふものにて、之等の弊害を眺めてか、多くの國に於ては寧ろ其採用を躊躇せし所にて、我國も又さうといふのであつたのであらう。而して今高率配當抑制に對抗するものといふ立場としては、無額面株會社に於ては會社の資本は區別せられず、本來利益を生むべく齊しく働ける資本は又そのまゝに凡て自己資本として一體のものとなり、利益配當は一株につき幾圓といふやうに支拂はれ、額面株制に於ける固有資本、積立資本と分れて前者の率を以て計上するが如き無意義な所作は消え、率の高低といふ錯覺による資本の不公正な待遇の現はれざる所をキャッチするのである。恐らく無額面株提唱論者としては、前記金融方面に於ける得失は相半ばするとしても、不合理な配當抑制思想の蔓る我國などでは、上の事由によつて、相半ばする得失のバランスは破れ、夫を採用すべき價値を有つと主張する所であらう。

併し私は斯の無額面株提唱論にも不贊成である。何故に不贊成であるか。先づ第一に其立論の根本觀念が宜しくない。彼等は全く自由主義的な思想に立ち、高率配當抑制が如何なる思想より出發せるかを忘れてゐると思ふのである。彼等の高率配當必ずしも多き利益を收めたるに非ず計算上のものに過ぎぬといふ趣旨は誤つたことでなく、從つて其抑制は不合理ともならうが、それは自由主義的立場に於て然るので、謂はゞ自由主義的資本主義的正義である。併し近來の配當抑制思潮なるものは自由主義的立場を侵しつゝあるのだ。今日のそれは事ほど强いのだ。假令富の分配に不合理な謂はれなくとも、唯富の分配に大きい差を齎すやうな所を衝かんとし、吾人の考によればそれが企業的努力心を害せない限りは認むべきであるのだ。從つて無額面株制によつて巧に體を躱はさんとしても、恐らく他の何等かの手段による營利抑制の止まぬであらうことは必せられる。寧ろ何ぞ堂々とその思想に基く抑制の前に立つと共に、抑制の間にも國民經濟上企業の有意義なる存在を確保する態度をとらざるか、と吾人は言ひ度い。次に無額面株制に不贊成なる事由は、それが優良會社の優良會社たる所以をなくするといふ點である。無額面株會社に於ては資本に混水するなどは無意義にてやらないことは先に一言したが、夫には有額面株會社が資本增資をなすが如きことをやる必要、事象もない。從つて其點で優良會社はなくなるのでないが、優良會社なるものは資本對價の負擔少き自己資本を擁するに於て實にさうとなるのだ。換言せばこれは固有資本の外に積立資本といふものを存せしむるによつて其妙が發するのであり、即ちそこに兩者の區切りをつくるべく額面制度は必要となるわけである。恰好な例へでないかも知れないが、もとつまらぬ人間であつた者が努力して社會上高き地位に上りたる場合、彼の舊の身分をはつきりさすことは、一部には輕蔑的に用ふる者もありとして、寧ろ彼の人物を一層偉大ならしむるに役立つが如くである。私は無額面株制に於ける金融上の得失が縱令それを採用に傾かしむるほどだとしても、恰も其提唱論者と反對に、右の事由で額面株制を支持し度い。勿論、その支持には少くとも吾人のやり方の如き配當抑制の行はるゝを條件とするものであり、以て優良會社を不當に待遇し又其存續を困難ならしむる弊を抽かんとするものである。

（昭和十三年八月一日稿）

徳川時代 農村調査の一例

——大村藩「郷村記」の研究——

津下　剛

この一篇を

故菅原學兄の靈前に

捧ぐ

目次

本論

一　近世に於ける農村調査

一昔以前から口矢釜しく論ぜられてゐる農村調査と云ふ概念は、大體政策的調査・教育的調査・科學的調査の三種類に區別され得るが、その始源型は都會地に於けるSocial Surveyであらう。卽ち産業革命後に於ける都市社會問題の發生に起因するものであつて、その最初はC. Boothがロンドンに於て行つたものである。爾後都會地に於ける社會調査は度々行はれたのであるが、農村に於ては等閑視されてゐたのである。最初の農村調査と稱す可きは、G. F. Warrenが一九〇三年北米紐育州ウィン郡に於て行つた果樹園調査である。その後農村問題が俎上に取上げられるやうになつて、それに對する科學的な政策樹立の必要から、從來の都市に於て採用されてゐた社會調査の方法を、農村にも應用するやうになり、一九〇八年T. Roosevelt大統領によつて組織された農村委員會The Commission on Country Lifeが成立した。これは農村生活狀態改善の爲に經濟的・社會的方面に關し、廣汎且大規模な各種の調査を行ひ、各委員の專門的研究を遂げ、その報告書を呈出して農村の改善策を提唱したのである。翌年大統領の任期滿了のために、この委員會は公的資格を失つたが、國民の輿論喚起となつて、農村調査の發達を刺戟したのである。

後一九二五年 Purnell Act の制定さるゝに至り、州農事試驗場に農村調査の費用を與ふるに及んで長足の進歩をなした。

飜つて我國に於てはどうであつたかを眺めてみるに、如上亞米利加合衆國に於て行はれた如き科學的・統一的な大規模なものは、大正年代以後のことである。が併し農村調査と云ふ概念を、極度に自由な意味に解するならば、既に古くから行はれてゐたものである。現在多く殘存してゐる風土記・地誌の類はこれを一種の農村調査と看做し得るものであり、條里の制度は農村計畫の先驅形體であると考へ得られやう。

降つて近世にはいると、殊に後期に於ては、現在の意味を濃厚に持つた農村調査或は農家經濟調査といふやうなものが現はれてゐる。後者の例は既に四五の雜誌に先學の發表されたものがあり、筆者も加賀藩の一部のものを、標本的のものではあるが、複寫・所藏してゐる。亦現在行はれてゐるやうな農村更生策とか、改善策とかいふやうなことで、農村の實狀を檢べた人々もある。例者、佐藤信淵一家は唯に農村ばかりでなく漁村の維持・計畫を研究し、熊澤蕃山・野中兼山・上杉鷹山等も、藩の財政上の立場から詳しく農村を調査してゐるし、二宮尊德の『報德仕法』は、所謂窮乏農村の更生計畫を主とするものではあるが、驚く可き程精密な農村調査を行つてゐる。

明治にはいつて、十八年始めて科學的・政策的な農村調査とも云ふべきものが出來た。それは有名な前田正名の「興業意見」であり、單に農村方面のみならずあらゆる産業部門が全國的に調査されたものである。前田正名は國是・郡是・村是を系統的に改良・計畫すべきだと提唱して、そのためには科學的な組織的な基礎調査を行ひ、實際に立脚すべしと强調したのであるが、これに促されて三十年代迄には、郡是・村是の樹立が全國各地方に於て試みられ、三十二年の第七回全國農事大會に於ては、農事調査を行ふことを決議し、農村調査の氣運が全國的に高まつたのである。併し乍ら最初期待した如き程の效果は上らず、折角の氣運も何時とはなしに消滅した。然るに大正年代にはいつて、歐州大戰によつて一時我國は未曾有の好景氣來を思はしめたが、次に襲つて來た不景氣は、各方面に非常なる影響を及ぼし、社會問題として農村問題が口の端に上り、農村の行詰りが深刻化するにつれて、農村の實情調査といふことが、再び頭を持ち上げたのである。斯くして帝國農會は大正三年、農林省は同十一年から各地の農村調査を行ひ、これと相前後して各地の大學・專門學校・各種團體の手によつて、各地方地方の農村調査が行はれて、今日に至つたのである。

以上我國の農村調査は明治以後殊に大正以後組織的に行はれたことを概述したのであるが、前に述べた如く、徳川時代數種の農家經濟調査が發表されてゐるやうに、一農村全體或は一藩全農村に於ける調査が行はれなかつたのではない。現在の農村調査の實際的方法として用ひられるのは一は歷史的・地理的硏究方法であり、二は統計的・數量的硏究方法であるが、後者は亦所謂標本調査と統計調査とに分れる。德川時代の調査はこの一・二を併合した形に於て行はれるが、標本調査も行はれてゐる。後にも示すやうに標本調査と稱しても、現實の或村又はその一部を調査したのではなく、計算上の見易さを本として組み立てられた標準的のものである。統計的・數量的調査は、時日の經過と共に、歷史的資料となる。かうした意味から德川時代の農村調査は、歷史的調査であり、現在の概念を以てすれば多分に地誌的であると云はれやう。

一藩領内全村の調査は、筆者寡聞且尠觀にして長州藩の「風土注進案」と大村藩の「鄕村記」より他に知らない。これ等が如何なる意圖の下に行はれたか、後に述べる如く論斷することは相當難しいことである。元來德川幕府として全國各藩の領内農村調査を行はしめ、それが完成したといふ記錄は見當らない。唯檢地帳は各藩のものが各地に殘存され、或は租稅關係の分としての地方三帳（御取箇鄕帳・御年貢割付帳・御年貢皆濟目錄）や幕府巡見使に關する資料や風俗問答等もあり、各藩内の部分的の記錄は當事者の心覺え等として私藏されて來てゐる。全般的のものとしては、享保年間以後に戶籍調査が行はれ、諸國田畑町步・人數が調べられ、享和二年諸國郡名村名字訓取調が行はれたが、「日本國郡沿革考」には『文政四年始開ニ局於昌平黌ニ編ニ輯諸國地誌ニ』と記し『不ㇾ成』と書いてある。

長州藩の「風土注進案」は頗る大規模のものであつて、行政區劃たる各宰判十六に分れ、各宰判内の各村全部の細密な調査である。享保年間に着手された「地下上申」を基礎として、天保十三年着手爾後數年を經て完成したものである。「地下上申」といふのは、各村の庄屋が支配下農村の事情全般を報告したものであつて、地圖が附いてゐる。これを「地下上申附錄繪圖」と云ひ、「各宰判村明細繪圖」の原圖となつてゐる。現在小郡宰判の一部分と大津宰判の全部が出版されてゐるが、大津宰判のそれのみによるも、全三十三卷・五千頁(一冊)の大なるものであり、天保十三年より弘化三年に至る四ヶ年の歲月を費し、宍戸眞澂・普喜政敏の手になるものである。

これに相匹敵する大村藩の「鄉村記」は、藩そのものが小さい關係上、規模の點に於ては「風土注進案」に劣るも、内容に於ては決して弟たり難いものであつて、全七九冊別に「地理細測記」六十六冊より成つてゐる。

二　大村藩の成立と其の地理的景觀

長崎へ二六哩、諫早(イサハヤ)へ七哩の地點に位し、長崎縣東彼杵郡、大村灣に臨む主邑大村は、古くは「和名抄」に大村郷、「延喜式」に大村驛と記され、近世大村氏代々の居城として榮え、この地方一帶は、古くは藤津莊とも彼杵莊とも呼ばれ、元弘年間には東福寺の寺領であつたと云ふ。

大村氏は有馬氏と同祖であつて、藤原純友の後裔と傳へる。純友天慶の世に叛し、一族戰死の中に獨り子孫直澄伊豫に逃れ、後ち赦に遇つて官位を拜受し、正暦五年肥前國彼杵・藤津・高來の三郡を受領し、伊豫大州より移つて大村久原城に居り、子孫大村氏を稱し、代々純又は澄字を加名す。忠澄に至り鎌倉幕府に仕へて地頭職となり、兄經澄は高來郡を領し、有馬に卜して有馬氏を稱した。

藤原純友―直澄―諸澄―永澄―清澄―遠澄―幸澄―┬經澄（有馬氏）
└忠澄（大村氏）―親澄―澄宗―澄遠―純興―

―純弘―純鄕―德純―純治―純伊―純前―純忠―喜前―純賴―純信―純長―純尹―純庸―純富―

――純保―純鎮―純昌―純顯＝純熙＝純雄―純英

この間に於ける領土關係はどうなつたかと云ふに、始め藤津・彼杵・高來の三郡を領有してゐたが、有馬氏に高來郡を分割されて、貞治年中には次の四十八箇村と記錄されてゐる。

大村・皆是村・郡村・江串村・千綿村・彼杵村・河棚村・佐世保村・宮村・折宇瀨村・早岐村・日宇村・波佐見村・針尾村・今里村・鈴田村・三浦村・喜々津村・壹岐力村・長與村・時津村・浦上村・家野村・古賀村・矢上村・深江浦村（長崎村）・大浦村・戶町村・野母村・老手村・樒村・三重村・神浦村・雪浦村・賴戶村・多井良村・中浦村・大多和村・天窪村・面高村・横瀨浦村・河內浦村・八木原村・大串村・形神村・長浦村・西海村・日並村

その後純治の時に至つて、有馬肥前守貴純との間に確執が起り、兩家の間に戰火を交へること數度、遂に純伊に至つて威武大いに振ひ、舊領二郡を確保して、東は唐子・玉橋（高來郡）、西は相ノ島（松浦郡）、南は野母崎（彼杵郡）、北は牛津ノ橋（杵島郡）に至る迄をその勢力圏內となした。その後近隣領主との間に領地擴張の爭ひがあり、天正の始め純忠時代には、古賀村は有馬領に、喜々津・矢上・深堀（戸町村）・高濱・野母の五箇村は龍造寺家に屬して後佐賀領となり、早岐・折宇瀬・日宇・佐世保・針尾島の五箇村は松浦家領となつて、平戸領に屬した。天正十五年同純忠の世、長崎内町及び浦上村・家野村・外目村を公收され、慶長十年喜前の時、長崎村・同新町（外町）が公領となり、代地として浦上村の中、古場村・北村・西村と家野村の中一箇村と外目村を與へられた。安政四年純熙の代、戸町村を公收され、その代りとして古賀村が飛地となつた。

以上のやうに大村領は、四十八箇村を舊來の定めとしたのであるが、この中三十四箇村は大村領として移動なく、十四箇村が公領となり或は佐賀領又は平戸領となつて移動したので、慶長年間三十四箇村の中から小村十四を分割して舊制四十八箇村に復した。即ちこの十四箇村は浦上村（公領過半）の中、古場村・北村・家野村（半公領）・西村・陌苅平村・黒崎村・滑石村、長與村の中幸田村、壹岐力村の中佐瀬村九箇村に、松島・嘉喜浦・江島・平島・大島の五島を加へたものである。以上の四十八箇村が完備した行政上の區割は、「鄕村記」調査當時には左の如くなつてゐた。

地　方（十一箇村）

大村（久原・池田）・萱瀬村・郡村（松原・竹松・福重）・江串村・千綿村・彼杵村・川棚村・波佐見村・宮村・鈴田村・

三浦村今村

向　地（十箇村）

壹岐力村・佐瀬村・長與村・時津村・滑石村・高田村・浦上木場村・同家野村・同西村・同北村

內　海（八箇村）

日並村・西海村子々川村松・長浦村戸根・大串村三町分・下岳・龜浦・中山・宮浦・形上村尾戸小口・八木原村小迎・川內浦村伊浦畠下浦・横瀬浦村

外　海（十八箇村）

面高村・天久保村黒口・中浦村・大田和村・多以良村七釜・瀬戸村・雪浦村・神浦村・黒崎村・三重村・陌苅村・式見村・福田村・松島・大島黒瀬・嘉喜浦崎戸・江島・平島

飛　地（一箇村）

古賀村高來郡

此處に地圖を以て示すことが出來ないのは甚だ遺憾であるが、大體大村灣を中に抱いて東に東彼杵郡、西に西彼杵郡に屬する地域であつて、南には佐賀領津水・大草があり、北には大村灣口に平戸領針尾嶋があつて、斷ち切られてゐる。大體に於て東西に長く南北に短い。東は高來郡佐賀領大渡野村境、西は松浦郡平戸領平島屬島相ノ島に接しこの間相距ること二十四里、南は彼杵郡福田觀音崎より北は杵島郡佐賀領波佐見岩峠に到る十二里に位置を占める。領海に散在する島嶼百六十五、中九十五は内海に、七十は外海に在り、四方は繞らすに山を以てし、平坦の地少く、村邑並に田畑は、山間及び海邊に散在してゐる。從つて產物は山地・平地・海中のものを含み、山には良材を產し、約五千五百六十九町歩の山林と百四十八町歩の竹林を擁し、海に魚貝の產多く、殊に眞珠は當領第一の名產と稱され、鹽濱二十九町歩餘を持つてゐる。その他銅・鉛・石炭・砥石等の產物もあつて、種類豐富なるものがある。行政上の區劃としての地方とは大村を中心とした大村灣の東一帶を、向地とは大村灣の南岸卽ち地方の南向側を云ひ、内海とは卽ち大村灣に面した西彼杵郡の東側一帶を、外海とはその西側卽ち大洋に面した地區を指すのである。この四地區を一括して大村灣を中心にして東西兩分して對比すると（畝以下切捨）、

	地方	向地・内海・外海
周廻	三九里・一八町・五三	七九里・一一町・一五、五
東西	一〇・〇一・二九	一〇・三五
南北	二・一二・一〇	三・二五・二八

面積		三六、五一〇・〇〇町畝	五九、九五〇・二四町畝
内譯	田	二、四五五・八三	一、六七七・一一
	畑	二、〇五六・八五	一、八九三・三二
	鹽濱	一四・二三	一五・五九
	山林原野	三一、九八三・〇七	五六、一七七・〇一

と計算され、大村灣西側地區は、東側地區より面積大なるに拘らず、田畑少く、山林原野の大なることを知ることが出來る。島嶼も山林原野の面積著しく大である。

幹線道路は大村玖島城大手門を據點として、東は佐賀領境鈴田村硯石峠、北西は平戸領境宮村遍の峰、北は佐賀領境波佐見村佛坂、北東は同じく彼杵村俵坂及び太良岳麓萱瀬村西野峠に至る官道があり、所謂長崎海道は、壹岐力村卅津・時津村波戸より浦上境に至る。内海・外海との道路は時津を經て通じ、稻佐境福田村飽ノ浦越峠に終つてゐる。

以上大村藩領の成立とその地理的概觀を述べたのであるが、大村藩を調べる場合に、缺く可からざる歴史的事實がある。それは大村藩と切支丹との關係である。筆者研究の意圖も實は切支丹文化の、この地方の農業に及ぼした影響に在つたのであるが、この「鄉村記」からは何等の手掛りをも發見出來なかつた。考へてみればこれは無理もないことであつて、斯うした公的調査が一種の公文書として編纂される場合に、禁教である切支丹關係のことを記す筈はないのであるから、この點筆者の研究動機は失敗したと言へる。事實藩としては禁教令が出てからは、全藩内改宗してしまつて、當時多くの切支丹大名が沒落したに拘らず、餘命を完うしたのをみても、表面的にしろ、その轉向振りは鮮かなものであつたと思はれる。

とまれ十六世紀以來我國に來航したポルトガル人は、天文十九年平戶に入航したのであるが、永祿五年には、大村領横瀨浦に來り、貿易と共に切支丹の布教に勉めた。翌六年藩主純忠は、自ら洗禮を受けてドン・バルトロメオなるクリスチャンネームを用ひ天主堂を建立し、切支丹大名として豐後の大友宗麟、島原の有馬晴信と共に當時高名であつた。その翌々年卽ち永祿八年からは、葡船の入港は横瀨浦を止めて福田浦となし、爾後連年入港し、葡人にして福田浦に居住する者を生じた。その後元龜元年改めて深江浦を開港し内外の町割を始めた。この深江浦は大村氏の家老長崎賴純の支配地であつたので、後改めて長崎と稱した。斯くして葡人による貿易と布敎とは盛大を極め、天正四年には切支丹信徒四萬、教會四十に達したと云はれる。同十年純忠は、有馬・大友兩氏と共にローマに使節を派遣したのであるが、當時『キリスト教を以て國教となすは、日本全國に於て大村を以て始めとす』と云はれたとのことである。以て大村藩内に於ける繁榮見る可きものがあらう。豊臣秀吉は始め切支丹に好意を有してゐたが、九州の教徒が跋扈して社寺を破毀し、布教に次いで兵力を以て日本領土を侵犯せん方策なりと信ぜられた爲に、次第に教徒に壓迫を加へ、南蠻寺を破壞し、海外の貿易は許容しつゝも信教を禁じた。このために秀吉は長崎の地を公收して直轄地となし、鍋島氏をして行管せしめたので、大村藩は直接的には貿易上の利益を失つてしまつた。秀吉の薨後徳川家康亦信教を禁じ、通商のみを許可する方針を採つたが、傳道と貿易との分離行はれず、慶長十六年天下に布告して嚴に切支丹を禁止することとし、諸教會を悉く破却し、同十九年には轉宗せざる教徒を媽港に追放した。この後島原亂等あつて、宗徒の勢力一時は强大であつたが、間もなく亡ぼされ、切支丹の禁は益々嚴重となり、僅かに隱れて信奉するに過ぎないやうになつた。この間に於て、大村氏は長崎附近一帶に於ける領土の變換はあつたが、うまく切拔けたのである。

三 「鄕村記」編纂

「鄕村記」がどういふ動機から編纂されたか、この動機を知ることは各方面に亙つて興味あることを敎えて呉れるであらうが、遺憾乍らこれこれと論斷すべき材料がない。藩學五敎館（治振軒）助敎松林漸敬の序にある

『我藩舊有彼杵高來藤津三郡。塞亂之際。爲隣敵所侵。至今則僅有其一矣。然而地據西偏。多高山大野。海中諸島距治遠者。又且二十餘里。幅員之廣。殆與上國大藩抗。其間土地之肥磽。戸口之多寡。非有書焉以記載之。則大夫士猶且不能遍知而盡識之也。況居深宮廣廈之中者乎。顯了公聰明好文。慨然有志於斯』

といふ文章を卒直に解釋すれば全く藩主純長の純心な動機によつたものと云へやうが、同序の末文に『所以量人爲出者。亦必有道也』との言葉があり、「鄕村記」完成後の凡例に『長恒ノ著ハス時ハイマタ地理境界石高租税等ノ員數詳ナラス』との言葉があるから、單に藩内の事情を知り

度いといふことだけではなく、經濟的・財政的念慮に支配された點がないでもないやうに思はれる。第一回の「鄕村記」編纂着手の時期が延寶九年卽天和元年であり、將軍で言へば綱吉時代、幕府もそろ／＼財政の窮乏を訴へ、諸侯も出費多端に苦しみ始めた時であり、第二回の編纂時期が元祿元年であるから、この間の事情を推測すれば、決して單純な動機から出たものでないと考えても、間違ひではないと思はれる。

が要するに、その動機は何にしろ、「鄕村記」第一回の編纂は藩主純長の命によつて天和元年に着手され、安田與惣左衞門長恒の努力によつて同三年粗〻出來上つた。藩領四十八箇村に應じて四十八册であつたが不備の點があり、元祿元年村部長英をして校修せしめた。これが第二回目の編纂である。年月を閱すること十七年、長英中途にして沒して亦成らず、第二回目も失敗に歸した。その後續いて純尹・純庸の代、度々校修の命があつたが完成せず、歲月流れて百餘年純熙の代に至つて完成した。卽ち安政三年着手し、各地を踏査し、七年を費して文久二年「鄕村記」が始めて完成したのである。總調役として稻毛惣左衞門重光・同測量方峰源助潔を主班とし、これに郡方調役坂本角兵衞・森領右衞門・用懸代官森彌平次・一瀨右兵衞・加瀨甑右衞門・測量方手傳湯川健助・毛利平右衞門・堀田敍助・酒井直造・加瀨作右衞門・筆役一瀨久右衞門・川津民助・中村小左衞門・川添忠右衞門が協力した。天和元年より文久二年に至る、實に百八十年の歲月を經たものである。全七十九冊であるが、舊例に倣ひ、本村四十八冊、これに屬村を附し、他に提要一冊、同附錄二冊。次の如くなつてゐる。

總目錄

郷村記　首卷　一冊

地方之部

大村久原池田記小路寺院町諸士神社持高　九冊

郡村記竹松松原福重　三冊

萱瀬村記　一冊

鈴田村記　一冊

三浦村記　一冊

江串村記　一冊

千綿村記　一冊

彼杵村記　一冊

川棚村記　一冊

波佐見村記 上波佐見 下波佐見 二冊

宮村記 一冊

向地之部、

伊木力村記 一冊

佐瀬村記 一冊

長與村記 一冊

幸田村記 一冊

時津村記 一冊

滑石村記 一冊

浦上西村記 一冊

浦上北村記 一冊

浦上家野村記 一冊

浦上木場村記 一冊

古賀村記 （當時缺） 一冊

内海之部

日並村記　一冊
西海村記 村松 子々川　三冊
長浦村記 戸根　二冊
形上村記 尾戸 小口　三冊
大串村記 三町分 下岳 亀浦 中山 宮浦 白似田　六冊
八木原村記 小迎　二冊
川内浦村記 伊ノ浦 畠下浦　三冊
横瀬村記　一冊

外海之部

面高村記　一冊
天久保村記 黒江　二冊
太田和村記　一冊
中浦村記　一冊
多以良村記 七釜浦　二冊
瀬戸村記　一冊

雪浦村記　一冊
神浦村記　一冊
黒崎村記　一冊
三重村記　一冊
陌苅村記　一冊
式見村記　一冊
福田村記　一冊
大嶋村記 黒瀬　二冊
嘉喜浦村記 崎戸浦　二冊
松島村記　一冊
江島村記　一冊
平島村記　一冊
郷村記附錄　二冊

以上七十九冊の他に測量の結果得たる「地理細測記」六十六冊がある。この二種を以て大村藩領は細大となく記載されてゐる。但し「鄕村記」中古賀村記は原本（長崎縣立圖書館）に欠缺し、筆者の寫本（京都帝國大學農學部農史研究室藏）には長浦村の本村一本を欠ぐ。亦「鄕村記附錄」は原本二册となつてゐるが、寫本では一册に纏められてゐるから、筆者の引用寫本は全部で七十七册である。

この「鄕村記」は前述の序にある如く『土地之肥磽。戶口之多寡。勿論已。租賦之輕重。物產之同異。村落溝渠之方位面勢。與夫牛馬舟楫農具之數。靡不悉備。而於山水巖壑之勝則略焉。非所急也』であつて、『專爲涖民施政者設』ものであり、『自今而後。出一令。發一政。必資焉。則爲民興利桿害之方。莫不委曲周盡。而所以量入爲出者。亦必有道也』であるが、現在の眼を以て眺むれば、幾多の缺點があり、杜撰の部があるのも止むを得ない事であらう。然らば實際上如何なる順序の下に記されてゐるかと云ふに、大體次のやうな項目の下に纏められてゐる（尙、實際の記述については附錄「鈴田村記」參照）。

一、何村之事
一、村廣狹之事
一、村境他領境並海邊事附海境之事

一、往還道筋並川流之事

一、藏入私領高附物成田畠畝歩數並住居懸持知行之事

一、村役附田畠俵渡並村加勢之事

一、歳暮納物之事

一、田畠種子種之事

一、田畠出來積之事

一、田畠上中下百石場町段畝歩數並出來積百姓作得之事

一、百姓農具調入目之事

一、村出目米公役賃米並諸出目之事

一、提之事

一、井手之事

一、川淵之事

一、浦湊之事

一、船數之事

一、海草之事

一、山林之事
一、山海野土産之事
一、賣出物之事
一、竈數男女數並宗旨分之事
一、郡役夫郷役夫之事附り郡役銀之事
一、牛馬數之事
一、諸運上並諸納物之事
一、寺社之事
一、由緒之事（以下各村ノ事情ニ應ジテ分ツ）
一、古城之事
一、古寺之事
一、古墓之事
一、境目論所之事
一、手代附知行之事

四　「郷村記」に現はれたる大村藩

前後二百年近く費して完成した「郷村記」に現はされた大村藩の經濟狀態は如何あつたか。その主なる部面を次に述べやう。但し統計の現在年度は、特別に記さゞるものの他、安政三年現在のものであり、數量の計算上合一しないものがあるが、寫本通りのままとして訂正してない。

土地

大村藩の石高は大體次の通りである。

年次	領主	石高
慶長五年	喜前	二七、九〇〇石
慶長・元和	同	二五、〇〇〇
貞享・元祿	純長	二七、〇〇〇
享保一七年	純富	二七、九〇〇
文化一〇年	純鎭	二七、九七〇
慶應元年	純熙	二七、九七〇
明治二年	同	二七、九九七

備考　本表は、大名一覽（讀史備要）・德川時代大名一覽表（日本經濟史辭典）によつて作成した。

大體肥前國六十七萬千四百三十石中二萬七千石の小名であるが、その內實は他の諸大名と同じく倍以上約六萬石に近いものであつた。後述する如く分米の定め方によつて、石高の相異が現はれるし、亦藩自身が行つた檢地によつても打出高が出來、新田開發その他の原因によつて、所謂幕府の朱印高とは異つて來る。慶長四年豐臣氏最終時代の、檢地によれば分米高二萬千四百二十七石四斗であり、慶長十七年の喜前の代、即ち德川幕府時代になつてからの、二度目の檢地では分米高二萬七千九百拾三石八斗七升七合となつてゐる。三度目の檢地即ち純信時代の檢地は寛永八年に始り、同十年に終り同十二年檢地帳が出來たのであるが、これによると四萬二千七百三十石餘に上つてゐる。以上の三檢地に於ける、石高計算方法即ち分米の率は次の如くである。

品等＼年次		慶長四年	同一七年	寛永一〇年
田地	上々	一・五石		一・八
	上	一・三	一・六	一・六
	中	一・一	一・四	一・四
	下	・九	一・三	一・二
	下々	・五	・七	一・〇
	三下			・八
	四下			・六

	畑地 上々	上	中	下	下々	三下	四下	屋敷地 上	中	下
		・六 （山畑）・〇八	・四 ・〇六	・二 ・〇四	・一 ・〇二			一・三	一・一	・九
		・七	・五	・三	・一			田ニ準ズ		
	・七	・六	・五	・四	・三	・一五	・〇六	品等ナシ・屋敷地一ケ所三畝ニ付三斗三畝ノ餘ハ餘畑トシテ畑地ニ準ズ		

これによつて、時代を降るに従つて分米高が多くなつてゐることを知ることが出來やう。この事は結果に於て租米收入の増大となつて現はれて來るものである。

如上の検地による田・畑・屋敷地の面積及び分米總高は次の如く計算される。

面積・分米高	慶長四年	同一七年	寛永一〇年
田地面積	一、九四九町・八五畝	二、一五一町・八八畝・一	
同分米高	一七、六三三石・〇〇	二三、三八四石・六一七	

畑地面積	里畑 七六九町・〇六・二畝 山畑 三〇一・二六・一	一、〇七七町・八〇畝・一四	
同分米高	里畑 二、三七六・七七石 山畑 一三〇・一三	三、九〇〇石・三五一	
屋敷地面積	一三七町・四八畝	一二四町・四六畝・〇八	
同分米高	一、二八七・五〇石	七九石・九〇三(?)	
面積合計	三、一五八町・〇〇畝	三、三〇四町・〇一畝・〇七	
分米合計	二一、四二七・四〇石	二七、九七三石・八七七	四二、七三〇石・餘

この表に於ては數量上合一しない部分があるが、寛永十年の檢地に於て、既に大體八割以上の増加を示してゐる。慶長十七年より寛永十年に至る僅かに二十一年、これは恐らく田畑の品等攷正と分米高の高率とに原因するためであらう。新田開發等の理由も考へられるが、それよりは分米による計算上の増加と考へ度い。「郷村記」にはこの時の田畑總面積を記してゐないが『寛永十癸酉年檢地の節領内石高相減するに依て、家老及ひ檢地の役、深く是を議す。福田金右衛門尉頼勝川口參議助工夫して、田地分米惣高貳部半増して、村邑の上下を分け、肥良の地には増益し、瘦裏の地は是を減し、各厘毛弗の高低を正し、諸村平等に石高を究む（畠は古法の如く分米を以て則石高と定む）故に俗に呼目論見と云』とある。

然るに安政三年になると、幕府の朱印高と內檢高卽ち大村藩自身が行つた檢地による石高とは次の如く二倍以上の開きが現はれて來てゐる。この內檢が何時行はれたかは記されてゐないが、恐らく「鄕村記」編纂の際測地したものと思はれる。卽ち換言すれば、幕府公認の石高よりも、寬永以後約二百二十年間に倍加したことになるのである。この原因としては分米のみならず、切畠・新地等の名による新田畑の開發が考へられる。請地及び切畠なる文字が各村に見えるのは、この間の事情を說明するものである。大村藩各村別の田畑面積は次の如く記されてゐる。

村名	朱印高（內檢高）	田面積（內檢）	畑面積（內檢）
大村（久原・池田）	三、一四四・七一七〇（四、六五八・五〇七七）	二一八町、二五畝・一四	四九六町、一〇畝・四
郡村（竹松・福重・松原）	四、〇六六・五七三三（七、八六二・九二四五）	四〇三、五三・一九、五	二八七、一六・六、五
萓瀬村	三一六・九六九九（一、九二七・九六九）	一〇四、五七・二九、五	四二、四二・〇二、五
三浦村	八五四・九二六六（一、五六二・七九〇二）	九〇、六三・〇二、五	九三、〇一・二七、五
鈴田村	一、〇六〇・二八三三（二、四七二・三六五五）	一四八、五〇・〇四	八三、九〇・〇四
江串村	三九六・八七（一、三七五・一三八六）	一一〇、三七・一六、五	三八、六五・〇一
千綿村	七二〇・二一（二、二七三・六六八六）	一四九、八一・一三	四九、六三・一〇

彼杵村	二、二三八・一五五四（三、九九七・四八六二）	二二八、四〇・一三	一二七、五二・一三、五
川棚村	一、五二六・〇四（三、四二四・四九七七）	二二二、〇三・二二、五	九一、四八・〇八、五
波佐見村	二、四八四・五八五（八、〇五一・〇七五一）	五九七、〇五・〇九	一三五、九六・一六、五
宮村（以上地方）	七四四・九〇三三（二、一一九・三六四）	一六七、三三・〇一	五二、七六・〇五
壹岐力村	二三〇・六七九（四六三・六七二八）	三二、五七・二七、五	一八、七三・一二
佐瀬村	一三九・七九（二三四・四三六四）	一七、九七・〇八	一〇、四九・〇八
長與村	一、二二九・〇一四一二（一、六九三・〇九九九）	一三七、五二・二三	五三、三二・〇六
幸田村	四六七・九〇三五（五六六・五九一一）	四八、一〇・一九	一〇、八八・二八
滑石村	三七〇・四八七五一（四一五・五五二）	三三、九九・〇二	七、二八・〇五、五
浦上西村	二八七・八二二（三〇八・四一三三）	二〇、四八・一六	一〇、七二・一八
同北村	五九二・八二三（五九五・二六二九）	四三、一六・〇四、五	一三、九〇・二〇
同木場村	四二八・七一八（五六七・〇八〇一）	四一、八五・二四	二一、五七・二七
同家野村	三〇〇・六二四（三四二・五六七九）	二三、五八・一四	六、一六、二一
時津村（以上向地）	一、三四八・四〇三八二二（一、八四八・二二八五）	一二〇、六五・一七、五	五三、六四・一五、五
日並村	一一一・四三三三（三四四・六八五四）	二九、八五・一六、五	七、六〇・一三

村名			
西海村 子々川村・松	二七三・九三三三（七七〇・二〇九二）	八八、一四・〇九、五	二九、九三・一一
長浦村 戸根	三四六・四（八〇五・九五六七）	九六、五四・〇五、五	二四、〇五・二四
形上村 居戸・小口	一〇八・九三三三二（五二四・七四六一）	五六、二二・二三、五	五〇、六九・二八、五
大串村 三町分・下岳・白似田・中山・亀浦・宮浦	五七七・七（一、九九二・一四六一）	二四一、五〇・〇六、五	八九、六〇・二一
八木原村 小迎	一三六・九一三三（三九四・七七〇三）	四二、六三・〇一	一四、三四・〇四、五
川内浦村 伊浦・畑浦	二四一・八八六六（七六一・三八二六）	七六、九五・二三	一七、二〇・〇五、五
横瀬浦村（以上内海）	九五・六三三三三（四〇五・五五七）	三八、八〇・一三、五	二六、二二・一一、五
面高村	四三・三八五五（一八七・七三六七）	一七、四二・一一、五	五、九三・二〇
天久保村 黒口	一六三・一（一七六・六七二三）	一五、九九・〇七、五	六、二四・〇〇、五
大田和村	一五三・九六六六六（二九六・九八九四）	二五、三五・二一	一一、九八・二七、五
中浦村	九〇・六六六六（三〇四・八三八）	三九、四〇・二八、五	一三、七三・二四
多以良村 七釜浦	二一八・五一五三三（四七五・四五二）	五八、二六・一七、五	二三、二五・〇五
瀬戸村	一八〇・七二五七四（五八五・九〇三五）	六六、七三・二〇、五	二四、一六・一二、五
雪浦村	一〇六・四九四九（四五四・四一二）	五三、八五・二四、五	三四、六三・二七
神浦村	二四九・八四八九七（四八五・四六九七）	三八、一八・一六、五	三九、九二・〇二、五

黒崎村	一二三・四一四三 （二一七・七〇一八）	二二、六九・〇八	一四、四一・一二、五
三重村	三一七・六九五三 （六九七・〇三七四）	五四、二四・一九	四四、〇四・二二、五
陌苅村	一三五・二四三三六 （二五三・七五七四）	二四、八四・二三、五	二四、二六・〇〇
式見村	三〇〇・〇〇〇 （四一四・四二八八）	二六、八〇・二九	二六、七一・〇二、五
福田村	五〇二・四六九二六 （六一一・六七七九）	四二、七六・一五	七二、二〇・二九、五
松島	五一・六四九〇四 （二一六・六一九四）	一二、〇三・二〇	四九、九四・二六
大島（黒瀬）	一九・九五一一六 （一四三・一六一四）	一四、七三・一三、五	三〇、六七・〇三
嘉喜浦（崎戸）	一八・三八 （五九・八二六三）	六、六三、一五	七、一二・〇八
江島	六六・五二 （一八二・七四三一）	一一、七五・〇七	四六、一〇・二六、五
平島（以上外海）	一二・六六六六六 （八七・八六五五）	一一、四六・二三、五	三、二九・〇五、五
古賀村（飛地）	三七九・八六六九三 （四四八・三〇三四）	五一、二九・〇七	三四、二六・一六
合計	二七、九七三・八七七 （五九、〇六〇・七六五三四）	四、二二三、七四・一五	二、四七九、九六・二〇

以上一瞥して地方・向地・内海には田多く、外海には畑が多い。

士・農・工・商といふ當時代の階級別人口構成が、如何なる組合せになつて居つたかは確然とすることが出來ない。農民を本位として考へると不明の分もあるが大體次の如く現はれる。

人口

村名	總戸數	總戸數中									總人口	内譯	
		藏入百姓	私領百姓	本百姓	百姓	釜百姓	浦人	間人	家船	浮竈		男	女
大村	二、五六九軒	軒	五〇九軒	軒	二九五軒			八三軒		二八軒	九、四七八人	四、七一八人	四、七六〇人
郡村	一、七八二	一三九	九二	四四五	七六			六三五		六	六、四五四	三、二九三	?三、一六三
萱瀬	五〇八		一〇七	一七三	四三			一三七		三	一、八六七	九八四	八八三
三浦	三九八		一五三	六八	一			九七			一、六二一	八五三	七六八
鈴田	五三一	一〇七	四四					八二		一	二、二四三	一、一六三	一、〇八〇
江串	三四九		七一	四六	二			五七			一、三四七	七一六	六三一
千綿	六〇九		一〇三	一一五	五〇			一三二		二	二、四一二	一、二四三	一、一六九
彼杵	一、一三三		一〇九		六五六			一八		二	四、六六二	二、三八五	二、二七七
川棚	一、二〇三		一六二	二八七	三三一	三〇		二三四			五、五八五	一、九一九	二、六六六
波佐見	一、八二〇	二三七	三五五	一六八	一八			八三一			八、六三〇	四、四四四	四、一八六
宮村	五一九		一七九	九三	四六	四		一一四			二、五五六	一、三四七	一、二〇九
壹岐力	二一九	五五	一〇七		一七			三七			九四九	四七九	四七〇
佐瀬	一一〇		一〇九								五一九	二四九	二七〇

	1	2	3	4	5	6	7	8	9	10	11	12	13
長與	九四七		一一七	七九	五六	三四		六一六			四、五四四	二、二七九	二、二六五
幸田	九〇		九〇								四五一	二三一	二二〇
滑石	一四〇	一	一三九								六〇八	二八九	三一九
浦上	五〇九	二五二	一〇三					一二九		一	二、四〇〇	一、一四六	一、二五四
時津	八五二		一五〇	一四一	一三四	(一〇三)(?)		二七九			四、三四七	二、一六六	二、一八一
日並	一四六		一三八					四			八〇三	四〇九	三九四
西海	三八四	四八	二九五		二六			七			二、一四九	一、〇八四	一、〇六六
長浦(缺)	九一		八十		二						四六六	二三二	二三四
形上	三七二	五	三〇四		二六			三〇			二、〇七五	一、〇二八	一、〇四七
大串	一、〇八〇	六四	五二〇	二六	七〇			三三九			五、二一六	一、六六七	二、四四九
八木原	二六六	六	二一五		十七			一九			一、三〇六	六七四	六三二
川內浦	五〇九		一〇五	四三	一三〇			三二一			二、三三〇	一、二一四	一、一一六
橫瀨浦	三〇五	四六	七一		三			一七六			一、四五六	七五九	六九七
面高	一五一	一	六		一三		七六	二四			七二一	三六〇	三六一
天久保	一六五		一五五		一〇						八一〇	四一〇	四〇〇
大田和	二二四		二二三								一、一九一	六一四	五七七
中浦	二二三		二二三								一、〇一八	五〇一	五一七
多以良	四二九	一三	二六〇		四六			九四			二、二二九	一、一四三	一、〇八六
瀬戸	六七九		九	一	四四		二八	三八一	六三		三、九三一	一、九一七	二、〇一四
雪浦	四七一	二二	二四二		二五			一六〇			二、三三九	一、一一七	一、二二二
神浦	一、〇八一		二五六	二八四	四			五〇八			五、四六〇	二、七二八	二、七三二
黒崎	二五七	三七	一八四					三六			一、四五七	七二七	七三〇
三重	六二九	二四	三五五		一七七			四三			三、四三〇	一、七〇七	一、七二三

陌茢	二八〇		一二六		一四五			二			一、五六四	八〇〇	七六四
式見	七七八		二二八		三九四			六			四、六一六	二、二九〇	二、三三六
福田	五三六		六二		二四七			三			三、〇二六	一、四四五	一、五八一
松島	三九七		四	一四三	一四七			七一			三、〇〇七	九六〇	一、〇四四
大島	二四六		一九〇					一			一、九四〇	九五八	九八二
嘉喜浦	二五九		三		三四			五	六七		一、一八九	六三〇	六五九
江島	一六八		一六四								二五七	三八九	三六八
平島	一七〇	一	四		一四六			五			六六七	三二八	三二九
古賀	（欠）												
合計	二四、六八四	一、〇四八	七、三二五	二、一一二	三、六九一	六八	二〇四	五、六一七	一三〇	四二	二四、九二五	五七、九九七	五六、八二二

備考

一、本表ハ「郷村記」各村竈數中ヨリ抽出シタモノデアルガ、確定數デハナイ。併シ大體ニ於テ誤ハナイト思フ。

一、總戸數中ニハ武士階級ヲ含マズ。

一、表中私領百姓トアルハ給地百姓デアル。

一、間人ニ付イテハ後出表參照ノコト。

一、神浦欄中、本百姓二八四軒ハ、村本百姓一四四軒・浦本百姓一四〇軒。

戸數も人口も大體に於て地方に多い。大村・郡村を中心として現在の東彼杵郡に屬してゐる地域である。この表に於て第一に目に附くのは藏入百姓と給地百姓との關係である。一體徳川時代に於て、武士（家士）の俸祿は如何にして給與されてゐたか、即ち藏米か知行か　知行も現實に武士がその知行地に在つて支配してゐたのか、或は文書の上でのみ何處彼處の土地何石と指定されてその收獲高の中より給與されてゐたのか、その何れが多かつたかは充分に明白にされてゐない。各藩決して同一のものではなかつたが、大村藩に於ては明かに武士が或一定の知行地に居住し、その土地の上り高を給與されてゐた。百姓の軒數から言へば藏入と給地との間に一對七の比があるが、土地面積及び石高の方から眺めると、後出の如く藏入地が大である。これは尤もことであつて勿論大村藩と雖も他藩と同樣藏米取の武士もあり、給地と藏米とを兼ねたものもあるのであるが、給地の場合には『住居知行人別』と記されてゐる。而もこの給地の場合には、一村一ケ所を以て全俸祿を給與するばかりではなく、時には各村に分割されてゐる。この各村に分割された場合には、その村に於ては懸持と稱し、『懸持知行人別』として記されてゐる。例者、上波佐見村・宮村の例を擧ぐれば

住居知行人別（上波佐見村）

澁江　辰左衛門

一、高　拾七石九斗二升
内　五石一斗六升三合七夕　居　村
同　八石七斗九升二合七夕　下波佐見村
同　三石九斗五升八合　藏　米

同　五合六夕　　上り高

住居知行人別（宮村）　　森周庵

一、高拾石貳斗一升　　居村
内　七石五斗五升九合貳夕　　七ツ釜村
同　貳石六斗四升四合
同　六合八夕　　上り高

懸持知行人別（同右）

一、高二百石　　酒井七郎兵衛
一、高七拾七石八斗九升六夕　　大村太左衛門
一、高七拾五石貳斗貳升六合　　今井元右衛門
一、高三拾八石七斗貳升貳合七夕　　戸田慶左衛門
一、高三拾貳石五斗九升壹合貳夕　　富永嘉門
一、高拾四石四斗六夕　　村田徹齊
一、高五石　　山川禮順

右の內、大村太左衞門は大村久原に居住してゐる者であるが、その持高は大村久原村分の『住居知行人別中』に次の如く記されてゐる。

大村太左衞門

高　百九拾八石六斗壹升　　久原分
　內　壹石八斗四升九合　　屋敷
　　內　壹石壹斗貳升六夕
同　拾八石壹斗五升九合六夕　　池田分
同　七拾七石八斗九升六夕　　宮村
同　九拾九石三斗四合　　藏米
　　壹石四斗六合八夕　不足

以上によつて、家士は或一定の村に居住して俸祿を給與されてゐたことが明かになつたと思ふ。唯その居村が如何にして定まるかは示してない。唯遺憾なことは藏米取・知行取の二者の關係・比率は計算し得ないことである。面積と石高のみは後に掲げる處によつて明かであらう。

亦『住居知行人別』中に、注意すべきは鄉士類似とみるべき鐵砲足輕の他に、諸職人として藏米取或は高持の苗字を持つた大工・左官・鍛冶・木挽の類が擧げられ、それが殆ど各村に存在することである。そしてこれに對して武士階級と思はれる無高のものが記されてゐる。「鄉村記」には何等の說明をもなしてゐないが、如何に解釋すべきであらうか。從者は所謂無足人の一種かとも考へられるが、前者は鄉士或は武士の兼職を主とした職業別とは考へられない。武士は武士として存在してこそ價値があるのだから、町人と區別されてゐるこれ等の職人は、藩直接の又は村抱への御用を勤むるものとも考へられるが恐らくはその土地を新田開發したものとも一應考へられる。切畠・請地等の文字が、各村に見えるのは、かうした人々の開墾になるものであり、その場所の所有權を藩から認められたものであらう。(附錄「鈴田村記」の項參照)

農民階級

本百姓　本百姓は普通に云ふ獨立農民としての地主及び自作農であつて、貢租負擔の義務を負ふものと解す可きである。卽ち村内に田畑・屋敷を所有して年貢・課役上納の義務を負ひ、高持百姓とも稱されるものである。「鄉村記」に擧げらるゝ本百姓の數は前揭の如く約二千軒である。そして本百姓の存在しない村が過半數を占めてゐる。尙神浦村に於ける本百姓に村と浦との二種類があるが、浦本百姓は海邊に於ける地主或は自作農の獨立農兼漁業者と解す可きでありこの下に浦人及浦百姓が使役された。何故ならば「鄉村記」に於て漁業に專ら從事する者と解されるのは浦人と家船より他に擧げられてゐないからである。浦人二百四軒・家船百三十艘を以てしてはあの海岸線の長い地方に於て漁民の人口數が餘りにも少い。

百　姓　百姓は以上の藏入百姓・給地百姓・本百姓、後述の間人以外の所謂小作人階級である。百姓として明白に掲げてあるのは、福田村二百二十軒・彼杵村六百軒・大村百五十二軒・陌苅村三十八軒の合計千十軒である。前表の中には寺百姓と思はれるもの百五軒、浦百姓と思はれるもの二千六百三十九軒を含んでゐる。この浦百姓は農業兼漁業者と解される。百姓軒數三千七百軒の中、七割以上が浦百姓であることは上述した如く農業兼漁業者の多いことを示すものであるが、これは地勢上當然なことである。波佐見村等の如き山間部に於ては十八軒全部上り地百姓であつて、かうした兼業農家を見ないのである。萱瀬村もさうであるか、唯彼杵村に於ては、浦百姓五十六軒を數へ、百姓六百軒と計上され、大村に於ては百姓二百九十五軒中、寺百姓六十三軒・浦百姓八十軒と數へられるが、この地方は田畑が比較的早くから開けてゐたためであると考へられる。川棚・式見の兩村の如きは前者に於て三百三十一軒、後者に於て三百九十四軒の浦百姓を含んでゐる。

漁　民　階　級

浦本百姓及び浦百姓については上述の通りである。この項では水産業として同類に目すべき製鹽關係業者としての釜百姓と浦人とについて述べる。

釜百姓　この釜百姓は農民卑賤階級としての釜子又は竈譜代と稱されるものではなく、製鹽業者である。製鹽業は宮村・川棚村・長與村の地方と内海の時津村に行はれる。長與・時津の兩村は慶長年間に始まつてゐるが、他の二ヶ村の鹽濱は享保以後と思はれる。總て各鹽濱に於ける釜司によつて支配される。この支配下にあるのが釜百姓であつて、「時津村記」のみには、濱田百姓百三軒（百十三軒トモ記ス）と記し、他は釜百姓と載せてある。昔は鹽燒百姓と稱したらしい。

浦人　この名稱は面高村と瀨戸村とに見るのみであつて前者に七十六軒、後者に百二十八軒合計二百四軒である。純漁業者と解すべきであらうが、網元と考へるのは無理であらう。

特殊階級

間人　以上は大體自由民であるが「鄉村記」の研究途上屢〻眼にふれるのは間人なる文字である。「鄉村記」に於て間人として單獨に區別して記載せるものは數は少ないが、間百姓と記されてゐるものは非常に多數である。前表の間人は次の分類の總數を示したのである。

村名	間人	間百姓	奉公間人	藏間百姓	浦間百姓	間醫	其他	
大村		五四	二七				浦間	二
郡村	三〇	六〇三				二		
萱瀬	五	一三〇					村間醫	二
三浦		八七	九				間組小給	一
鈴田		六六	一六					
江串	五	五一					浦間	一
千綿	八	一二三					間鍛冶	一
彼杵	九					五	間小給	四
川棚		一三八	八三			三		
波佐見	一〇六	七二五						
宮村	三一	八一				二		
壹岐力	一	三六						
長與		六一六						
浦上	一	二二五	三					
時津		二七二	四				間組 足輕間	二 一
日並	二	一						
西海	五		二					
形上					三〇			
大串	一二	一四四	三	一一八	四四		藏間人 間組小給 給人伍	六 一 一
八木原		一八			一			
川内浦	五	一五八	一		五六		間小給	二

横瀬浦			三	一七四			浦百姓間 鐵砲間	一七 一
面高		三	三					
多以良	一	九三						
瀬戸	四	三六五				三	間町人	九
雪浦		一六〇						
神浦	五	五〇〇	二			一	村間百姓 浦間百姓 間百姓	二三二 二一八 五〇
黒崎				三六				
三重	三	三八				二		
陌苅	一					一		
式見		三	一			一	足輕間人	二
福田	一						船手雇間人	三〇
松島	七	六三	一					
大島	一						組付小給間	一
嘉喜浦	一		二			一	間組小給	一
手島		三	二					
合計	二四五	四、六五六	一六一	三二八	一三〇	二一		七六

備考 本表ノ作成ハ「鄕村記」中ノ各村竈數ヨリ抽出シタモノデアル。
神浦村ノ分ハ、間百姓トシテ一括シテ五百軒ヲ掲ゲ、ソノ内譯ヲ示シテヰル。括弧内ノ數字ガソレデアル。

右に見る如く、間人及びその類似のものとみるべき階級を擁してゐないのは、佐瀬村・幸田村・

滑石村・長浦村（一部缺）・天久保村・大田和村・中浦村・江島の八ヶ村にすぎない。そしてその分布の多いのは地方であり、向地がこれに續いてゐる。

元來間人とは、古くはマヒト・ハシヒトと訓まれ、書紀以來記錄に散見する處であり、中間の人間といふ意味であつて、大體良民と賤民との中間に位することを示してゐる。異論はあるが、土師部(ハジベ)或は驅使部(ハセツカベ)との關聯があるものと考へられる。肥後國山鹿郡に箸人鄕があり、「和名抄」によれば伊勢朝明郡・安房長狹郡・美濃不破郡・下野河內郡・同芳賀郡等には杖部鄕又は丈部鄕の名稱がある。武家時代轉じて召使女をハシタ・ハシタモノ（半下・半物・半人）と稱し、下僕を中間(チユウゲン)と呼び、マヒトは轉訛してマウトと訓まれ、或低級なる農民階級となつて、德川時代各地に存在した。この間人に關して一番有名なのは阿波に於ける記錄であつて、水呑百姓であり、田地を所有せず他人の田を耕して生活する者を間人と稱した。間人の資格を定められた時代は明かでないが、一旦その資格が定まつた以上は容易に改變されなかつた。假令、彼等が努力して田地を所有し村人たる資格を備へた場合でも、間人たる地位に甘んじ、同一村落內に於ける氏神の祭禮・村寄合その他の場合に於て、一般百姓に比して權利少く、義務も輕かつた。卽ち夫役負擔は本百姓の二分の一であり、下男・名子は三分の一を課せられたから、間人は丁度本百姓と名子との中間に位してゐる。阿波では間人をそのままマニンとも稱したらしい。周防・長門に於ては間、男或は亡士と記し、普通の百姓の如く持高に應ずる門役や浮役の義務がなかつた。そして一旦間男の籍に編入された者は、假令高持になつても脱することは出來なかつた。併し乍ら村民の諒解を得て一定の手續を經れば普通の百姓となることが出來たのみならず、庄屋・町年寄役にも就くことが出來た。この他、隱岐に於ては間人と同種のものを間脇（マワキ）と呼び、(1) 丹後竹野郡には間人村がある。この地名の間人はタイザと訓じてゐるが、それは傳說による訛訓であつて、本來は間人の意である。(2)

以上のやうに間人なる特殊階級は、可なり各地方に殘存してゐるのであるが、大村藩に於てもこれをみるのである。この藩の現實に於て、果して如何なる身分であり、如何なる資格を與へられ、如何なる經濟生活を營んでゐたかは、今後の研究に俟たねばならない。大體以上の各地方のそれと大差はないものと考へられるのであるが、後述する如く、他地方に於けるやうに課役の負擔に差別はなかつたやうである。名のみが殘つて、實質が消え失せたのではないかとも考へられるし、私的の場合にのみ差別待遇を受けてゐたのかとも考へられる。唯注意す可きことは、その種類が非常に多いことである。讀者に與へる懸念は、『間』なる文字があるがために筆者が間人と測斷したのではないかと云ふことであるが、このことは、村醫・鄕醫と間醫・村間醫は區別してあるし、足輕・足輕格に對して足輕間を相異し、町人に對して町人間を差別してゐることから、この論定は許されやう。今まで發表された間人が、多く百姓の身分關係であるに對して、大村藩のそれは、百姓以外の各部分に行き亙つてゐることは一の特長である。間人と驅使部との必然的關係を認むるならば、この事實はこの兩者の關係に或一の根據を與へるものかとも思はれる。

次に間人の數を眺めてみて、本百姓の多い村には間人多く、給地と間人との間にはその多少の關係が現はれて來ない。亦藏入地に對しては、藏入百姓の軒數の多い村には比較的間人が多いことである。このことは給地に於ける農民關係が小作の關係を本體とし、本百姓・藏入地の多い村では身分的隷屬關係を基礎してゐることを示すものである。尙以上の表に於ける二三の解明をするならば、浦間とあるのは浦間百姓とは違つた浦人の間人、間組小給・間小給・間組等は本來同一のものではないかと解される。

家船　家船は瀬戸村・嘉喜浦（嘉喜浦・崎戸）二ヶ村に見える百三十艘だけである。この起源が何時なるかは分明しないが、文明年間には記錄上に現はれてゐるから可なり古いものと思はれる。南支那に於ける蛋民の如く家族總て船內に居住する。船は二丁櫓に限り三枚帆である。冬春の間蚫を取り、四月より六月迄は葛網を、七月より九月迄は鰯網を引き、亦常時鉾を以て突魚して渡世する。婚姻は家船內に限り、他との結緣を避ける。長子相續の際は、船の胴の間を渡し、兩親は艫の間に隱居するのである。

一種の海上生活者であるが、唯に漁業のみならず、一旦緩急の際には古くより藩の船手御用を勤めたらしく、純忠の代に感狀を授けられて領海渡世勝手次第と定められ、正保四年南蠻船長崎來航の際には出役手助して、次の如く申渡された。

代々家船江相渡候書附

家船之儀從先年由緒有之、御領海渡世被指免來候例を以て、向後共是迄之通不相易被仰付候條、無心得違御法之通堅可相守候、且又今度相願候船公役並臨時之船手御用、無懈怠可相勤者也

寶暦十年未正月　　川勝庄太夫

次いで天明六年には再び『家船共從先年之由來無其紛候、然共末世之儀被思召、改て此節御記錄之內被裁之候、依仰爲告知候、難有可奉存候、委者寶曆年中申渡之通可相心得者也』と申渡されたが、嘉喜浦に於ては、天災・病氣による家船難澁救濟のため、文化十四年左の如き達を下して緊急の時の救助に資した。

其方共儀古來ゟ致船住居候處、老幼並病氣且風波之節、及難澁之趣相聞、今般深以思召於寺島

本竈野地壹段局住居之者江五畝宛無上納にて永々被下置候間、屋敷相構以來彌以家業相勵是迄相極候公役等無怠可相勤候、此段書付を以申達候以上

文化十四年七月十九日

小方　卯右衞門
池田　與七郎

翌文政元年寺島へ移住せしめたが、天保七年に至り、寺島牧場再與のため再び嘉喜浦・崎戸に歸住し、同浦支配の下に、下波用山の中より三段歩餘を請山として下附された。瀨戸村の家船は同樣の理由から天保十一年多以良村に於て山林四段歩を給せられた。

これ等の家船は、以上の代償として藩の臺所納物、鮑四拾貳盃(嘉喜浦は四十八盃)を年始・歲暮に嘉喜浦・瀨戸村隔年に上納し、これに對して酒一升五合・米八升・鯣貳枚を給せられた。

(1)　喜田貞吉「間人考」(歷史地理　第四十四卷　第四・五・六號)。拙稿「間人」(日本經濟史辭典)

(2)　歷史地理　(第四十四卷　第一號)

農家經濟

大村藩に於ける農村を概觀して、統計的數字の上に現はれて來る家畜は、牛が可なり多いことである。

	地方	向地	内海	外海
牛	一、三八一頭	四八一	二、二三五	三、八四九
馬	二、五二〇	六二一		

一體に關東地方は馬が多く、關西地方は牛が多い。從つて牛馬耕の差異が考へられると云はれやうが、大村藩も大體さうであつて、大村灣を中心とした東側に馬多く、西側には馬は皆無で總て牛である。これは全く地勢の然らしむるところであると思はれる。亦地方・向地に於ける馬は耕馬としての他に、藩用・交通用のものに原由することを併せ考へねばならない。古くより切支丹や外國貿易の關係があつた村方に、牛が多いからとて、直接的には泰西農業の輸入と關係さすことは危險ではあるが、何等かの暗示は得られやう。農具の種類と作物の關係や、耕作技術の形

體が、明瞭にされない限りこの問題は解釋出來ない。この地域の牧場は平島村・大島村・同黑瀨村とにあるが、何れも德川幕府成立後、恐らく古くて寛文・延寶の頃の創始らしく、黑崎村は貞享二年に始まつてゐる。その後一興一變し見るべき成績を擧げてゐないやうであるが、平島村の牧場は竪貳拾町・横拾八町・面積約二十町歩であつて、牛耕が終つてから村中の牛を放牧し、八月初旬各人家に引き取つたと云ふ。一種の Allmende である。

農村に於ける農民の生活は如何であつたか、農家經濟に關する收入・支出の計算は、既に各藩・各地方の分が發表されてゐるが、大村藩の分を揭げると次の如くである。併し乍らこの計算は高を基準として算出されたものであるから、現實に於ける農家の經濟を示したものではない。亦收入・支出の項目にしても、精密なものとは言ひえない。一種の標準樣式として大體の傾向を示すにすぎない。

計算は大體田畑共に寛永十年の檢地の際の目論見石高決定法に據つてゐる。一例として波佐見村の中、上波佐見村の分を擧げる。

	高百石ニ付面積	一段收穫籾高	合計
上田	四町八段〇畝・二三歩	一四俵	六七三・〇二一（俵斗升）
中田	五四九・一三、五	一二	六五九・一〇二
下田	六四一・〇一	一〇	六四一・〇一〇

これ等の田各三段歩を耕作すれば

	收入		支出			差引作得
	換算高	籾收穫高	藏納	普請會所納	種子籾・村出目・公役賃米・農具料	
上田	六・二四石	四二俵	二三・〇六四（俵斗升合）	一・二五〇（俵斗升合）	一〇・〇三九（俵斗升合）	籾 七・二四七〇（俵斗升合） 米 三・二七三五
中田	五・四六	三六	一九・二三一	一・一八〇	九・一五〇	五・一三九〇 二・二一九五
下田	四・六八	三〇	一六・二九八	一・一一二	八・二六二	三・〇二八〇 一・一六四〇

畑に於ては五段歩を耕作するとして、その中大麦三段・小麦一段・大豆一段を栽培し、その裏

作として蕎麥一段、粟五畝、芋一段、麻・木綿・大角豆その他一段五畝を利用する場合には

	收入					支出			差引作得
	大麥	小麥	大豆	蕎麥	粟	藏納	普請料	村出目、種子・公役賃米	芋、大豆角その他〆
上畑	一八俵	三・一俵斗	二・二〇俵斗升	四・〇俵	二・〇俵斗升	一〇・二〇四俵斗升合	・二四七俵斗升合	四・二六五俵斗升合	一三・一六七俵
中畑	一四	二・二	二・〇〇	三・〇	一・一五	八・二七〇	・二三〇	四・一九五五	同 八・二六四五
下畑	九	二・〇	一・一五	一・二五	・二五	七・〇三六	・一七六	四・〇九五	同 三・〇四三

備考　高百石ノ換算高ハ上畑一六町六段六畝二〇歩・中畑二〇町・下畑二五町トナル。

而して以上の計算に於ける段當收穫高及び收種子は次の定法となつてゐる。

	收穫高	種子
上田	籾 一四・〇俵斗	籾 一二・〇升
中田	一二・〇	一三・〇
下田	一〇・〇	一四・〇

上畑	小麦	三・一	八・〇
	大豆	二・一	六・〇
	蕎麦	四・〇	六・〇
	粟	四・〇	〇・八
中畑	大麦	四・二	一五・〇
	小麦	二・二	一〇・〇
	大豆	二・〇	七・〇
	蕎麦	三・〇	七・〇
	粟	三・〇	〇・九
下畑	大麦	三・〇	一六・〇
	小麦	二・〇	一一・〇
	大豆	一・二五	七・〇
	蕎麦	一・二五	七・〇
	粟	一・二	一・〇

右の計算を基として各作得の割合は、上田一割七分弱・中田一割五分強・下田一割・上畑四割四分・中畑三割七分・下畑二割と計算され、畑作専一の場合が農家收入の有利なることを示してゐる。特に裏作の關係からして畑作は田作に比して有利であると言ひ得やう。支出項目の中で村出目・公役賃米は後述するが、上波佐見村に於ては前者は納米一俵に付四升五合、後者は高一石

に付六升となつてゐる。農具の費用は次の如く計算される。

	評價格(籾) 俵 合	年償却(籾) 斗 升 合	使用年月 ヶ年
土臼	・二四〇	一・二〇	二
籾卸	・〇四〇	・二〇	二
米卸	・一〇〇	・五〇	二
箕	・一三〇	・六五	二
そうけ(四)	・一二〇		
千歯	一・〇〇〇	・六〇	五
同修覆	・〇六〇		
鍬	・二四〇		
同先仕直(一二)	・一八〇		
鎌(六)	一・〇〇〇		
鋤	・二四〇	一・二〇	二
馬把	一・〇八五	・七七	五
鉈	・一二	・六〇	二
斧	・一五	・五〇	三
檜子	・一五	・七五	二
馬道具	三・二九三		
合計	籾九俵九升(米四俵一斗九升五合)		

備考　品目括弧内ノ數字ハ箇數、他ハ一箇ニ付。

如上の一般的農家經濟の係數は、各村に於て多少の相異はあるが、大體に於て一致してゐるから一例だけに止めて置く。但し支出項目は以上の基本的のものだけには限らない。後述する如く、右の作得の中から種々の雜稅が取立てられ色々の課役の義務及びその物納・銀納があるから、農民の實際上の收入は、計算に現はされてゐるものより遙かに少ないのである。

五　大村藩財政收入の基礎

德川時代は所謂『米遣ひの經濟』と云はれるやうに、米が財政・經濟の基礎をなしてゐた。それで田畑が收入源の本體ではあるが、田租のみを以てしては、到底藩の財政を維持して行くことが出來ないので、附加税としての口米の如き、或は所謂雜税としての運上・冥加の類が種々の名目を以て徵收された。今大村藩の内檢物高を分析してみると次の如く現はれて來る。

	田地面積	田高	畑地面積	畠高	納米金
藏入地	町　畝 一、八四八・六三・〇三	石 三三、七三六・一九二六九	町　畝 一、〇七九・一六・一九、五	石 三、三七三・七二一七五	俵　升 三七、一三三・一五・一八 銀一貫九六三匁五
浮地	五三六・九五・〇〇	六、五七七・五〇七七	二一三・三四・二五	六一六・〇四六	八、八三〇・三三三
請地	一二四・一六・二六、五	一、三六七・六五〇七	六〇・一七・〇一、五	一四八・二一八六	二、〇九三・〇三〇五
新地	二三六・三三・一〇、五	三、八〇〇・五六九五	四・七〇・一〇、五	一八・三三一九	四、三三七・三五三
内用地	五・五九・〇九、五	五二・五一四五	二・七一・二八、五	三・五四四一	一〇一・一三〇五 小麥　一一・二五八三
私領	一、四六八・九〇・一八、五	一六、四五六・一一九六	一、〇七一・二五・〇三	二、八五一・六〇〇九	
欏櫚闢	二・二五・〇二、五	二四・六五七五	・〇七・一六	・三三六	棕櫚皮　二五、二七〇枚
楮苧闢	・二九・二〇	三・四五〇五			錢　七貫四〇文
水主地物成無	一・一三・二九、五	一六・一五一三	四三・九五・二六	九七・六八四四	

	高	面積	銀
水主屋敷	高 二五・八四三三	面積 二・五八・〇〇	銀 一貫三六四匁〇三
地料屋敷	高 ・一四一七	一・一三、五	一一匁八

即ち内検惣高五萬九千六拾石七斗六升五合三夕四才の中、田高は五萬二千三拾石七斗五升四三九。畑高は七千三拾石一升九五、この面積田は四千二百二拾三町餘、畑は二千四百七拾七町餘となつてゐる。この他に惣高外の田拾五町餘・畑千八百四町餘があり、この物成米二百十八俵餘と小麥三千七百二十三俵餘・鐵三十二貫・椶櫚皮六千九百七十八枚・櫨實六百九斤餘・苧一貫九百匁餘・楮二百貫餘と記されてゐる。尙鹽濱は二十九町餘開かれ、この納鹽約八千四十五俵となつてゐる。而して田租收入源としての藏入地・浮地・請地・新地と家士給與地としての私領との、各村別の係數は次の如く算定される。

土地		大村 面積	大村 高	郡村 面積	郡村 高
藏入地	田	四九・〇二	六六四・八九	三一八・三六	五、三四一・三四
	畑	一〇二・六七	二四六・六四	二三三・三八	九一八・三〇
	本石・口米・夫石		一、一〇三・〇〇		七、七六八・三
浮地	田	二五・七三	三六四・二三	一〇・四四	一七八・九九
	畑	五〇・一四	一七四・九五	一一・二七	三四・四八
	本石・口米・夫石		五六五・一九		二六一・一〇
請地	田	一三・七〇	一八六・九九	二・七二	四一・七四
	畑	二一・七一	五一・八五	三・一六	一一・二三
	本石・口米・夫石		三二六・一五		六八・〇三
新地	田	一三・二四	二〇二・六四	三九・〇九	六一三・八四
	畑			〇・二五	一・二五
	本石・口米・夫石		二四〇・二八		七三〇・〇三
私領	田	二五・一五	一、六八四・〇三	三二・六三	四九〇・一三
	畑	三三〇・九〇	一、〇七八・一五	四七・九九	一二一・三五

村名														
萱瀬	五四・三三 八五九・六九	二三・二四 八七・九五	一、四四一・二二	七・一四 一六・六六	二・二六 五・五四	一六三・一三	一・三七 二五・九三	〇・二〇 一・四七	三三・一六	六・二三 二四九・〇〇	〇・〇三 一・〇三	三五四・〇八	三四・〇五 五三二・一二	一六・五八 四二・〇六
三浦	二四・三三 三四七・四五	四〇・二九 一一六・一四	六三二・二八	一六・三〇 三六・五〇	一四・二九 三四・八八	三三〇・二七	七・九七 一三一・〇三	六・九三 一九・七〇	一八〇・一〇	〇・一六 三・二四		三・一九	四一・七九 五九〇・九六	三一・四七 一〇一・九八
鈴田	六六・二五 一、〇六九・八一	四五・一九 一四三・三一	一、八八七・一三	一六・六六 三一・五八	四・六七 一三・九九	三七六・一〇				四・三六 六七・二三	〇・〇六 〇・四九	八五・〇九	六〇・八八 八六一・〇〇	三三・八三 七七・五一
江串	二四・九四 二五四・六五	九一・一〇 二六・二七	三三七・〇八	一一・二三 一〇〇・九三	四・〇三 六・〇〇	一四九・二六	二・六〇 三一・〇三	一・〇八 一・二九	三五・一一	八・五七 一一六・五四		一六四・〇八	六二・八九 七七九・三六	二四・四一 六五・八二
千綿	四八・一八 七七二・一三	九・三三 三八・五八	一、一二〇・〇八	二三・六三 二六七・二七	三・九二 一九・四五	四〇九・〇五	二・五四 二四・八〇	〇・九二 一・一〇	四八・〇三	三一・八三 四六二・六五	〇・四八 二・二六	五四三・〇三	四二・八七 六一一・六六	一六・二七 三六・七七
彼杵	一六八・六八 三、七七九・五一	八六・二九 二六三・九三	四、二八四・一四	一〇・七七 一四三・〇四	八・二八 一五・〇〇	二〇六・二九	〇・三三 七・三三	〇・一三 〇・〇八	一〇・〇五	一九・八四 三三七・五七		四三五・二六	二八・一一 三六三・〇六	一八・四八 四五・九九
川棚	一〇〇・〇四 一、五一二・〇一	三八・〇八 一二四・〇六	二、〇六三・〇六	四六・〇四 六二九・四二	一六・二八 四九・七九	八三五・〇八	六・八九 一〇四・一九	二・七六 一〇・五三	一三八・一一	一三・七一 二三二・九七	一・一一 二・九八	二六三・二五	五四・四八 六七四・八五	三二・四二 七四・一六
波佐見	八二・四一 一、〇八七・一三	二五・八六 六九・六四	一、三七〇・一五	二三六・三九 三、九二七・九〇	四八・九六 一六四・五九	三、四〇五・〇九	二六・七〇 三一五・六八	三・七九 一一・一七	一七〇・一八	八〇・〇二 一、二六九・二五	一・四七 七・九九	一、二三五・一一	一七〇・七二 三、〇五六・六四	五五・八六 一三三・〇六
宮村	五八・六九 七六七・四三	二六・九八 七二・二〇	八五一・〇四	三五・二四 四〇八・七八	四・三七 一四・一五	四四四・〇八	五・〇九 五二・〇三	〇・五〇 一・六七	五八・〇一	六・九〇 九三・七八		八九・二〇	六一・三三 六六〇・八三	一八・一五 四七・一四
壹岐力	一四・四一 一七八・八九	六・四五 二〇・〇七	三二〇・二四	一・三八 一七・四一	一・九四 一・九八	二四・一五				〇・九五 一四・〇五		一五・一三	一五・八一 二〇二・二四	八・八七 二七・二一
佐瀬	〇・五九 五・九七	〇・四一 一・一四	一三・〇六					二・八四 一・八九	三・一一				一七・三七 一九八・七二	七・二三 二六・六九
長與	一一五・八八 一、二八八・四五	四五・五八 一三六・〇八	三、一六七・一〇	六・七七 七八・〇六	一・九八 六・三三	一二八・一三	三・五八 三九・三一	一・五〇 四・〇三	六七・〇九	一・二七 一一・八五		一四・二七	一〇・〇一 一一七・五八	四・二四 一〇・六七
幸田		〇・一九 〇・三三	〇・一七	二・二一 二三・一六	〇・二〇 〇・六〇	三三・一〇	四・七六 五一・二八	一・〇一 二・七四	七九・二〇				四一・一二 四六三・六三	九・四八 二五・八三
滑石				〇・九六 九・一三	〇・〇三 〇・三八	一四・二二	一・四七 一八・二九		二六・二四				三一・五四 三六三・六六	七・二四 二四・七二
浦上	八一・五八 一、〇九五・四七	二六・四四 七一・四四	一、六八〇・二〇	二〇・三四 二五八・〇八	八・一四 二四・八〇	四一四・一〇	二・〇四 二三・三七	四・一〇 五・二四	四八・一七				二五・一一 二九九・九一	一三・四〇 三四・三〇

時津	七六・六二 一、〇四六・一三	二六・八三 九七・四五	一、六〇三・二二	一〇・三〇 一四二・二七	二・二三 六・〇三	一九三・二七							三三・七三 四七九・七四	二四・五七 七六・五八
日並	三・五三 二八・七三	〇・五四 二・〇七	五三・一七										二六・三三 二九三・九一	七・〇五 一九・九五
西海	三三・六六 一五一・二七	四・八三 一三・八二	三七七・一四	一・九九 一六・四八	一・五一 一・六九	二三・〇六	二・一一 一九・九〇	〇・八六 一・五九	三五・一三				五一・一九 四一五・八八	二三・三六 三三・〇八
長浦	一三・一三 八四・六三	六・八〇 一三・五三	一五九・一一	三・七四 三四・一〇	一・二六 二・一七	四七・一三	二・一五 一八・九四	〇・三九 一・七八	三五・〇五				二七・三七 二一八・五七	四・七〇 九・五四
形上	一八・八四 一三三・四七	一四・三五 二三・三八	二一四・二七	五・四七 四二・六九		七二・二六				一・〇七 八・五二		九・〇八	三〇・八三 二七六・四〇	三五・九六 四〇・八一
大串	七二・一二 五四九・八七	三三・八八 七四・八六	八九九・二三	二一・四七 一七七・六四	四・五五 一三・〇一	二九六・〇二	一四・三八 一〇六・三二	二・四〇 五・三〇	一七九・二〇	四・〇八 四八・七三	〇・一四 一・四一	七一・一八	一三五・三三 九〇二・五二	四七・七五 八五・五三
八木原	七・六四 五九・二〇	一・六九 六・三六	一〇九・三三	二・一五 一七・八〇	〇・三六 〇・八二	三〇・一三	一・五五 二・八五	〇・〇九 〇・二六	一九・二九				三一・四八 二六九・九三	一二・二四 三〇・三三
川内浦	五三・二九 四九五・五二	九・一〇 三四・四三	八九六・一九	三・八四 三三・六〇	〇・九三 一・四五	六二・一三	二・七一 三・〇四	一・〇六 二・一六	四二・〇三				一五・二七 一四二・八八	三・一八 一五・〇二
横瀬浦	二七・五六 二五〇・七四	一一・八一 四四・八五	四七二・〇八	一・二九 一五・五四	〇・一一 〇・二九	一七・〇九							九・九二 七九・三一	一四・二九 一九・八一
面高	一二・二六 一一五・六二	四・六一 一三・四一	二一四・〇六				一・一二 三・一二		二一・一七				四・二八 四四・四六	一・三一 三・一〇
天久保	二・〇五 一五・一三	〇・六一 一・九〇	二八・七〇	二・六九 二七・七三	〇・九九 二・五九	四九・二七							一一・二四 一二四・一一	四・六三 一五・二七
大田和	二・九九 二三・九二	〇・〇七 〇・七八	四二・二七				八・〇五 七九・七〇	〇・二一 二・一七	一四二・二三				一四・三〇 一五七・八七	一一・六九 三三・五二
中浦	八・八六 五・三一	〇・六七 一・七二	一〇五・一九				二・三〇 一三・〇五	〇・〇二 〇・一三	三三・一〇				二八・二三 一九四・五四	一三・〇三 三六・九七
多以良	三一・二九 一九七・八〇	五・四六 一九・四三	三四〇・〇九	二・四一 一九・九六	一・一〇 四・一七	四〇・二六	〇・三五 三・二三	一・七四 五・二六	一五・〇三	一・三〇 一〇・八一		一六・二六	三三・八九 一七四・四〇	一一・九八 三七・一三
瀬戸	六四・四七 四八九・九七	一八・七七 五四・五八	九三九・一六										二・二六 一四・三四	一・八二 二・五四

村名														
雪浦	二四・七六 一七七・七〇	二二・八八 三三・〇〇	三三八・〇〇				一・七一 一〇・二八	〇・〇三 〇・〇一	一八・〇九				二七・三七 一八五・六〇	二一・〇三 四七・八一
神浦	二二・三九 二四五・〇四	二六・二一 七六・七三	四八八・〇一	〇・六六 四・二八	〇・六四 〇・四三	一三・二七	一・四六 一一・四一		一一・〇五				一三・六六 一三三・六九	一三・九八 二四・六四
黒崎	七・八六 五六・〇一	三・八八 一一・八一	一〇九・〇五	三・七五 二五・八七	一・四九 二・〇六	四三・一一							一一・〇六 一〇〇・六八	九・〇三 二一・二五
三重	一七・九三 一七八・二三	八・八一 二二・七一	三〇七・一〇	〇・三四 三・二八	〇・四三 一・二一	八・〇三				三・五三 五五・八四	一・一三 一・八六	六三・一九	三三・四三 三四八・七五	二六・五三 七六・四五
畝苅	三・九五 二四・一〇	四・二三 八・二一	五七・〇五	一・七九 一八・〇四	五・六三 四・八六	三四・二六	四・〇〇 二五・九八	二・六二 四・三七	四九・二三				一五・〇八 一四五・三八	一一・七六 三三・七八
式見	五・六二 六八・九一	五・六八 一三・五八	一一七・二〇										二一・一八 二六六・八一	一七・七一 五九・六八
福田	？ 三五三・九五	六〇・八八 一五三・〇八	八〇一・一五										七・二三 七三・六六	一一・三三 三一・九七
松島	九・九七 九九・六八	四九・一三 九六・〇九	二六一・〇七	一・〇八 一〇・五八	〇・八一 一・七九	二一・一一								〇・〇一 〇・一三
大島	六・二三 三七・四三	八・四三 二〇・二六	九一・〇九										八・三八 五三・二三	三三・二三 三〇・九二
嘉喜浦	四・七六 三五・〇四	七・一三 二四・七八	七五・三八											
江島		〇・三一 二・二四	大麦七・〇〇		〇・一九 〇・八三	大麦二・二九							一一・七五 一一六・一五	四五・五九 六三・五〇
平島	一〇・二九 七三・五一	二・六七 六・三〇	一〇四・二三										一・一七 八・五九	〇・六一 〇・四五

備考　面積ハ町、本石・口米・夫石ハ俵（三斗八）、高ハ石。畝歩及ビ升以下ハ切捨
田畑共ニ荒地高・物成無高等ヲ差引カズ。
平島ハ新地ニ加ヘズ、米納デナクシテ小麦納ナレバナリ。

依之觀是、前出戸口の處に於ける表に見る如く、藏入百姓の存在しない村方にも藏入地があり、亦そこには本百姓が多く居在するとも限らない。唯間人との關係に何ものかがあるやうに感ぜられる。例者滑石・幸田・江島の三ヶ村の如きは、藏入地・本百姓は殆どなく間人も存在しない。このことは間人の處で前述したやうに、私領地に於ける農民の身分的隷屬關係がないことを示すものであらう。亦例者黑崎村・大田和村・中浦村・江島村の如く、以上の三ヶ村と同樣に本百姓なく非常に藏入地の少い處には、浦百姓もゐない。黑崎村を除いては間人も存在しない。その殆どが私領地であり私領百姓であるが、この場合の藏入地の管理・經營はどうなつてゐたのであらうか。恐らくは、他村の飛地として他村の百姓が耕作・貢納してゐたのかと思はれる。各村に於ける田高・畑高に何々村に在りとの記事が非常に數多く見えるから、舊制の四十八箇村に改廢・分離した際にさうしたものだけが、舊來のままに飛地として取殘されたのではないかと考へる。それは出百姓・入百姓の關係ではなく、舊來の一定村落內に於ける耕作關係の殘滓である。今一歩進んで考へるならば土地所有の關係が念慮に浮ぶが、今のままではこの點明言を避けて置き度い。尙私領地が、大洋中の島々迄にも存在すること、而もその面積が非常に小なることは、之亦幾多の問題を呈出し得ると思ふ。

更に大村藩全體から眺めて藩の財政基礎としての租稅徵收高よりすれば

類種	米高納	小麥納高
本石・口米・夫石	五二、三六八俵・〇斗六九七	
郡役穀	二、四三九・一四一	
普請料	二、二二二・一二七五	
内用地納	二九七・一三五五	一一俵・二斗五八三
同普請料	三・〇一三五	
新田納	二二一・一五三五	
切畠納		三、五六七・二五六八
同日干茶代		九六・〇一七二
同普請料		一、一四〇・〇七二六
内用地切畠納		七〇・〇四九一
合計	五七、四五三・二四〇三	四、八八六・〇五四〇

この他に前に記した棧櫚皮三萬二千二百四拾八枚・楮二百一貫七百二匁・苧一貫九百五拾三匁・櫨六百拾九斤九合・鹽八千百四拾五俵一升二合五夕と古賀村畠納の通用銀一貫九百六拾三匁五厘・地料並水主屋舗納としての百文銀拾七貫四百二匁五八四、楮田並鹽濱納としての錢二百八拾二貫百九拾九文が加はる。その上に運上・冥加その他の名目の下に百文銀百二拾八貫二百七拾三匁四四・通用銀二百五拾八匁・八拾文銀四拾七貫四百三匁・錢九百四拾九貫九百二拾九文が徴收され

るし、更に歳暮納物即ち小物成として通用銀八貫九百六匁五三五、八拾文銀五貫四百二拾四匁七八五が收入項目を形成するのである。

右の運上・冥加の類を細示すると山運上・林運上・薪山手並增山手銀・鍛冶炭運上・箬搔運上・駄口銀・酒造運上・揚酒運上・酒屋穗手下運上・染屋運上・綿屋綿弓運上・糀屋運上・鍛冶屋運上・豆腐屋運上・鑄物師運上・紙漉運上・水車運上・蠟油扠運上・網釣運上・質屋運上・細物賣運上・瓦燒運上・米屋運上・蒟蒻屋運上・鹽問屋運上・鬢附屋運上・肴屋運上・鮎鰍白魚運上・樹木運上・問屋運上・鐵網賣運上・諸色問屋運上・瓶山運上・莨屋運上・薪屋運上・川請運上・津越運上・砥石場運上・味噌醬油屋運上・呉服屋運上・藍問屋運上・藥種屋運上・磯手運上・小店運上・素麪鹽小賣運上・鰯網運上・生海鼠運上・船問屋運上・搗米屋運上・鐵釘小賣運上・石炭問屋運上・居商人運上・素麪問屋運上・烷場二ヶ所運上・烷草運上・干鰯問屋運上・干鰯運上・三ッ股皿山運上・永尾皿山運上・中尾皿山運上・稃木場皿山運上・丸散藥屋運上・酒造冥加銀・糀屋冥加銀・問屋片銀・牛馬牽替口錢・帆別銀・請水主賃・家別苧・地子苧・郡役銀・諸職人公役銀より成つてゐて、多種多樣性を示してゐる。

以上右に述べた各種の稅種の中で、大村藩直接の財政收入の基本的大項目をなすものは、本石・口米・夫石の物成と郡役穀・普請料・切畠納及び小物成であるが、その詳細は次のやうに算出される。

	物成	郡役穀	普請料	切畠納	収入額	小物成（通用銀）	小物成（八十文銀）
大村	俵 二、三三九・〇二	俵 一一四・二四	俵 一〇三・一〇 △五五・二〇	俵 △二〇七・二六	俵 二、五五七・〇六 △二六二・二九		
郡村	八、八二八・一九	三五七・〇三	三九七・〇八 △六八・〇八	△二四〇・〇五	九、六八三・〇〇 △三〇八・一四	貫 一・七九三	貫 一・二〇三
萱瀬	一、九九二・二六	七九・一四	八九・二〇 △一四・〇四	△四四・二一	二、一六二・〇三 △五九・〇三	・二九四	・一七六
三浦	一、一三七・二六	五七・一三	五一・〇六 △三六・一九	△一一八・三三	一、二四六・一五 △一五五・一三	・二〇五	・二二一
鈴田	二、三五九・〇八	九九・〇五	一〇六・〇五 △二六・一八	△八四・〇八	二、五六四・一九 △一一〇・二七	・四三六	・二六三
江串	六八六・二五	三一・〇五	三〇・二七 △一一・〇五	△三八・二〇	七四八・二六 △四九・二六	・一一三	・一六九
千綿	二、一二〇・一九	八九・〇七	九五・一二 △一五・一六	△六一・〇七	二、三〇五・一〇 △七六・二四	・三一四	・一八六
彼杵	四、九二七・一〇	二二三・二二	三二一・二二 △三一・二三	△二二四・〇六	五、三七二・二六 △一五五・二九	・九一一	・五八二
川棚	三、三〇〇・一八	一六五・〇六	一四八・一五 △四四・一四	△一四二・〇三	三、六三三・〇〇 △一八六・一七	・六八三	・四〇八
波佐見	六、二八一・二六	三四四・〇三	二八二・〇〇 △五四・一〇	△一七七・〇〇	六、九一六・二五 △二三一・一〇	一・二五三	・七三七
宮村	一、四四二・二四	九〇・一九	六四・二七 △一五・二〇	△四七・二六	一、五九八・一三 △六三・一六	・三七五	[illegible]六
壹岐力	三六〇・二三	一四・二六	一六・〇七 △六・二三	△一九・一九	三九一・二六 △三八・〇八		
佐瀬	一五・一八	〇・一八	〇・二一 △四・〇五	△一三・二四	一六・二七 △一七・〇〇		

長與	一、四七七・二九	一〇三・〇五	△ 一二一・一五／一八・一七	△ 八六・一二	△ [illegible]／一二五・[illegible]	[illegible]	・一[illegible]
幸田	一一三・一七	五・〇四	△ 五・〇三／〇・三三	△ 二・〇九	△ [illegible]／三三・〇三	・〇[illegible]	
滑石	四一・一六	一・二五	△ 一・一六／二・〇八	△ 七・一二	△ [illegible]／一〇・〇一		
浦上	二、一四三・一九	九七・一三	△ 九六・一三／九・一二	△ 二八・〇六	△ 二、三三八・一五／三七・一八	・四五〇	・二六五
時津	一、七九七・一八	八五・二八	△ 八〇・二六／一五・一七	△ 四七・〇五	△ 一、九六四・一四／六二・二三	・三七九	・一二七
日並	五三・一七	二・〇一	△ 二・一三／六・〇六	△ 一九・〇三	△ 五八・〇二／二五・〇九	・〇〇七	・〇〇二
西海	三五六・〇四	一九・〇七	△ 一九・一七／二四・一三	△ 七五・一七	△ 四七五・〇一／九九・二九	・〇八一	・〇四六
長浦	二四二・〇〇	一〇・〇三	△ 一〇・二六／一四・一二	△ 四三・一五	△ 二六三・〇〇／五七・二七		
形上	二九六・二八	一三・一五	△ 一三・一〇／一六・〇六	△ 四八・二四	△ 三三三・〇三／六五・〇一	・〇五三	・〇二七
大串	一、四六九・一一	六三・一〇	△ 六六・〇八／六二・〇四	△ 一九〇・〇三	△ 一、六四八・一〇／二五六・〇七	・二〇五	・一二三
八木原	一六一・二七	六・一四	△ 六・三八／二六・一三	△ 八一・二四	△ 一七五・二〇／一〇八・一一	・〇五四	・〇二九
川（缺）内浦	一、〇〇一・〇四	三九・〇五	△ 四六・一五／四七・一三	△ 一四五・一九	△ 一、一一九・二六／一九三・一三	・一六一	・〇九四
横瀬浦	四八九・一七	一九・一二	△ 三三・〇〇／六三・〇九	△ 一九六・〇四	△ 五三一・〇九／二五九・一四	・〇八〇	・〇四六
面高	二三五・二三	九・〇七	△ 一〇・一八／一九・一九	△ 六一・二四	△ 二五五・二〇／八一・一四	・〇三三	・〇一八
天久保	七八・〇六	三・〇四	△ 三・一五／一九・一三	△ 六二・〇三	△ 八四・二六／八二・〇一	・〇〇八	・〇〇二

大田和	一八五・三一	七・〇三	△ 八・一〇 三・一三	△ 六八・一三	△ 二〇一・〇四 九〇・二五	・〇〇五	・〇〇二
中浦	一二七・二九	四・二四	△ 五・三三 一〇・三三	△ 三四・一八	△ 一三八・一七 四五・一一	・〇一三	・〇〇七
多以良	四一三・〇五	一五・二九	△ 一八・一七 四一・〇一	△ 一二七・一八	△ 四四七・二三 一六八・一九	・〇五四	・〇二九
瀬戸	九三九・一六	三六・〇六	△ 四二・〇八 三三・一九	△ 一〇五・〇九	△ 一、〇一八・〇一 一三八・二九		
雪浦	三三六・一〇	一三・一七	△ 一六・〇一 一六・一七	△ 五〇・〇八	△ 三八五・二九 六六・二三	・〇五五	・〇三三
神浦	五一二・〇四	一九・二四	△ 二三・〇一 三七・一六	△ 一〇九・〇六	△ 五五五・〇〇 一四七・〇三	・〇五三	・〇三三
黒崎	一五二・一六	六・〇五	△ 六・二三 一四・一六	△ 四三・二六	△ 一六六・一〇 五八・一六	・〇一九	・〇一三
三重	三七九・〇一	一〇・一一	△ 一七・〇一 三一・一三	△ 九四 一七	△ 四二一・〇一 一二六・〇〇	・〇四一	・〇一五
陌苅	一四一・一四	五・〇九	△ 六・一一 一四・三一	△ 四五 〇一	△ 一五三・一五 五九・二三	・〇一六	・〇一一
式見	一一七・二七	五・〇四	△ 五・〇五 四六・二	△ 一四〇・〇四	△ 一二八・一〇 一八六・二四	・〇〇	・〇〇二
福田	八〇一・一五	三三・〇三	△ 三六・〇一 六五・〇八	△ 一九九・一〇	△ 八六九・二〇 二六四・一〇	・一三	・〇七九
松島	二八二・一八	一三・一八	△ 一三・二八 七八・二二	△ 二六・一一	△ 三一三・一六 一〇五・〇三	・〇四二	・〇一四
大島	九一・一〇	二・一八	△ 三・〇三 七・〇四	△ 六一 〇七	△ 九九・一三 六八・一三	・〇〇九	・〇〇二
嘉喜浦	一六・〇八	三・三三	△ 三・一三 三一・一〇	△ 六六・〇〇	△ 八三・一三 八七・一一	・〇〇七	・〇〇三
江島	10・00	〇・一三	〇・一		一〇・二五		

平島	一〇四・二三	五・〇〇	△三・〇〇 四・二三	△三九・一五	△五二・二六 一一四・一四	・〇一三	・〇〇七

備考 ・點俵、升以下ハ切捨テ、小物成ハ・點貫、匁以下切捨ッ。△印ハ小麥納、他ハ米納デアル。但シ江島村ハ凡テ大麥納。
定増成・鹽濱運上・地料屋敷納銀・水主屋敷納銀・樫榈關納等ハ各村必ズシモ課徴サレルモノデハナイカラ省イタ。
收入額ノ中ニハ内用地納ヲ含ンデキル。普請料ノ中ニハ切畠及ビ内用地ノ分ヲ含ム。
小物成ニ物納アレド僅少ナレバ省ク。

次に財政・經濟に關する主なるものについて説明しやう。

物成 田畑の本租である。大村藩に於ては寛永の檢地以來、藏入・浮地・請地の物成を四ッ五分、京桝にして五ッ物成と定めた。即ち高一石について、本石米四斗五升、これは國桝にして一俵一斗五升、京桝にして五斗となる。所謂五公五民である。この他に口米九合、米一俵について六合を納める。その後寛文年間高一石に付いて夫穀(後述)七升、一俵に付五升を納めしめ、結局一石に付五ッ三分四厘、俵にして一俵二斗三升四合を徴收される譯となつた。

新地の物成は、高一石について本石五ッ、口米一分であつたが、文化十四年より藏入同樣本石四ッ五分となり、口米・夫石も同樣に附加されたので、全部としては五ッ三分四厘に當ることとなつた。

不作又は凶作の場合は、検見によつて上納額を定めてゐたが、文化十一年、その以前の検見十ヶ年平均を以て藩内の定物成と定め、本石・口米・夫石はこの定物成納籾を以て從來通りに計算された。非常なる凶作の場合には一作検見と稱し、當作を總て検見して加減した。

米俵入は籾三斗を一俵としてゐたが、文化年間の改正により三斗に付一升を摺切として差米せしめた。

夫穀(石) 高一石について七升五合納める。小左司・小頭等の役人の合力、江戸國定夫の給分、その他村役人の往來、荷越狀夫賃米等に支出するため、各村に貯へられたものである。寛文二年藏納めとなり、今後一切米價の高下に拘らず増減せず、定額を支給するやうになつた。

切畠納 新開地よりの租税である。從來藏入百姓の切畠は、藏入高の中荒地や水否の場所等があつても物成を納めてゐたので、物成を懸けられなかつたのである。寛文五年に至つて切畠一段に付いて小麥六升と定め、荒地・水否の物成を差引いた。その後一段に付下々畠小麥一斗五升・三下畠同七升五合・四下畠同六升と極まり、切畠改（五年又は七年に一回）後荒地になつても物成を納めるが、改後切畠した場合には、改のある年迄免ぜられた。

小物成 從來茶・桑・楮の三種であつたが、寛永の検地以來畠高に結び付けて徵收するやうになり、高百石に付いて左の如く多種に亙つて定額された。

一、胡麻　一斗五升　　一、萱疊　四枚
一、堅炭　二俵　　一、藺疊　一枚
一、上茶　一斤　　一、稻卷　一枚
一、薪　二荷　　一、摺糠　十俵
一、大根　五本　　一、麻柄　一束
一、薯蕷　一束　　一、藁　百把
一、粟　一升　　一、飼葉　十俵

この十四種は、藏入百姓が從來歳暮の慶賀或は馬飼料として、自家生産品の中から産出したものを納めてゐたものであつて、歳暮納物とも稱した。從つてその額も不定であつたのが、寛永の検地以後右の如く定額となり、村高に應じて物納せしめた。唯西海・三町分・下岳・横瀬浦四ヶ村及び地方の一部は、不定額であつたが、文政六年村方・島方共に藏入・浮地の物成高に應じて増徴されることとなつた。同年亦以上の物品に定値段を建てヽ銀納せしめ、藩入用の際には村々の相場値段を以て、買入れることに改めた。但し各村の中諸村役人の極高の分及び大村久原村・同池田村・壹岐力村・瀬戸村等の各村は、諸公役多大なるため、以上の小物成を免許され、亦村によつて格別高出入のある場合には、代官に於て小物成の數量を訂正し、勘定役所に證判を呈出して加減した。而して以上十四種の中、胡麻は通用銀を以て板舗藏納、上茶・薪・堅炭・大根・薯蕷・栗は八十文銀を以て銀納方納、麻柄・摺糠・藁・飼葉は通用銀を以て郡方役所納、藺疊・萱疊・稻卷は八十文銀を以て普請方會所納と定めた。

普請料　加勢穀とも云ふ。これについては『普請料と云ふは、天明元丑年迄は毎年大檢見之節、田作坪ゝ例を取作振に應じ、增籾を懸物成一紙中角に加へ、中角平均を以藏米知行渡來りし處、諸士一統役目懸る故、同二寅年より增籾相止、藏入浮地新地納籾壹俵に付加勢穀と名付、籾一升五合宛懸る』とあるから、大村藩に於ては天明以前毎年檢見を行ひ、その增徵籾を平均して藏米を渡してゐたことが分る。天明二年よりは增徵籾は三ヶ年平均の米八百七十三俵一斗五升五勺となり、文化九年よりは納籾一俵について籾一升三合五勺宛徵し、同十四年より加勢穀を改めて土地方普請料と稱し、普請會所に納めしめた。

小麥普請料　文化七年、切畠の品等に關係なく一段について小麥二升宛、藏入・私領の百姓に相談して增納せしめたが、同十四年名を普請料と改め、普請會所に納めしめた。

郡役夫　大村藩に於ては一家内に十五歲以上六十歲迄の男四人ある場合を上、三人あるを中、二人あるを下、一人あるを下々と稱し、それによつて城普請その他作事方・土地方普請等の役夫を徵發してゐた。一ヶ年上は十二日、中は九日、下は六日、下々は三日の定めである。藏入・私領共に徴發され、不參加の者よりは八十文銀一匁を納めしめたが、村醫者・扶持人・山伏・佛説その他村役人等、私領は高百石に付いて庄屋共に五人は、この役を免ぜられる。徴發された者は手辨當である。役夫の定め方は以上の通りであるが、これは十ヶ年を週期として代官の廻村によつて行はれ、その本となるのは繪踏帳である。若し病人・片輪者等があれば、庄屋が手形を以て吟味し、役夫を免ずる。亦公用の多い村にも役夫を免じた。

郡役穀・銀 以上の郡役夫は、文化十二年改めて物成高と竈にかけることとなり、藏入・浮地・請地高には一石に付籾四升宛、新地高には同じく籾二升宛と定めた。これを郡役穀と云ふ。且つ藏入・私領共に竈一軒について日數三日と定め、三日の賃銀、八十文銀三匁宛銀納せしめた。これを郡役銀と云ふ。郡役穀・銀共に普請會所に納める。從つて郡役夫を徴發使用した場合には一日八十文銀一匁の割で普請會所より支拂ひ、役夫を用捨された村々には籾を以て返償された。

鄕役夫 この役を免れるのは前述の郡役夫と同じであるが、藏入・私領共十五歳以上六十歳迄の頭人（戸主）は、一ヶ年に一人前三日出役して、その地方の川浚・道橋修補等をなすものである。文化年間より幼年・女の頭人や倒者・明竈等あるため、總竈の中一割五分を引き去り、殘りの竈を以て一軒に付三日宛徴發した。尤もこれは代銀納・代穀納は行はれなかつたやうである。

加勢夫 これは横目加勢夫と手代加勢夫との二種がある。横目加勢夫と云ふのは、以前は旗組足輕以下藏入・私領の百姓一軒より一ヶ年二日を限つて夫役に服し或はその代償として米・錢を徵收してゐたのであるが、後には村大給以下村帳にて繪踏したもの都て一竈に付一ヶ年半日宛として、錢四十文を納めしめた。島々の村に於ては錢の代りに大麥（約二升）を以て納めた所もある。この課税を免れる者は郡役夫の場合と同様である。手代加勢夫は大體横目加勢夫と同様であるが、藏百姓一軒に付一ヶ年二日宛夫役或は米錢を徵されたのが、後一ヶ年半日宛となり、或は錢四十文、島々は大麥を徵收された。以上の加勢夫は村方の場合には村加勢夫、浦方の場合には浦加勢夫と稱したが、松島村の例では浦加勢夫一軒宛錢五十文となつてゐる。

日雇夫　上木屋日雇夫及び普請會所日雇夫とがある。上木屋も普請會所も共に大村玖島城大手前にあつた。上木屋・下木屋は足輕小頭より年番を勤め、下木屋詰定夫の外に詰日雇夫と稱して村々より二十五人徵發し、飯米京桝七合五勺・賃一日八十文銀一匁・夜夫四分と定めて晝夜詰させ、藩用の荷物・出入船舶への米の積込みその他種々の勞働に從事せしめ、多用にして日雇夫不足の際には、三浦村より松原村迄の各村へ、郡代部屋より日雇出夫割付賃米を渡して徵發した。文化十一年に至り上木屋・下木屋は城內に移り、定夫のみを使用することとなつた。依つて日雇夫は、大村町へ請負人を置き、一ヶ年米七十俵渡切りとし、三十俵は御藏より、四十俵は村々高割として郡方取立と定まつたが、嘉永二年請負人困窮のため、藏方・郡方より十五俵宛增徵した。

普請會所の人夫は前述した如く郡役夫を使用し、文化十二年より郡役穀・銀納めとなつたので、會所入用の人夫は三浦村より松原村迄の各村へ日雇夫を割付けて使用したが、諸事繁多のため村方難澁となり、文政七年大村町に親方を置き定夫十五人と定めて、足留賃米年七十五俵宛、各村藏入の惣高割として郡方が取立てゝゐた。天保十三年に至り右の定夫を中止して再び日雇夫三十人を各村より割出し、普請會所に詰めさせて、飯米一日京桝一升、賃米同五合を渡したが、村々無人となつて諸士奉公方に差閊へたため、弘化二年より賃米の他に一ヶ年一人前米一俵一斗五升宛村々高割として郡方より取立てた。

添駕人夫　從來の規定では一人前高六石として村出日米・公役賃米を免ぜられて二十四人を以て勤めて來たのであるが、一村より多人數を出す時は、村方に差閊へを生ずるため、文化十四年より、免税の特典を廢して米七十二俵、一人前米三俵の割合を以て、各村藏入の惣高割にして郡方より徴收された。

江戸夫支度料　江戸に於ける藩用の人夫であつて、その支度料として米二俵宛各村より藏入惣高割として郡方から課税された。

人馬請負賃　助郷類似の仕法である。大村藩に於ては、大村町附近は三浦村より松原村迄、彼杵附近は江串村より宮村迄、その時々に應じて割付けてゐたが、經費の多端と村方難儀のため、文政元年大村・彼杵に五十人・十五疋、定日雇を定め請負人をして差配せしめ、一ヶ年賃米大村二百俵・彼杵二百三十俵の渡切りとし、この賃米を村々高割にして差出さしめた。その後天保三年より安政二年迄四度の增徵があり、大村二百九十俵・彼杵三百二十俵となつた。

右は大村藩用以外のものであるが、家中の荷越人馬は、右とは別に人足は賃銀一里に付三分・馬四分と定められてゐたが、文政元年以上の定額賃銀三ヶ年の平均を以て大村・彼杵に於て、一日二十人・七疋の定日雇を請負はせることとなり、米八十俵の渡切りとなつたが、往來頻繁となるに從つて、天保・弘化・嘉永と四度の賃米增加があり、大村・彼杵共に米百三十俵・錢五十貫文宛となり、郡方よりも米三十俵宛渡すやうに定められた。

旅人繼送賃　病旅行者の繼送は一荷に付、錢二貫八百文の渡切りとし、鈴田村より彼杵村迄の中、この兩村を除いた村々及び城下町竈割に懸られた。

公役賃米　公役に徵發された百姓に給する賃米である。寛文二年、上述の如く夫穀が藏納めになつてからは、これに配分する米穀なきため高に懸けて取立て、公役日數に應じて殘存米無きやうに分け取りにしたものであるが、文政二年一日賃米一升と定めて村々取立米の中より支拂つた。尤もこの取立米は、小物成諸色買入代及び村役人の給料等にも用ひられたが、殘存した場合にはその村の殖米（後述）の中に加へ、不足の場合は殖米の中より支出した。

村出目米　普通に云ふ延米とは異る。前述の公役賃米と共に藩全體としての定額はないらしい。『文政二卯年より納米一俵に付何升と定懸りにして』とあるが、はつきりしない。その用途は庄屋入用諸色代の他公役賃米の場合と同様である。

以上の二は、『鄕村記』には高に或は俵に懸けて定額を徴收するやうに記してあるが、實際に於てはさうではないらしい。例者公役賃米をみるに一石に付三重村米四升・横瀬浦村二升五合・鈴田村六升五合・福田村三升三合・長與村七升となつてゐるし、村出目米は一石に付三重村米五升・鈴田村二升・一俵に付横瀬浦村二升三合・福田村三升一合四夕・長與村三升となつてゐる。

薪山手銀　圍爐裏銀とも云ふ。山伏・佛説・浦人等は免ぜられ、村大給以下足輕・扶持人迄は一軒に付百文銀一匁宛、それ以下は倒者・明竈等を總竈の三割と計算し、これを差引いた殘竈一軒に付百文銀一匁宛山方役所に於て徴收された。

家別苧　この起源は文祿の朝鮮征伐の際、渡海の船の錠綱のために郡村・福重村二ヶ村の百姓が麻苧を獻上したのに始る。その後右以外の村々よりも納めるやうになり、寛永年間藏入・私領共百姓總て一軒に付苧三十五匁を出さしめ、銀納は一斤に付代錢二百文と定めた。

駄口銀　草手銀・野手銀とも云ふ。牛・馬飼料の草運上であり、牛・馬を所持する者一疋に付銀三分上納であるが、城下諸士及び諸村の與力は免許された。

請山運上　從來は一段に付八十文銀一匁であつたが、後百文銀二匁となり天保二年には山林の遠近によつて上・中・下に分け、上々山百文銀三匁・上山同二匁四分・中山同一匁八分・下山同一匁四分となつた。

請林運上　一段に付八十文銀一匁より百文銀三匁に增徵されたが、藩に於て竹入用の際は請林中より出し、運上銀は差引かれた。

義倉米錢　從來大村藩に於ては、村々に於て飢穀種子籾として藏方より貸付、年々の利米のみを取立てゝ藏納めしてゐたが、文化十三年その元米を拂捨てとなつたのを百姓相談して庄屋へ取立てさしてこれを利殖してゐた。然るにその前々年同十一年各村の廢合があつたために潰庄屋が出來てその所有してゐた財產及び庄屋名の越成米・夫役米等を右の取立預米と合併し、これを義倉と唱へ、その村の臨時の入用に備へた。

村殖米錢　文政三年以來村々より取立てゝゐた公役賃米・村出目米より村內經費を差引いた餘分を村殖と稱し、村の臨時入用の備としたものである。

以上は大體藩の財政收入を基として說明したのであるが、これを農民側からみるときは、右の支出の他にまだ數種のものがある。併し乍らこれは直接に藩の收入となるものではない。藩はむしろ中間の取次機關の如き役目をなすに過ぎないものである。例者、**大神宮初穗**（一竈に付錢百文より十二文・**多羅山祭禮入目**（三浦村より松原村迄一竈米五合・錢三文）・**五穀成就祈禱料**（一竈錢三文）・**觀音寺祈禱札料**（米二百八十俵）・**快行院札料**（三百俵）・**澁江配札料**（米百二十俵）・**理性札料**（米百三十俵）・**春日八幡社札料**（札料錢十貫文・八幡社錢二十貫文、竈割）・**盲人八重都施物**（錢二十貫文、竈割）等があり、繪踏の際の出費も農民より納めた。

切支丹宗門改めとしての繪踏は、宗門改役が廻村して行つたものであるが、この際の經費一切は、村人に割付けたものである。多少の變遷はあつたが、嘉永二年の制度に於ては村により多少の相異はあるが、一人前錢十五文より二十四文となつてゐる。例者、大村久原村に於て一家人數五人平均にして百二十文（一人前十四文）、同池田村に於ては九十五文（一人前九文）となつてゐる。

六　餘　言

「郷村記」を中心として眺めた大村藩の外貌は大體以上の通りである。勿論色々の問題が殘されてゐる。例者、大村藩の行政組織特に村の自治行政はどういふ風に行はれて居つたか。このことについて筆者は一言も觸れてゐない。「郷村記」を通覽してみて特異な名稱や組織に出會する。城下町としての大村も筆硯の他にした。城下町の組織と農・漁村との關係も省略した。村宿長屋の如き他藩に見えない制度もある。産物會所と産物との關係も眺めてゐない。國産品として陶器があり、石炭も出るし、櫨蠟の製造も行はれたらしい。水産業としての捕鯨や眞珠貝の産出があり、細い問題は到る處に殘されてゐる。

間人の問題にしろ、究明すべき種々のことがあるが、今後の研究に俟たねばならない。

給地武士についても論ずべきことは多々あらうし、筆者の誤解に基く點もないではないやうである。農村に諸職人が可なり含まれてゐることも、そしてそれ等の或者が姓を有し、給地・扶持されてゐることも問題として取り上げられやう。今後折に任せて研究して行くつもりである。

思へばこの「鄕村記」を發見したのは四年前の昭和九年夏であつた。七月初旬九州を經濟史・農史資料採訪に、黑正博士と走破した時、長崎圖書館を辭去する寸前、發見したものである。館長永山時英氏の好意によつて寫本してもらつたが、空しく京都帝國大學農學部農史研究室の書棚に放置されること年餘、昭和十二年春、九州帝國大學農學部に於ける農業經濟學會に、その概略を發表する機會を得たが、その後顧みることなく荏苒今日に到つた。懈怠云ふべき言葉もない。今日幸にして紙面を借り、漸くその一端を記すを得た。この日、臺灣神社の宵祭、武漢三鎭完全占領の公表を聞く。

（一九三八・一〇・二七）

附録

郷村記

鈴川村

肥前國大村領四拾八箇村之內
彼杵郡鈴田村目錄

一鈴田村之事
一村廣狹之事
一村境他領境並海邊之事
一往還道筋之事
一川流之事附橋之事
一藏入私領高附物成田畠畝步數並住居懸持知行之事
一村役附田畠俵渡並村加勢之事
一歲暮納物之事
一田畠種子積之事
一田畠出來積之事
一田畠上中下百石場町段畝步數並出來積百姓作得之事
一百姓農具調入目之事

郷村記（鈴田村）

一村出日米公役賃米並諸出口之事
一堤之事
一井手之事
一川淵之事
一浦湊之事
一船數之事
一山林之事
一山野土産之事
一賣出物之事
一竈數男女數並宗旨分之事
一郡役夫郷役夫之事附郡役銀之事
一牛馬數之事
一高浦上並諸納物之事
一寺院之事
一神社之事

一番所之事
一狼煙場之事
一宮崎新田之事
一由緒之事附舊來地頭之事
一鈴田組鐵砲足輕由來之事
一皿山砥石山之事
一牢屋跡之事
一古城蹟之事
一古寺蹟之事
一手代附知行之事

鈴田村之事

一肥前の國大村領四拾八箇村の內彼杵郡鈴田村は四方縱橫大概長短相同し三面山野に屬し南西の間內海に屬す邑中地形平坦にして田畠野廣く山寡し土地至て豐饒なり四境は酉より寅の間久原分大村之內に隣る寅より辰の間佐賀領高來郡內に隣り辰より午の間三浦村との境午より酉の間海なり

村廣狹之事

一周廻五里九町拾三間半
　內壹里拾八町四拾三間半　三浦村境
　同壹里拾七町三拾七間　佐賀領境
　同壹里貳拾六町五拾五間　大村之內久原分境
　同拾七町五拾八間　海邊

一東西壹里南北三拾貳町廣さ畝步にして千三百八拾貳町四段
　內百五拾五町九段四畝六步　田地

同百貳拾三町八段五畝廿九歩　畠地
内三拾九町九段三畝廿五歩半　切畠
同千百貳町五段九畝廿五歩　山林野

村境他領境並海邊之事

一三浦村境海邊祝ひ崎礫石より諫早領境硯石傍示石まて壹里拾八町四拾三間半此間三浦村との境なり

内三浦村境海邊祝ひ崎礫石より谷山越横道まて四町三拾壹間此間峰尾小道境左右山或は畑なり

同谷山越横道より祝ひ崎へ通る横道まて三町貳拾五間此間峰尾小道境にて左右山谷なり

同祝ひ崎へ通る横道より黑田の辻三浦越道まて七町九間半此間峰尾小道境にて左右山畠なり

同黑田の辻三浦越道より日泊り越横道まて壹町五拾壹間半此間峰尾小道境左右畑なり

同日泊り越横道より兩鈴田三浦三方境道迄六町五拾五間此間峰尾畑中小道境左右畑山なり

同兩鈴田三浦三方境道より犬の馬場日岳へ登る道まて八町三拾七間此間畑中小道境左右畑山なり

同日岳へ登る道より山頭今村越横道まて七町拾三間半此間峰尾小道境左右畑藪なり

同山頭今村越道より鹿の高野まて四町三拾間半此間峰尾小道境左右畑山野なり

同鹿の高野より石田山入口道まて五拾壹間此間峰尾小道境左右畑松山なり

同石田山入口道より同山出口まて壹町四拾五間此間峰尾小道境左右小松山なり

同石田山出口より笹原山入口まて四町九間半此間峰尾小道境或は見渡し境もあり左右畑山笹原なり

同笹原山入口より同山出口まて五拾五間此間峰尾境左右山なり

同笹原山出口より諫早領境硯石傍示石まて貳町五拾間此間往還道境左右松の並木あり三浦村境此處に終る

一鈴田村三浦村諫早領三方境硯石傍示石より鈴田村（高來郡内佐賀領）久原分（大村之内）三方境境の塔まて壹里拾七町三拾七間此間佐賀領との境なり

内三方境硯石傍示石（此傍示石舊杭木也元祿三午年切石になる銘日從是西大村領）より千部の塔の尾最合塚まて壹里三拾四間此間境塚（塚數五ツ内壹ツ最合塚なり此最合塚佐賀諫早大村三方境塚なり）あり左右畑野なり

同最合塚よりたんご出口まで拾壹町四拾間峰尾境にて境塚塚数五拾八あり左右野山なり上千部の塔下千部の塔とてあり上千部は今形もなし下千部の塔は千今温石の塔あり銘文あり

同たんご出口より同所柴山の内土居崎まで三町此間山中境にて境塚塚数貳拾壹あり左右山なり

此たんご出口に横道あり銘田より大渡野へ通る道筋なり

同土居崎より古田谷頭釘抜うちまで拾三町四拾間此間谷川境にて境塚塚数八拾七川端右の方佐賀領の地にありあり左右畑山なり

同古田谷頭釘抜うちより櫟の木谷まで九町貳拾間此間境塚塚数四拾貳あり左右松山なり

同櫟の木谷より三方境境の塔まで拾四町貳拾三間此間境塚塚数五拾貳あり左右野地なり佐賀領との境此處に終る

一鈴田村大渡野村高来郡内佐賀領久原分大村之内三方境境の塔より海邊與崎新田井樋まで壹里貳拾六町五拾五間此間久原分との境なり

内三方境境の塔より古堤頭の撓まで四町五拾壹間此間小道境左右野地なり此境の塔石垣高さ三尺五寸廻り三間半塚の上に切石の地輪貳段あり塔の高さ八寸廻り貳尺六寸銘文不分明此塔より亥の方久原分高尾寅卯の方大渡野村己午の方銘田なり此塔上古彼杵高来兩郡の境石なりといふ

同古堤頭の撓より尻なし尾の辻まで六町五拾貳間半此間峰尾或は見渡し境にて左右野山なり

同尻なし尾の辻より錢甕谷川傳石まて八町三拾六間此間谷見渡し境此處谷合にて左右田畑山野にて嶮岨なり

同錢甕谷川傳石より同所出口三方道まて貳町三拾三間半此間小道境左右山にて嶮岨なり此錢甕谷川の下流鈴田小川内に出るなり

同錢甕出口三方道より松尾谷上り口三方道まて五町八間半此間峰尾小道境にて左右畑山なり此道鈴田岩松より登る道なり横道は上鈴田横山より須田の木へ出る道なり此處より戌亥に當りて尼御前の松といふ古松あり名木なり

同松尾谷上り口三方道より峰尾小道まて五拾四間半此間峰尾小道境左右畑山なり

同峰尾小道より山際峰尾畑中まて三拾七間此間畑中境なり

同山際峰尾畑中より揚抜ヶ倉まて三町貳拾七間半此間谷横見渡し境にて左右山なり

同揚抜ヶ倉より三ッ石の辻まて六町壹間半此間峰尾道境左右畑山なり

同三ッ石の辻より萱切場の辻道まて四町四拾八間半此間峰尾道境にて左右畑山なり

同萱切場の辻道より釜師山下岩はへ淵まて貳町八間此間谷平中境にて左右小松立なり此處を針尾平といふ嶮岨なり

同釜師山下岩はへ淵より針尾川まて五町三拾七間此間川土居境にて左川右田なり

同針尾川より後木場へ通る横道まて五町此間道境にて左右田畑山人家あり此道針尾谷より

木場へ通る横道なり
同後木場へ通る横道より蕨の尾山はつれまて五拾六間此間峰尾境にて左右畑なり
同蕨の尾山はつれより住還境の松まて四拾四間此間峰尾境にて左右松山なり
同住還境の松より二ッ山尾崎下横道まて貮町貮間此間峰尾境にて左右畑松山なり
同二ッ山尾崎下横道より久原分境海邊與崎新田井樋まて貮町三拾七間半此間田畑見渡し境なり久原分との境此處に終る
一久原分境海邊與崎新田井樋より三浦村境海邊祝ひ崎礫石まて拾七町五拾八間此間鈴田村海邊なり
内與崎新田井樋より釜河内新田横道まて三拾三間
同釜河内新田横道より鈴田本川尻鼻まて三町四間此間川土居左新田堀にて右川なり
同本川尻鼻より釜河内新田井樋際まて三町貮拾間此間左堀にて右海なり
同新田井樋際より小川尻川横壹間半まて壹町三拾四間此間左人家田畑にて右海なり
同小川尻より白岩の鼻まて五町七間此間左山或は田にて右海なり
同白岩の鼻より三浦村境祝ひ崎礫石まて四町貮拾間此間左山にて右海なり鈴田村海邊此處に終る

往還道筋之事

一久原分境蕨の尾峠より佐賀領諫早境硯石峠まて道法壹里三町四拾間此間鈴田村往還道なり

内蕨の尾峠より針尾川 石橋あり長さ三間四尺横壹間五尺 まて貳町貳拾六間半左右松柴山人家此間坂あり路傍並木の松あり針尾川橋際より右の方與崎へ通る道あり

同針尾川より庄屋門前まて三町壹間半左右屋敷柴山此間坂あり岩松坂と云坂下り口左の方路傍に岩松大權現 鈴田鎭守 の社あり鳥居脇に石像の觀音あり次に番所並制札場あり

同庄屋門前より稻結川内川 石橋あり長さ貳間四尺横貳間 まて壹町貳間半左右田畠屋敷にて此間左の方稻結川内へ行く道あり

稻結川内川脇より三浦へ行く道あり此川より浦川内といふ處まて行程四町八間程牛馬往來よし左右深田淺田の田原にて中程に地主大明神の祠あり 境内に楠の大木一株あり廻り一丈貳尺餘

浦川内より南の方三浦村境權現坂黑田の辻まて九町程左右屋敷森あり此道筋三浦へ越す道なり權現坂下右の方に藥師堂あり

同稻結川内川より日置の坂峠まて貳町拾三間半左右淺田の田原畑森此峠の左柴山にて坂上り口岩壁に清水あり傍に石像の地藏尊あり次は墓なり右の方高岸にて並木の松あり

同日置の峠より白鳥川 石橋長さ貳間半横壹間四尺 まて貳町拾七間此間左右田畠柴山あり此峠左の方墓にて

路傍に地藏及法界の塔あり右の方高岸にて並木の松あり

同白鳥川より鈴田本川（石橋あり長さ九間壹尺横貳間壹尺）まで壹町拾五間此間左右淺田の田原林人家あり此大川の左北の方壹町程の處に古城の蹟あり今は林となる（事出古城の部）

同本川より舞木と云處まで五拾五間半左右淺田の田原此處上鈴田下鈴田の村境なり

同舞木より壹里塚（此塚道の左右にあり塚上に松杭三株あり）まで壹町五拾九間左右淺田の田原なり

同壹里塚より宮薗出口まで三町三拾六間半左右淺田の田原此間北の方に河内へ通る細道あり宮薗より北の方四町程の處に西光寺山といふ處に古城の蹟あり（事出古城の部）

同宮薗出口より古松川（石橋あり長さ五間横貳間）まで壹町拾三間此橋の前後古松の宿にて商家貳拾壹軒軒端を列ねて相對す橋の脇右の方路傍山中に古松權現（古松鎭守）の祉あり石鳥居の脇に法界の石塔あり其餘境内に諸神多し

同古松川より古松宿外れまで五拾四間此間宿内にて左右人家あり宿外れより右の方内倉郷へ行く道なり

此内倉道より今村境山頭といふ處まで凡拾六町三拾間程此道今村へ通り先は佐賀領眞崎村へ通る是諫早への近道なり

同古松宿外れより陣の内郷境まで壹町四間此間左右淺田の田原なり左の方横目役所へ行く

道あり 往還道より横目役所まで壹町四拾三間程なり

横目役所より東の方諫早領尾和谷村へ行く細道あり諫早領境たんごといふ處まで拾町餘

壹駄荷通るたんごより尾和谷江行程壹町餘一騎通りの難所なり

同陣の內郷境より日燒の辻まで三町四拾三間此間坂あり左右田畠森人家あり

同日燒の辻よりいこひ場の辻まで六町貳拾壹間半左右田畠柴山往還路傍並木の松あり此間坂あり右の方に今村へ行く道あり今村境鹿のこゑと云ふ處まで六町四拾八間程壹駄荷通る難所なり又海道筋右の方に足形と云ふ田地三段餘あり

同いこひ場の辻より鎌坂の辻まで貳町四間半此間坂にて左右畠野柴山往還路傍並木の松あり右の方道端に三日月と云石あり此辻より西の方に當りて玖島の城あり其外久原池田寶庫野四ヶ浦內海北の方萱瀨岳諫早山東の方に島原領溫泉岳等見へ絶景なり

同鎌坂の辻より佐賀領諫早境硯石往還路傍左の方傍示石の本にあり硯り五尺餘高さ四尺眞中に水溜あり傍示石まで五町三拾三間此間平地にて左右畠柴山野なり左の方路傍に佐賀領當領の傍示石あり是より東佐賀領西大村領なり鈴田往還此處に終る

川流之事附橋之事

一鈴田川
水源横山と云ふ處より出西へ流る川流凡壹里餘にて海に入る往還道筋に至て石橋あり長さ九間壹尺横貳間壹尺舊は傳石なり天保九年石橋懸る 此入箇銀拾貫八百五拾目村中より辨之

一白鳥川
水源白水谷より出川流凡八町程にて本川に落合往還道筋に至て石橋あり長さ貳間半横壹間四尺此川舊傳石なり天保九年石橋懸る 此入箇銀壹貫八百三拾目村中より辨之

一稲結川内川
水源久原分揚抜ヶ倉より出西に流る海際まて川流凡拾三町程往還道筋に至て石橋あり長さ貳間四尺横貳間此川舊傳石なり天保九年石橋懸る 此入箇銀貳貫貳百目村中より辨之

一針尾川
水源久原分三日月山と云ふ處より出海際まて川流凡拾七町程往還道筋に至て石橋あり長さ三間四尺横壹間五尺此川舊土橋なり天保九年石橋懸る 此入箇銀貳貫八百目村中より辨之

一古松川
水源内倉と云ふ處より出川流凡拾貳町程にて本川に落合なり往還道筋に至て石橋あり長さ

五間横貳間此川舊は傳石なり天保九年石橋懸る（此入箇銀四貫四百貳拾目村中より辨之）

藏入私領高附物成田畠畝歩數并住居懸持知行之事

一御朱印高千六拾石貳斗八升三合三勺
一内檢高貳千四百七拾貳石三斗六升五合五勺（藏入 浮地 請地 新地 私領）

内田高貳千貳百三拾六石九斗七升壹合壹勺
田數百四拾八町五段四歩
同畠高貳百三拾五石三斗九升四合四勺
畠數八拾三町九段四歩

藏入
高千貳百拾三石壹斗貳升七合三勺
内田高千六拾九石八斗壹升六合貳勺
内四石六斗七升六合五勺　荒高畝數不知

同三斗四升三勺　　菰田高
同八斗貳升壹合三勺　　當時荒高
田數六拾六町貳段五畝拾壹歩
　内貳畝拾七歩　　菰田
　同四畝廿八歩　　當時荒
内畠高百四拾三石三斗壹升壹合壹勺
　内貳斗七升八合八勺　　荒高畝數不知
　同壹斗三升五合八勺　　立山高右同
　同貳斗九升壹合七勺　　横目役屋敷物成無
　同七斗六升四合　　莊屋屋敷右同
畠數四拾五町壹段九畝拾三歩
　内四畝壹歩　　横目役屋敷
　同壹段五畝廿七歩半　　莊屋屋敷
納米千八百八拾七俵壹斗貳升七合
内千五百九拾俵壹斗五升七合五勺　　本石

同三拾壹俵貳斗四升四合三勺　口米
同貳百六拾五俵貳升六合五勺　夫石

高貳百四拾五石五斗八升貳合四勺　浮地
内田高貳百三拾壹石五斗八升八合五勺
内四石四斗壹升壹合五勺　荒高畝數不知
同壹斗貳升壹合六勺　當時荒高
同七升三合貳勺　堤費地高
同壹斗壹升貳合八勺　地揚堀費地高
田數拾六町六段六畝四歩
内廿四歩　當時荒
同廿歩半　堤費地
同壹畝　地揚堀費地
内畠高拾三石九斗九升三合九勺
畠數四町六段七畝拾七歩

納米三百七拾六俵壹斗貳合五勺
内三百拾七俵壹斗壹升五合　本石
同六俵九升五合五勺　口米
同五拾貳俵壹斗九升貳合　夫石

高六拾七石七斗貳升壹合四勺　新地
内田高六拾七石貳斗貳升四合五勺
内七升貳合　荒高畝數不知
田數四町三段六畝七歩
同畠高四斗九升六合五勺
畠數六畝廿歩半
納米八拾五俵九升六合五勺
内七拾六俵壹斗八升六合五勺　本石
同壹俵壹斗六升　口米
同七俵五升　夫石

請地
高七石四斗壹升七合九勺
内田高七石三斗三升七合七勺
内壹升壹合九勺　地無高
田數三段三畝廿三歩半
同畠高八升貳勺
畠數壹段三畝拾壹歩
本石
納米拾俵五升六合五勺
内八俵壹斗七升五合五勺
口米
同五升壹合五勺
夫石
同壹俵壹斗貳升九合五勺
私領
高九百三拾八石五斗壹升六合五勺
内田高八百六拾壹石四合貳勺
田數六拾町八段八畝拾八歩半
同畠高七拾七石五斗壹升貳合三勺

畠　三拾三町八段三畝貳歩半

一田七町四段四畝貳歩　内用地見取場（宮崎新田）

畠壹畝廿九歩半

納米百三拾俵四升四合　内用方納

但未土地の位不定故物成茂不定其年の見取を以相極

一切畑三拾九町九段三畝廿五歩半

納小麥八拾俵貳斗七升五合八勺

同日干茶貳百貳斤七合五勺

代小麥三俵壹斗壹升三合八勺

惣物成納高

一米貳千三百五拾九俵八升貳合五勺（本石口米夫石）

但藏入浮地新地請地納米也此物成四ッ五部納と定む高壹石に付本石米四斗五升也外に口米九合夫石米七升五合を納む右三に合五ッ三部四厘俵に〆壹俵貳斗三升四合と成るなり然れども土地により俵成等有之故納不同ありと云へとも物成割合定法斯の如し

一同九拾九俵五升八合　　郡役穀
　但藏入浮地新地請地物成高懸高ニ壹石ニ付米貳升宛尤新地は壹升宛
一同百六俵五升壹合　　普請料
　但右同斷米納米に懸米壹俵ニ付米壹升三合五勺宛
一小麥八拾俵貳斗七升五合八勺　　切畑納
　但下々畠壹段ニ付小麥壹斗五升三下畠壹段ニ付同七升五合四下畠壹段ニ付同六升宛
一同三俵壹斗壹升三合八勺　　右　同
　但日干茶貳百貳斤七合五勺代一斤ニ付五合宛
一同貳拾六俵壹斗八升貳合壹勺　　普請料
　但切畑壹段ニ付小麥貳升宛
右納米合貳千五百六拾四俵壹斗九升壹合五勺
　但宮崎新田納米は未土地の位不定物成年々不同有之
右納小麥合百拾俵貳斗七升壹合七勺

請地人別

一高貳石四斗七升四合八勺　内海亘人
一高四石九斗四升三合壹勺　長崎平藏

住居知行人別

城下大給

一高拾貳石貳斗壹升　富永安左衞門
内貳石八斗三升壹合　居村
同五石　藏米
同四石　扶持
三斗七升九合　不足
一高拾壹石九斗七升　久原分村部二右衞門
一高拾壹石貳斗五升　長崎平藏
内壹石貳斗四升貳合五勺　居村
同九石六斗七升四合三勺　時津
三斗三升三合貳勺　不足

高拾石九斗四升　渡邊大八
内九斗三升七合五勺　彼杵
同拾石　藏米
同貳拾五勺　上り高
一高拾石　藏米　松添盛右衛門
一高拾石　間　彦太夫
内壹石四斗壹合壹勺　久原分
同八斗貳升九合八勺　池田分
一三斗九勺　屋敷代地　居村
村大給
一高拾石　朝野小太夫
内四石　居村
同六石　藏米
一高拾石　松原　中島源太郎
一高拾石　原口南　良宿

一高拾石
内八斗八升四合貳勺
同七石七斗八升貳合七勺
同壹石三斗三升三合壹勺
一高七石五斗
内三斗
同七石貳斗
一高七石三斗貳升
内八合七勺
一高六石貳斗八升
内八斗九升壹合貳勺
同三斗八升
同五石
同八合八勺
一高五石

佐藤傳次兵衛
居村
下波佐見
池田分
永野次兵衛
居村
藏米
居村　渡邊善七
上り高
富永六平
居村
黒丸
藏米
上り高
藏米　富永勝左衛門

一高五石　楠本熊藏
内壹石九斗七升八合三勺　居村
同三石貮升壹合七勺　藏米
大砲手附

一高八石壹斗　楠本石助
内貮石九升四合五勺　久原分
同六石　藏米
同五合五勺　上り高
大砲手附

一高六石　居村　森磯治
大砲手附

一高六石　永野國助
内五石五斗七升六勺　居村
同四斗貮升九合四勺　久原分
大砲手附

一高五石七斗六升　岩永　平左衛門
内四石三升六勺　居村
同壹石壹斗五升六合四勺　三町分
五斗七升三合　不足
大砲手附
一高四升　松原　寺井　直左衛門
内四合　上り高
大砲手附
一高三升　久原分　福田　惠平太
内六合　上り高
小給
一高拾五石三斗八升　森　八太夫
内三斗八升　居村
同拾五石　藏米
一高拾石　藏米　森　清左衛門

一高拾石　藏米　中尾伊左衛門
一高拾石　永田菊次郎
内壹斗六升八合九勺　池田分
同五石八斗三升壹合壹勺　千綿村
同四石　藏米
一高九石貳斗四升　橋口文平
内九石三斗六升九合五勺　居村
壹斗貳升九合五勺
一高八石三斗三升　尾崎伴右衛門
内七石五斗九升壹合貳勺　居村
同七斗三升四合六勺　藏米
同四合貳勺　上り高
一高八石　藏米　福田覺太夫
一高六石九斗四升　尾崎覺右衛門
内貳石六斗七升貳合四勺　居村

同四石貳斗六升　藏米
同七合六勺　上り高
一高六石六斗七升　藏米　岩永林右衛門
一高六石四斗貳升　一瀬半七
内貳石九斗四升壹合貳勺　皆同
同貳石五斗八升壹合七勺　福重
同三斗七升八合　久原分
同五斗壹升六合六勺　今富
同貳合五勺　上り高
一高六石貳斗八升　廣瀬丈左衛門
内貳斗七升壹合九勺　居村
同六石　藏米
同八合壹勺　上り高
一高六石三升　尾崎文右衛門
内六石壹升三勺　居村

壹升九合七勺　不足
一高六石　居村　楠本又兵衛
内六石壹斗貳升九勺
壹斗貳升九勺　過
一高六石　居村　田崎文左衛門
内六石六升四合
六升四合　過
一高六石　江串　笠寺由右衛門
内六石四合貳勺
四合貳勺　過
一高六石　藏米　田中右兵衛
一高六石　今里元左衛門
内貳斗九升八合七勺　居村
同五石七斗壹合三勺　藏米
一高六石　藏米　平野嘉藏

一高六石　居村　一瀬安兵衛
内四石五斗六升八合五勺　居村
同三斗八升弐合八勺　久原分
同壹石壹斗六升壹合三勺　池田分
壹斗壹升弐合六勺　過
一高六石　藏米　森善兵衛
一高六石　居村　渡邊益左衛門
一高六石　山口十左衛門
内五石九斗八升　居村
同弐升　池田分
一高六石　小川喜曾八
内五石弐斗九升九合七勺　居村
同三斗四升三合五勺　久原分
三斗五升六合八勺　不足
一高六石　藏米　三根又五郎

一高五石三斗七升　　居村　朝長與三太夫
　内七合三勺　　上り高
一高五石貳斗八升　　居村　佐藤新助
一高五石　　池田分　喜々津久甫
一高四石六斗　　居村　森要右衛門
一高四石五斗貳升八勺　　居村　本山又五郎
一高四石五斗貳升　　永野吉太郎
　内四石八斗四升壹合三勺　　居村
　三斗貳升壹合三勺　　過
一高四石五斗　　居村　楠本恒右衛門
一高四石　　齋藤嘉兵衛
　内七斗　　池田分
　同三石三斗　　藏米
一高四石　　藏米　森嘉内
一高三石六斗　　居村　一瀬助右衛門

一高三石五斗　居村　貞松鹿太郎

一高三石三斗四升　朝長戸左衛門

内三石三斗四升三合　居村

三合　過

一高三石弐斗八升　尾崎久平

内三石壹斗壹升七合　居村

同壹斗六升三合　皆同

一高三石弐斗弐升　小代啓藏

内壹石九斗四升壹勺　居村

同七斗四升弐合　村松

五斗三升七合九勺　不足

一高三石　山口丈助

内三石五升壹勺　居村

五升壹勺　過

一高三石　藏米　田崎仁右衛門

一高貳石九斗六升　居村　川崎　爲右衛門
一高貳石八斗　居村　長岡　友左衛門
一高貳石六斗　藏米　針尾　甚左衛門
一高貳石貳斗八升　三浦　遠岳　廣左衛門
一高貳石貳升　田中　寅治
内壹石六斗八升六合四勺　池田分
三斗三升三合六勺　不足
一高壹石七斗五升　中山　友左衛門
内八斗四升三合四勺　居村
同九斗六合壹勺　萱瀬
同五勺　上り高
一高壹石七斗四升　吉崎武十郎
内三斗四升壹合壹勺　上波佐見
同壹石三斗六升七合六勺　下波佐見
三升壹合三勺　不足

一高壹石五斗　　居　村　楠本亀太郎
一高七斗五升　　居　村　富永善平
　内四合九勺　　上り高
一高七斗五升　　居　村　佐藤忠藏
　内九合九勺　　上り高
一高六斗九升　　居　村　淵　岩　内
　内九合三勺　　上り高
一高六斗四升　　　　　　池田紀四郎
　内六斗三升五合八勺　　萱　瀬
　同四合弐勺　　上り高
一高五斗六升　　居　村　蒲池太助
　内九合弐勺　　上り高
一高五斗壹升　　居　村　岩永新太郎
　内四合四勺　　上り高
一高四斗七升　　居　村　橋口　禎左衛門

内八合八勺
一高三斗六升
一高三斗壹升
内四合
一高貳斗九升
内三勺
一高貳斗九升
内九合壹勺
一高壹斗九升
内壹合
一高壹斗八升
一高壹斗八升
内貳合
一無高
一無高

上り高
萱　瀬　寺　井　榮　吉
居　村　中　山　慶　次　郎
上り高
居　村　山　口　福　太　郎
上り高
居　村　雄城　忠左衞門
上り高
居　村　尾　崎　喜　兵　衞
上り高
居　村　田　崎　末　太　郎
居　村　貞　松　多　吉
上り高
福　田　淸　兵　衞
森　　直右衞門

間組小給

山口 郡左衛門
淵 新三郎
廣瀬 虎市
尾崎 節右衛門
大串 滿太郎
森 宿平
中島 兵助
西川 兵左衛門
滿井 新藏

一高六斗三升壹合
居村 專念寺

鐵砲足輕

一高六石貳斗七升九合八勺
居村 古川岩吉

一高六石貳斗七合五勺
居村 兒玉常助

一高六石壹斗七升八勺　居村　山口荘左衛門

一高六石壹斗三合五勺　居村　渡邊力藏

一高六石　本山喜左衛門

内六石三斗四升九合六勺　居村

三斗四升九合六勺

一高六石　原口重吉

内六石壹斗六升壹合　居村

壹斗六升壹合　過

一高六石　村林幸右衛門

内六石壹合壹勺　居村

壹合壹勺　過

一高六石　藏米　森文助

一高六石　居村　松尾三代太郎

一高六石　中島源助

内四石七斗三升九合五勺　居村

同九斗壹升貳合　久原分
同三斗四升八合五勺　池田分
一高六石　一瀬　恒右衛門
内五石貳斗五升八合七勺　居村
同七斗四升壹合三勺　池田分
一高六石　居村　中島　繁左衛門
一高六石　居村　金子安太郎
一高六石　居村　金子　廣左衛門
一高六石　居村　梶原廣吉
一高六石　居村　藤川常吉
一高六石　居村　藤川安太夫
一高六石　居村　今村利平次
一高六石　居村　寺井貞助
一高六石　藏米　井上　兵左衛門
一高六石　居村　音琴　長左衛門

一高六石　藏米　中島彌兵衛
一高六石　居村　南　才吉
一高六石　居村　音琴藤左衛門
一高六石　居村　村林要吉
一高六石　藏米　遠岳鐵藏
一高六石　藏米　代福關右衛門
一高六石　居村　楠本恒左衛門
一高六石　居村　朝長直左衛門
一高六石　居村　音琴清左衛門
一高六石　居村　寺井宅左衛門
一高六石　居村　尾崎俊助
一高六石　居村　富崎仁兵衛
一高六石　居村　古賀清太夫
一高六石　居村　浦田德松
一高六石　居村　寺井新左衛門

一高六石　居村　福田淺吉
一高六石　居村　佐藤要助
一高六石　藏米　本山清左衛門
一高六石　藏米　佐藤善吉
一高六石　藏米　佐藤勝右衛門
一高六石　藏米　辻直太夫
一高六石　居村　朝長榮左衛門
一高六石　居村　山口莊太夫
一高六石　居村　南駒太郎
一高六石　居村　渡邊國左衛門
一高六石　居村　岩永勝藏
一高六石　居村　服部善七
一高六石　居村　高以良喜三郎
一高六石　溝口文左衛門

内五石三斗六升壹合九勺

江串

同六斗三升六合八勺　池田分

同壹升貳合五勺　原　口

壹升壹合貳勺　過

一高六石　本山　茂右衛門

内五石八斗五升壹合　居　村

同壹斗四升九合九勺　久原分

一高六石　古賀　太右衛門

内五石五斗四升三合壹勺　居　村

同四斗五升六合九勺　久原分

一高六石　音琴熊五郎

内五石八斗九升壹合五勺　居　村

同壹斗八合五勺　久原分

一高六石　佐藤虎太郎

内五石壹升九合四勺　居　村

同九斗八升六勺　久原分

一高六石　　　　居村　　井原幸助
　内五石壹斗七合壹勺
　同八斗九升貳合九勺　　久原分
一高六石　　　　居村　　岩永龜吉
　内五石六斗四升八合
　同三斗五升貳合　　久原分
一高六石　　　　居村　　森政吉
　同五石六斗四升八合
　同三斗五升貳合　　池田分
高六石　　　　居村　　富永治太夫
　内五石四斗壹合八勺
　同三斗四升七合八勺　　池田分
　同壹斗貳升六合四勺　　久原分
高六石　　　　　　　　山崎岩藏
　壹斗貳升四合　不足

内貳石三斗五升貳合三勺
同壹石八斗貳升三合九勺
壹石八斗貳升三合八勺　不足
居村
久原分
佐藤十助

一高六石
内五石七升六合
同九斗貳升貳合壹勺
壹合九勺　不足
居村
池田分
南兵作

一高六石
内五石四斗八升三合壹勺
同五斗四合貳勺
壹升貳合七勺　不足
居村
池田分
佐藤常右衛門

一高六石
内四石九斗八合七勺
同壹石七升六合三勺
壹升五合　不足
居村
久原分

一高六石　原　吉左衛門

内四石九斗七升九合五勺　居村

同九斗五升五合九勺　久原分

六升四合六勺　不足

一高六石　永野　三右衛門

内五石四斗三升六合九勺　居村

同七斗六升　久原分

壹斗九升六合九勺　過

一高六石　浦田順藏

内五石四斗壹升六合六勺　居村

同五斗八升三合七勺　池田分

一高六石　永田繁太郎

内五斗六升六合五勺　池田分

同五石四斗八升三合貳勺　浦上

四升九合七勺　過

一高六石　　　　　　　　　　　　楠本伊太夫
　内貳斗三升　　　　　　居村
　同四石九斗六升九合五勺　　　三浦
　同八斗三升三合六勺　　　久原分
　　三升三合壹勺　　過
一高六石　　　　　　　　居村　松尾仙吉
一高五石四斗四升　　　　居村　井、石利助
一高四石
　内三石八斗三升九合　　居村
　　壹斗六升壹合　　不足
一高壹石五斗四升八合壹勺　居村　楠本熊右衛門
一高壹石五斗三升三合貳勺　　　本山庄市
　内壹石貳斗七升貳合弐勺　居村
　同貳斗六升四勺　　　久原分
一高九斗三升四合六勺　　　　　中島儀兵衛

内九斗三升九合六勺　　居　村
五分　　過

一無高　尾崎　寅左衛門
一無高　村林　米　藏
一無高　田川　熊左衛門
一無高　楠本　熊右衛門
一無高　朝長松三郎
一無高　金子　市左衛門
一無高　渡　邊　恒　藏
一無高　寺井　文右衛門
一無高　渡　邊　卯　助
一無高　今　村　半　七
一無高　本　山　熊　太
一無高　松　尾　七　五　郎
一無高　朝　長　半　七

一無高　浦田村七
一無高　岩永慶八
一無高　音琴増太郎
一無高　渡邊太八
一無高　田崎十左衛門
一無高　西川恒助
一無高　藤崎八右衛門
一無高　吉崎作右衛門
一無高　吉野文吉
一無高　藤井與七
一無高　金子長七
一無高　川原熊次郎
一無高　金子熊治
一無高　中島直藏
一無高　内野牧右衛門

一無高
一無高
一無高
一無高

一大麥貳俵
一同壹俵宛

吉田久米右衛門
林田和作
朝長喜兵衛
山里周次郎

後機鐵砲
蒲池岩次郎
松本茂三郎
井石安左衛門
楠本伴治
尾崎虎作
朝長松次郎
貞松米作
朝長喜藏
福田又五郎
岩永利作

森山　久右衛門

足輕

一高六石　居村　森　元平

一高六石　居村　岩永恒作

一高六石　居村　一瀬八百吉

一高六石　居村　馬場　要左衛門

一高六石　池田卯一

内四石　居村

同貳石　藏米

一高六石　指方　清右衛門

内貳石六斗八升壹合　居村

同三石四升五勺　三浦

同貳斗八升　池田分

壹合五勺　過

一高六石　井手徳市

内六石壹斗壹合壹勺　江　串
壹斗壹合壹勺　過
一高六石　居　村　朝野福藏
一高六石　居　村　松尾述右衛門
一高六石　藏　米　佐藤源右衛門
一高六石　居　村　北寅五郎
一高六石　居　村　北卯吉
一高六石　居　村　中頭常作
一高六石　藏　米　田崎嘉次郎
一高六石　藏　米　渡邊近五郎
一高六石　藏　米　渡邊喜藏
一高六石　藏　米　山口増太郎
一高六石　藏　米　林田林助
一高六石　藏　米　辻岩藏
一高六石　藏　米　喜多熊助

一高六石　藏米　出口貞七
一高六石　藏米　元田貞助
一高六石　藏米　久保田要藏
一高六石　藏米　田崎卯左衛門
一高六石　藏米　西野忠藏
一高六石　藏米　鈴田宮吉
一高六石　藏米　林田十右衛門
一高六石　居村　森政太郎
一高六石　居村　渡邊勘治
一高六石　居村　渡邊源次郎
一高六石　藏米　松本安左衛門
一高六石　藏米　溝道永藏
一高六石　居村　中山喜左衛門
一高六石　居村　山口儀太夫
一高六石　藏米　渡邊新吉

一高六石　藏米　本村　久右衛門
一高六石　藏米　渡邊太平次
一高六石　藏米　山口　浦右衛門
一高六石　藏米　稻原善兵衛
一高六石　藏米　久野岩藏
一高六石　藏米　溝江嘉助
一高六石　居村　一瀬　喜右衛門
一高六石　藏米　永田八藏
一高六石　藏米　松本勘七
一高六石　藏米　本村福次郎
一高六石　藏米　岩永陸太郎
一高六石　藏米　福田傳助
一高六石　居村　渡邊榮吉
一高六石　居村　田中留太郎
一高六石　藏米　辻　岩太郎

一高六石　藏米　本山太左衛門
一高六石　藏米　相良源次郎
一高六石　森卯太郎
　内五石　江串
　同壹石　池田分
一高六石　森繁右衛門
　内壹石七斗貳升貳合三勺　居村
　同壹石九斗三合　久原分
　同壹石三斗七升四合八勺　池田分
　同壹石　藏米
一高六石　氏福茂三郎
　内四斗六升六合六勺　居村
　同五石五斗三升三合四勺　藏米
一高六石　北次助
　内壹石　居村

同五石　三浦
一高六石　渡邊淺五郎
内四石　三浦
同貳石　藏米
一高六石　杉本幸次郎
内壹石九斗九升九合四勺　三浦
同壹石六勺　池田分
同三石　藏米
一高六石　田崎卯吉
内五石八斗七升壹合八勺　居村
同五升九合三勺　池田分
同壹斗六升八合貳勺　藏米
九升九合三勺　過
一高六石　岩永治左衛門
内五石　居村

同壹石　藏米
一高六石　岩永清助
内五石貳斗四升貳合四勺　居村
同七斗五升七合六勺　藏米
一高六石　居村　山口寅市
一高六石　辻彌五右衛門
内壹石四斗壹升五合八勺　居村
同壹石九斗壹升九勺　今村
同貳石六斗六升六勺　池田分
壹升貳合七勺　不足
一高六石　永田直吉
内壹斗五升五勺　池田分
同四石八斗四升九合五勺　久原分
同壹石　藏米
一高六石　藏米　相田新吉

一高六石　藏米　瀬崎榮助
一高六石　藏米　田崎嘉次郎
一高六石　藏米　川原仙四郎
一高六石　藏米　吉川卯五郎
一高六石　山口恒五郎
内壹石　居村
同五石　三浦
一高六石　松尾市五郎
内四石四斗九升六合　居村
同壹石四斗九升三合八勺　池田分
壹升貳勺　不足
一無高　山口勘右衛門
一無高　朝長峰太郎
一無高　淺川助内
一無高　森山定太郎

一無高　谷野　又右衛門

臺所人

一高六石　藏米　鈴田龜作

諸職人

大工

一高六石　橋口善助

內貳石六斗七升七合五勺　居村

同三石三斗貳升貳合五勺　藏米

左官

一高四石四斗六升　南地啓治

內四石四斗六升四合五勺　居村

四合五勺　過

鍛冶

一高四石　三浦　福田與五郎

木挽

一高九升三合三勺　居村　朝長辰右衛門

同

一無高　松尾福松

馬屋

一高六石六斗六升六合六勺　切米　三根內藏

一高六石六斗六升六合六勺　切米　野崎增右衛門

一高六石六斗六升六合六勺　切米　坂本兼太郎

一高六石六斗六升六合六勺　相川多藏

内貳斗七合五勺　久原分

同六石四斗五升九合壹勺　切米

一高六石六斗四升四合四勺　野崎勘右衛門

内貳斗　竹松

同六石　切米

四斗四升四合四勺　不足

一高六石六斗貳升貳合八勺　　　　田中　奥右衛門
内三斗九升五合　久原分
同六石貳斗貳升七合八勺　切　米
一高六石六斗貳升　　　　鈴　川　源　内
内四斗貳升　原ノ口
同六石貳斗　切　米
一高六石六斗六合六勺　　　　相　田　安　太　夫
内五斗四升　池田分
同六石六升六合六勺　切　米
一高六石六斗六合六勺　　　　田中　徳右衛門
内五斗四升　居　村
同六石六升六合六勺　切　米
一高六石六斗四升八合　　　　石川　磯右衛門
内壹斗六升八合　屋敷池田分
同六石四斗八升　切　米

一高六石五斗八升九合三勺　切米　森　喜左衛門
一高六石五斗八升九合三勺　切米　福田　徳左衛門

懸持知行人別

一高貳拾貳石八斗六升壹合　高尾　兵吉
一高貳拾石　後藤　寛三郎
一高貳拾石　稲毛　惣左衛門
一高拾九石四斗六升五合　御厨　善平
一高拾三石六斗六合五勺　三根　匡
一高拾壹石四斗四升七合三勺　梅澤　諸助
一高六石九斗三升九合四勺　内海　亘人
一高五石六斗壹合五勺　大島　鋭太郎
一高四石五斗四升四合　江頭　官太夫
一高三石九斗九升六合六勺　今井　元右衛門
一高八斗　宇部　關左衛門

一高七石七斗九升九合三勺
一高七石貮斗九升六合壹勺
一高三石四斗六升七合五勺
一高壹石八斗三升九合貮勺

一高拾石
一高五石三斗九升貮合
一高五石三斗四升七合四勺
一高四石八斗八升
一高四石七斗四升八合五勺
一高貮石六斗七升五合四勺
一高壹石貮斗八升九合七勺

城下大給

鈴田　勝右衛門
小佐々儀左衛門
田中左四郎
一瀬喜多右衛門

村大給

池田分　本土庄藏
久原分　金子助十
池田分　田崎芳右衛門
池田分　北八兵衛
村松　岩永清左衛門
三浦　森彌太夫
今富　淵勘右衛門

一高貳斗四升貳合六勺
一高壹斗五升三合七勺
一高六斗九升四合壹勺
一高三斗貳合三勺
一高五石三斗九升六合
一高五石
一高四石五斗九升貳合九勺
一高四石六升
一高三石五斗九升八合貳勺
一高壹石九斗九升壹合八勺
一高八斗九升九合
一高三斗六升四合
一高三斗六升

福　重　御厨道太郎
鋤　崎　朝長　七左衛門
神浦大砲手附　池田　傳左衛門
池田分船頭　辻　琢左衛門

小給

池田分　前川　傳右衛門
右　同　朝長周太郎
當　町　森　元　吉
松　原　楠本　祥左衛門
村　松　古　川　直　七
三　浦　小林元五郎
千　綿　永　野　善　平
久原分　宮　原　左　市
西　海　大　串　小　市

一高三斗貳升七合
一高壹斗四升

一高六石貳斗八升壹合七勺
一高六石四合六勺
一高六石
一高六石
一高五石五斗三升四合壹勺
一高五石六升壹合
一高四石五斗壹升九合六勺
一高四石四斗九升六合
一高貳斗三升

長與　渡邊作兵衛
七ッ釜　音琴　政右衛門

鐵砲足輕
久原分　原口　勘右衛門
右同　指方　與右衛門
右同　古賀　惣市
右同　寺井　武右衛門
久原分　山口　源藏
松山　林　林右衛門
久原分　井上　源左衛門
池田分　溝江　淺八
三浦　楠本　磯右衛門

足輕

一高六石
一高五石九斗三升九合八勺
一高四石七斗八升壹合五勺
一高四石七斗五升八合六勺
一高四石四斗六合七勺
一高四石六升六合四勺
一高三石四斗貮升壹合四勺
一高貮石六斗八合六勺
一高貮石壹斗八升七合五勺
一高貮石
一高壹石五斗壹升四合
一高五石貮斗貮升貮勺

久原分　輌長八百吉
江串　松尾慶左衛門
竹松　佐々木梅吉
池田分　田崎末五郎
右同　井上岩次郎
久原分　岩永恒右衛門
江串　溝江直次郎
池田分　石橋惣右衛門
右同　浦田勝太郎
水主町　出口崎太郎
池田分　久田松彌左衛門

鍛冶

茅瀬　岩永幸三郎

村役附田畠俵渡並村加勢之事

横目役附

一高八石三升八合三勺

内田高七石九斗壹升五合

田數五段八畝拾四歩

同畠高壹斗貳升三合三勺

畠數三畝拾六歩半

右越成米拾壹俵七升六合三勺

一錢拾九貫百貳拾文

但横目村加勢夫賃村中惣竈之内小左司小頭並倒者引殘壹軒ゟ半日賃錢四拾文宛

下村庄屋名

一高四拾石貳斗八升貳合

内田高三拾八石四斗六升七合三勺

田數貳町貳段貳畝拾九歩

同畠高壹石八斗壹升四合七勺

畠數七段四畝拾九歩半

右越成米六拾四俵貳斗貳升貳合四勺

一錢六貫五百貳拾文
但手代村加勢夫賃村中間人百姓竈之内小左司小頭並倒者引殘壹軒ゟ半日賃錢四拾文宛

一高貳拾石三斗三升四合　上村庄屋名
内田高拾八石六斗四升九合壹勺
田數壹町九畝六歩
同畠高壹石六斗八升四合九勺
畠數四段七畝廿四歩
右越成米四拾俵貳斗九升七合四勺義倉元ニ立右者文化十一戌年改正之節下村江寄村ニ相成候付義倉元ニ入

一米壹俵壹斗五升　道奉行壹人
但定役賄米穀拂方ゟ渡

一同六俵　山留三人
但右同斷

一同壹俵　山留壹人
但右同斷

一同壹俵　　　　　　　　　境方壹人

但右同斷

一高四石七升九合七勺　　　小左司役附

田數貳段六畝壹歩半

右越成米壹俵壹升壹勺

一米貳拾壹俵貳斗

但養倉米村出目米公役賃米ゟ

米〆貳拾貳俵貳斗壹升壹勺

但小左司貳人壹人前拾壹俵壹斗五合壹勺宛

一米三俵　　　　　　　　　小左司見習壹人

但村出目米ゟ

一高六石貳斗三升六合四勺　小頭役附

內田高五石七斗九升七合四勺

田數四段拾壹歩

同畠高四斗三升九合

畠數壹段六畝八歩
右越成米貳俵八升五勺
一米五拾七俵六升七合五勺
但義倉米村出目米公役賃米ゟ
米〆五拾九俵壹斗四升八合
但小頭七人壹人前八俵壹斗五升宛
一米五俵貳斗
但壹人前壹斗宛義倉米ゟ
一同壹斗
但右同斷
一高貳石八斗六升五合七勺
田數壹段五畝拾歩
右越成米壹斗壹升八合九勺
一米六俵
但三俵は内用方ゟ渡三俵は公役賃米ゟ

郷年寄拾七人合力
郡鞭先壹人合力
境附百姓壹人役附
釜川田新田 井樋役科

歳暮納物之事

一胡麻六俵貳斗三升五勺
代通用銀三百匁五分五厘五毛

板敷藏納

一上茶拾三斤五合四勺
代八拾文銀貳拾七匁八厘

一堅炭貳拾七俵
代同銀五拾四匁

一薪貳拾七束
代同銀拾貳匁壹分五厘

一大根六拾八本
代同銀壹匁七分

一薯蕷拾四束
代同銀拾四匁

一栗壹斗三升五合
代同銀五匁四分代

銀〆百拾四匁三分三厘

銀請方納

一藺疊拾四枚
代八拾文銀三拾五匁

一萱疊五拾四枚
代同銀百八匁

一稲卷拾四枚
代同銀三匁九分五厘

代銀〆百四拾八匁九分五厘

一藁千三百五拾四把

一麻柄拾四束

一摺糠百三拾五俵

一飼葉百三拾五俵

但正納

代銀〆百三拾貳匁四厘

田畠種子積之事

一田壹段　籾壹斗五升

一畠壹段　大麦壹斗五升　小麦壹斗　大豆八升
蕎麦七升五合　粟壹升

普請會所納

代通用銀百拾五匁九厘

代同銀貳匁壹分

代同銀拾四匁八分五厘

郡方役所納

田畠出來積之事

一上田壹段　籾拾五俵
一中田壹段　籾拾貮俵
一下田壹段　籾拾俵
一上畠壹段　大麥五俵 蕎麥四俵　小麥貮俵壹斗五升 粟四升　大豆三俵
一中畠壹段　大麥四俵 蕎麥三俵　小麥貮俵 粟三俵　大豆貮俵
一下畠壹段　大麥三俵 蕎麥壹俵二斗　小麥壹俵壹斗五升 粟壹俵貮斗　大豆壹俵壹斗五升

田畠上中下百石場町段畝歩數并
出來積百姓作得之事

目論見五ッ三部高百石
一上田四町七段壹畝廿壹步
此田壹段ニ付籾拾五俵出來ニ〆七百七俵壹斗六升五合臂へは右田地之内三段耕作する百姓高
六石三斗六升右出來積にして四拾五俵なり此内貮拾貮俵壹斗九升貮合藏ニ納壹俵貮斗六升

普請會所に納八俵貳斗七升五合 種子籾村出目米公役賃米農具料ニ入殘拾壹俵壹斗七升三合
米にして五俵貳斗三升六合五勺作得なり

目論見五ッ三部高百石

一中田五町三段九畝貳歩半

此田壹段ニ付籾拾貳俵出來にして 六百四拾六俵貳斗七升譬へは右田地之内三段耕作する百姓高五石五斗六升五合右出來積にして三拾六俵なり 此内拾九俵貳斗四升三合藏ニ 納壹俵壹斗九升普請會所ニ 納八俵壹斗壹升四合 種子籾村出目米公役賃米農具料に入殘六俵五升三合米にして三俵貳升六合五勺作得なり

目論見五ッ三部高百石

一下田六町貳段八畝廿八歩

此内壹段ニ付籾拾俵出來にして 六百貳拾八俵貳斗八升譬へは右田地之内三段耕作する百姓高四石七斗七升右出來積にして三拾俵なり 此内拾六俵貳斗九升四合藏ニ 納壹俵壹斗貳升普請會所に 納七俵貳斗五升五合種子籾村出目米公役賃米農具料に 入殘三俵貳斗三升壹合米ニ〆壹俵貳斗六升五合作得なり

高百石

一上畠拾六町六段六畝廿歩

此畠五段耕作する百姓高三石なり右五段之内譬へは三段は大麥壹段は小麥壹段は大豆作る壹段ニ付大麥五俵小麥貳俵壹斗五升大豆三俵出來にして俵數貳拾俵壹斗五升右跡畠壹段は蕎麥五畝は粟貳段は芋壹段五畝は大角豆麻木綿飼葉野菜類種々作る壹段ニ付蕎麥四俵五畝分粟貳俵出來にして六俵出來積畠物〆貳拾六俵壹斗五升此内拾俵貳斗四合藏に納貳斗六升四合普請會所に納四俵壹斗壹升四合種子村出目米公役賃米に入殘拾俵壹斗六升八合並芋大角豆麻木綿飼葉野菜類作得なり

高百石

一中畠貳拾町

此畠五段耕作する百姓高貳石五斗なり右五段の內譬へは三段は大麥壹段は小麥壹段は大豆作る壹段ニ付大麥四俵小麥貳俵大豆貳俵出來にして俵數拾六俵右跡畠壹段は蕎麥五畝は粟貳段は芋壹段五畝は大角豆麻木綿飼葉野菜類種々作る壹段に付蕎麥三俵五畝分粟壹俵壹斗五升出來にして四俵壹斗五升出來積畠物〆貳拾俵壹斗五升なり此內八俵貳斗七升藏に納貳斗貳升普請會所に納四俵壹升三合種子村出目米公役賃米に入殘六俵貳斗四升七合並芋大角

豆麻木綿飼葉野菜類作得なり

高百石

一下畠貳拾五町

此畠五段耕作する百姓高貳石なり右五段の內譬へは三段は大麥壹段は小麥壹段は大豆作る壹段ニ付大麥壹俵小麥壹俵壹斗五升大豆壹俵壹斗五升出來にして俵數拾貳俵右跡畠壹段は蕎麥五畝は粟貳段は芋壹段五畝は大角豆麻木綿飼葉野菜類種々作る壹段に付蕎麥壹俵貳斗五畝分粟貳斗五升出來にして貳俵壹斗五升出來積畠物〆拾四俵壹斗五升なり此內七俵三升六合藏に納壹斗七升六合普請會所に納三俵貳斗壹升貳合種子村出目米公役賃米に入殘三俵貳升六合並芋大角豆麻木綿飼葉野菜類作得なり

右田畠作得積年の豐凶又作人により年々不同あり村並上中下の平均大概斯の如し右作得の內より諸出目辨之

百姓農具調入目之事

一士臼壹ツ　代糀貳斗四升　貳ケ年ニ壹ツ作る 壹ケ年貳升宛

一箕壹枚　代籾壹斗三升　右同六升五合宛
一米卸壹ッ　代籾九升　右同四升五合宛
一籾卸壹ッ　代籾三升五合
一そふけ四ッ　代籾壹斗壹升
一鎌六挺　代籾貳斗七升
一鉈壹挺　代籾壹斗五升　貳ケ年ニ壹ツ作る壹ケ年七升五合宛
一斧壹挺　代籾壹斗六升　右同八升宛
一鍬壹挺　代籾壹俵貳升
一同先仕直貳挺　代籾壹斗
一鋤壹挺　代籾貳斗貳升　貳ケ年ニ壹ツ作る壹ケ年壹斗壹升宛
一馬把壹挺　代籾壹俵八升　四ケ年ニ壹ツ作る壹ケ年九升五合宛
一千歯壹挺　代籾壹俵三升　五ケ年ニ壹ツ作る壹ケ年六升六合宛
一同修覆　代籾六升
一馬道具　代籾三俵二斗三升三合
一肥擔子　代籾壹斗五升

壹ヶ年分

籾〆九俵壹斗三升四合

米ニ〆四俵貳斗壹升七合

村出目米公役賃米並諸出目之事

村出目米

一米百四拾八俵貳斗五升四合壹勺

但藏入浮地新地納米之内役附納引殘米貳千貳百三拾貳俵貳斗壹升壹合五勺ニ懸壹俵ニ付米貳升宛

内六俵　年番小左司壹人賄

同三俵　非番小左司壹人賄

同三俵　見習小左司合力

同三俵　右同賄

同拾四俵　小頭七人合力

同貳俵　當觸合力

同壹俵壹斗　作奉行貳人賄

同八升五合　藏備餘米

同壹升　兵太夫渡

同壹俵貳斗壹升壹合　鼠切減米

同五俵八升七合五勺　不時賄

同九拾壹俵壹斗五升八合壹勺　賣方米

代銀貳百貳拾五貫百五拾六文

但壹俵付貳貫四百六拾文替

右拂殘米有之事は村殖えニ入不足の年は村殖ゟ出之

賣方米代錢

一錢貳百貳拾五貫百五拾六文

内拾五貫三百拾八文　紙代

同貳貫貳百三拾五文　筆墨代

同貳拾五貫四百五拾文　炭薪代

同貳拾三貫六百五拾五文　油蠟燭代

同拾四貫百三拾五文　酢醤油味噌代

同六貫七百七拾五文　疊代
同貳貫貳百文　煎茶代
同四百三拾六文　附木燈心代
同三貫九拾文　諸通方入目
同貳拾七貫八百拾六文　諸色代
同七百六文　藏備並正月部屋納
同拾壹貫五百七拾四文　郡方高割
但太神宮御田植扇子初穗本町波戸村宿諸色代當町日雇夫方入增添駕小倉迄給分諸村高割之分
同九拾壹貫七百六拾六文　歳暮納物品々代

公役賃米

一米三百八俵三合八勺
但藏入浮地新地高之内役付高新地半懸高引殘千四百貳拾壹石五斗九升七合六勺ニ懸高壹石ニ付米六升五合宛

荷越牀夫賃

一同壹俵壹斗
但米穀拂方ゟ渡切

一同拾八俵壹斗貳升三合貳勺　下見爲替米
一同壹俵壹斗六升九合四勺　役目村入持石
右米合三百貳拾九俵九升六合四勺
内拾貳俵貳斗　小左司貳人合力
同三拾六俵六升七合五勺　小頭七人合力
同四俵　札馬六疋合力
同貳拾四俵　定番貳人賃飯米
同貳俵　三浦荷越賃
同三俵　井樋役料
同三百拾六俵壹斗三升七合五勺　村中配當
但公役勤日數九千四百九拾三日七合五勺壹日賃米壹升宛
内六拾俵三升七合
但異變方ニ相拘諸通路並村公役千八百三日七合分
同五拾三俵壹斗四升壹勺
但添駕合力本町波戸村宿番賃江戸中間支度料に通方請負人馬賃家中荷越人

馬賃上木屋名目の日雇夫賃普請會所詰夫賃諸村高割之分

右拂殘米有之年は村殖え=入不足之年は村殖ゟ出之

一錢貳拾貳貫四百四文　　寶圓寺納

但太神宮初穂村中惣竈五百三拾壹軒之內倒者引殘竈壹軒=付百貳拾文ゟ拾貳文迄

一同壹貫四百七拾文

但五穀成就祈禱札料惣竈五百三拾壹軒之內倒者引殘竈壹軒ゟ三文宛出之

一米六俵四升四合五勺　　同寺納

一錢貳貫六百七拾文　　同寺納

但右貳ヶ條多羅山祭禮之節初穂米錢村中惣竈五百三拾壹軒之內倒者引殘竈壹軒=付米四合四勺ゟ壹合迄錢六文宛出之

一米拾七俵貳斗七升三合六勺　　板敷藏納

但觀音寺快行院兩澁江理性札料村中惣竈五百三拾壹軒之內倒者引殘竈壹軒=付米壹升三合壹勺より三合壹勺迄上中下段取を以出之

一同拾五俵貳斗七升八合八勺　　專倉寺納

但出來初穂竈壹軒=付米貳升壹合貳勺ゟ壹合八勺迄且方ゟ出之

一同四俵貳斗六升　村醫扶持

但上村惣竈三百貳拾八軒之内倒者引殘竈貳百九拾貳軒より壹軒ニ付米五合宛出之

一同壹俵壹斗六升七合五勺　右同

但下村惣竈貳百三軒之内倒者引殘竈百八拾七軒ゟ壹軒ニ付米貳合五勺宛出之

一錢貳貫八百五拾六文　正法寺納

但念佛錢四分奉加三季錢村内眞宗竈貳拾六軒之内倒者引殘竈壹軒ニ付百拾九文宛出之

一同貳貫貳百四拾四文　山伏 大乘院

但正五九月家秡料竈壹軒ゟ錢拾貳文宛出之

一米四俵貳斗六升　同院

但右同斷竈壹軒ゟ米五合宛出之

一大麥四俵貳斗六升　同院

但右同斷竈壹軒ゟ大麥五合宛出之

一錢拾七貫貳百八拾三文　郡方竈割

但八幡春日社札料八重部施錢郡方兩乞諸社入目諸村竈割之分村中惣竈之内倒者引殘竈壹軒ゟ錢三拾七文宛出之

一同三貫百九文　　　　　　　　　　　　牛疱方

代米壹俵七升九合壹勺

但牛疱種子繼方入目諸村竈割村中惣竈之内倒者引残竈壹軒ゟ錢七文宛出之

一同貳拾貳貫三百九拾文　　　　　　　横目方入目

但横目役所修覆料城下出仕賄代狀持夫賃錢惣竈之内倒者引残竈壹軒ゟ錢四拾八文宛出之

一同四拾壹貫三百六文　　　　　　　　繪蹈方入目

但出役地役賄代筆紙墨代帳書賃給仕人賃繪持賃夫方賃並諸色代村中惣人數貳千百七拾四人

ゟ壹人前錢拾九文宛出之

右過不足有之年は翌年之差引に立る

堤之事

内倉

一城間堤

土居長拾七間壹尺三寸　　　　築留横壹間

根切横拾四間　　　　　　　　直立五尺八寸

尺八壹間
懸田壹段五畝廿五歩　藏入
内倉
一城間堤　吉藏一手堤
土居長六間半　築留横貳尺六寸
根切横五間　直立六尺貳寸
尺八壹間壹尺三寸
懸田三畝拾歩半　藏入
内倉
一城間岳堤　熊平一手堤
土居長四間
根切横四間　築留横壹間
尺八壹間　直立壹間
懸田五畝拾九歩半　藏入

內倉

一城間岳堤　　久兵衛　一手堤

土居長四間半　築留横貳間

根切横四間　直立壹間

尺八壹間

懸田貳段七畝廿三歩　藏入

內倉

一櫻山牧堤　　右衛門一手堤

土居長八間半　築留横壹間

根切横七間　直立壹間

尺八壹間

懸田八畝拾七步半　藏入

內倉

尾崎覺右衛門一手堤

土居長拾六間　築留横壹間六寸

根切横拾五間　　直立六尺貳寸
尺八壹間六寸

一同所堤
土居長貳拾壹間半　　築留横壹間半
根切横拾八間　　直立壹間壹尺三寸
尺八壹間半
右貳堤　　私領
懸田貳段六畝拾九歩半
内倉

一石田堤　　足輕池田助左衛門一手堤
土居長拾間　　築留横壹間六寸
根切横八間　　直立五尺八寸
尺八壹間壹尺三寸
懸田九畝廿歩半　　私領
内倉

一山屋敷堤　尾崎伴右衛門一手堤

土居長九間　築留拾壹間

根切横八間　直立五尺貳寸

尺八壹間

懸田貳段六畝三歩　私領

同所

一青山堤　同人一手堤

土居長拾間　築留横三間

根切横三間　直立壹間三尺九寸

尺八貳間

懸田四段八畝廿三歩　私領

一内倉堤　又右衛門一手堤

土居長拾間　築留横壹間

根切横八間　直立壹間壹尺三寸

尺八壹間半

懸田九畝廿歩　藏　入

内倉

一平田堤

土居長六間半　築留横五尺貳寸

根切横六間　直立五尺六寸

尺八壹間

懸田六畝廿五歩　藏　入

一横山堤　好五郎　一手堤

土居長拾三間　築留横五尺貳寸

根切横拾壹間　直立壹間三尺九寸

尺八貳間

懸田壹段八畝壹歩　藏　入

一小川内堤　朝長松三郎一手堤

土居長七間　築留横壹間

根切横五間　直立五尺八寸

尺八壹間

懸田六畝八歩半　　藏　入

一水無堤　　朝長新兵衛一手堤

土居長拾間　　築留横壹間貳尺

根切横拾三間　　直立貳間貳尺六寸

尺八三間

懸田四段六畝拾六歩　　私　領

一水無堤　　古川作太夫一手堤

土居長拾貳間　　築留横壹間半

根切横拾壹間　　直立壹間壹尺三寸

尺八壹間半

懸田七畝廿貳歩　　私　領

一本谷堤

土居長拾三間　　築留横壹間半

根切横五間　　直立貳間六寸

尺八三間半
懸田壹町貳段拾九歩半　藏入
内壹町六畝拾六歩　私領
同壹段四畝三歩半

一宮薗堤　常吉一手堤
土居長拾三間　築留横壹間
根切横八間半　直立壹間
尺八壹間壹尺三寸
懸田九畝拾五歩　藏入

一大谷下堤
土居長三拾貳間　築留横貳間
根切横拾四間　直立貳間五尺貳寸
尺八三間半
懸田七段四畝廿九歩　藏入

一むれ堤　永野庄次一手堤

土居長拾六間　築留横五尺五寸
根切横拾四間　直立壹間六寸
尺八壹間貳
一同所下堤　同人右同
土居長拾五間　築留横四尺貳寸
根切横拾三間　直立五間八寸
尺八壹間
右貳堤
懸田三段貳畝拾八歩半　私領
一むれ堤　惣右衛門一手堤
土居長七間　築留横三尺
根切横五間　直立壹間
尺八壹間
懸田貳畝五歩半　藏入
一横山堤　楠本熊藏一手堤

土居長八間　　築留横壹間
根切横五間　　直立壹間壹尺三寸
尺八壹間半
懸田八畝拾壹歩　　私　領

一深川内堤　　朝長戸左衛門一手堤
土居長拾七間壹尺三寸　　築留横壹間三尺壹寸
根切横拾間　　直立壹間壹尺三寸
尺八壹間半
懸田三段四畝廿八歩　　私　領

一釜川内堤
土居長拾四間　　築留横貳間半
根切横五間壹尺三寸　　直立四間半
尺八五間半
懸田壹町九段壹畝三歩半
内壹町三段七畝八畝八歩半　　藏　入

同五段三畝廿五歩　私　領

一釜川内堤　渡邊善七一手堤

土居長拾六間　築留横壹間六寸

根切横四間半　直立貳間

尺八貳間半

懸田壹段五畝廿歩　藏　入

嘉永二酉年築之

一宮薗堤　常吉一手堤

土居長拾四間　築留横壹間六寸

根切横拾間　直立壹間壹尺三寸

尺八壹間貳尺六寸

懸田九畝拾歩　藏　入

井平之事

一風呂の本井手　川横四間　滑石貳間

懸田四段貳畝廿貳歩半　藏入

一橋詰井手　川横三間半　滑石壹間半

懸田三段貳畝拾三歩　藏入

一畠田井手　川横三間　滑石壹間

懸田四段三畝廿九歩半

内貳段七畝貳歩　藏入

同壹段六畝廿七歩半　私領

一古松井手　川横六間　滑石貳間半

懸田九段八畝廿六歩　藏入

一花懸井手　川横六間　滑石三間

懸田壹町九段六畝九歩　藏入

一竹下井手　川横五間　滑石貳間

懸田四段三畝半歩　藏入

一竹下井手　川横五間半　滑石貳間

懸田三段貳畝五歩半　藏入

一川頭井手　　　川横五間半　　　滑石貳間
懸田貳段八畝廿九歩　　　藏入
一火の口井手　　　川横貳間半　　　滑石壹間半
懸田九畝廿六歩　　　藏入
一火の口井手　　　川横五間　　　滑石壹間
懸田五畝貳拾貳歩半　　　藏入
一桑木原井手　　　川横六間　　　滑石四間
懸田壹段五畝九歩半　　　藏
一同所井手　　　川横貳間　　　滑石壹間
懸田七畝貳歩　　　藏入
一ひら田井手　　　川横貳間　　　滑石壹間
懸田貳段八畝貳歩　　　藏入
一同所上井手　　　川横貳間　　　滑石壹間
懸田三段三畝壹歩　　　藏入
一戸樋井手　　　川横四間　　　滑石貳間

懸田貳段三畝八歩
内壹段八歩　藏入
同五畝　私領
一同所廾手　川横四間　滑石壹間半
懸田貳段三畝拾三歩　私領
一戸樋井手　川横四間　滑石壹間半
懸田貳段六畝拾歩半　私領
一ひら山井手　川横六間　滑石三間半
懸田貳町壹段五畝拾三歩半
内三段貳畝廿歩半　藏入
同壹町八段貳畝廿三歩　私領
一新井手　川横五間　滑石壹間
懸田壹段九畝廿壹歩
内九畝四歩半　藏入
同壹段拾六歩半　私領

一大岩下井手　川横四間　滑石壹間
懸田四畝拾七歩　藏入
一同所井手　川横五間　滑石貳間
懸田六畝廿歩　藏入
一神山井手　川横四間　滑石壹間
懸田貳段壹畝拾八歩
內壹段壹畝　藏入
同壹段拾八歩　私領
一大岩井手　川横三間　滑石壹間半
懸田壹畝拾六歩　藏入
一場正井手　川横三間　滑石壹間
懸田貳段三畝廿歩半　私領
一松の內井手　川横三間
懸田六段七畝拾壹歩半
內四畝拾五歩　藏入

同六段貳畝廿六歩半　私領

一大船尾井手

懸田壹町貳段九畝廿六歩半

内壹町六畝拾六歩　藏入

同貳段三畝拾歩半　私領

一上道井手　川横四間　滑石貳間半

懸田壹段七畝廿三歩　藏入

一下小川内井手　川横五間　滑石貳間

懸田壹町壹段壹畝廿九歩

内五段四畝三歩　藏入

同五段七畝廿六歩　私領

一やしき井手　川横四間　滑石壹間

懸田三段壹歩　藏入

一中ひらき井手　川横四間　滑石壹間半

懸田壹町貳段七畝廿六歩半

内七畝廿貳歩　藏入
同壹町貳段四歩半　私領
一西光寺井手　川横七間　滑石壹間
懸田四段六畝廿八歩
内壹段四畝拾八歩半　藏入
同三段貳畝九歩半　私領
一戸石川井手　川横五間　滑石壹間
懸田貳段廿貳歩　藏入
一西光寺下井手　川横四間　滑石壹間半
懸田三段壹畝五歩半
内壹段貳畝廿五歩　藏入
同壹段八畝拾歩半　私領
一地藏井手　川横貳間　滑石貳間貳尺
懸田壹段壹畝拾五歩　私領
一日燒川井手　川横五間　滑石貳間

懸田四畝拾五歩半　藏入

一西光寺井手　川横貳間　滑石壹間

懸田壹段貳畝廿壹歩　藏入

一桑原井手　川横貳間　滑石壹間

一三角田井手　川横五間　滑石三尺

右二井手

懸田壹町五段九畝半歩

内貳畝拾八歩　藏入

同壹町五段六畝拾貳歩半　私領

一三段田井手　川横五間　滑石壹間

懸田七段貳畝拾三歩

内五畝八歩　藏入

同六段七畝五歩　私領

一新井手　川横五間　滑石四間半

懸田壹町三畝九歩半

内九段九畝三歩　藏入
同[illegible]歩半　私領
一餅田井手　滑石壹間半
内[illegible]畝[illegible]歩半　藏入
一大円井手　川横五間　滑石壹間半
懸田八畝廿五歩半　藏入
一[illegible]所[illegible]井手　川横五間　滑石壹間半
懸田貳段四畝拾壹歩　藏入
一寺井手　川横五間　滑石壹間
懸田四段七畝八歩半
内三段壹畝廿六歩　藏入
同壹段五畝拾貳歩半　私領
一上もて大井手　川横拾貳間　滑石五間半
懸田八町壹段六畝廿八歩半　藏入
一横枕井手　川横拾間　滑石三間

懸田壹町壹段四畝廿六歩
内壹町壹段三畝拾九歩　藏入
同壹畝七歩　私領

一乗川井手　川横七間　滑石壹間
懸田貳段廿五歩半　藏入

一同所下井手　川横拾間　滑石貳間
懸田壹段拾貳歩　藏入

一新田井手　川横拾間　滑石貳間
懸田拾町貳歩　藏入

一釜川内井手
懸田壹町九段壹畝三歩半
内壹町三段七畝八歩半　藏入
同五段三畝廿五歩　私領

一ひら田井手　川横三間　滑石壹間
懸田六段九畝廿三歩

内三段七畝三歩半　藏入
同三段貳畝拾九歩半　私領
一平田彰平井手　川横貳間　滑石壹間
懸田壹段拾八歩　藏入
一平田彰平下井手　川横五間　滑石三間
懸田六畝六歩半　藏入
一平田彰平下井手　川横貳間　滑石貳間
懸田壹段七畝拾壹歩半　藏入
一松下井手　川横三間　滑石壹間
懸田壹町八段九畝
内壹町貳段九畝拾五歩　藏入
同五段九畝拾五歩　私領
一中田井手　川横三間　滑石壹間
懸田五段九畝廿五歩
内三段壹畝七歩　藏入

同貳段八畝拾八歩　私領

一彰平井手　川横壹間　滑石五尺

懸田六段九畝拾五歩

内三段九畝廿四歩　藏入

同貳段九畝廿壹歩　私領

一松葉井手　川横三間　滑石壹間

懸田八段五畝八歩

内貳段七畝廿歩　藏入

同五段七畝拾八歩　私領

一彰ひら井手　川[illegible]間　滑石壹間

懸田四段壹畝六歩

内貳段三歩　藏入

同貳段壹畝三歩　私領

一[illegible]ひら井手　川横六間　滑石六間

懸田壹町壹段貳畝九歩半

内四段五畝廿七歩　藏入
同六段六畝拾貳歩半　私領

一納山井手　川横五間半　滑石貳間半
懸田貳段九歩半　私領

川淵之事

一鏡漬淵　深さ貳尋壹尺程
一水の手淵　深さ三尺程
一すみよし淵　深さ壹尋壹尺程

浦湊之事

一鈴田浦
入六町深さ四尋程より四五尺まて底潟なり此浦潟海にて碇止りなく西風南風吹込にて船繋

き悪敷浦なり

船數之事

一船　壹艘

但三枚帆

山林之事

一山拾壹町九段八畝廿五歩　用山

但三ヶ倉ニ而

一林貳段　用林

一山貳拾三町六段六畝壹歩半　請山

内拾町五段三畝廿五歩　上山

同九町三段五畝廿六歩　中山

同三町七段六畝拾歩半　下山

一林貳町四段八畝廿八歩　請林

山野土産之事

一揚梅　石落　蓬　芹

賣出物之事

一七島疊　澁蘽　麥藁菰　藁菰　柿　足袋　梨子　水芋　茄子　橙　野菜豆　菖蒲　菰

竈數男女數並宗旨分之事

安政三丙辰年改

一竈數五百三拾壹軒

內拾四軒　大　給

同七拾三軒　小　給

同壹軒　村　醫

同貳百八軒　鐵砲足輕以下扶持人

同拾六軒　奉公間人

同百七軒　藏百姓
同六拾六軒　間百姓
同四拾四軒　私領
同壹軒　佛說
同壹軒　鋸師
外ニ壹軒
一男女數貳千貳百四拾貳人　内　男千百六拾貳人　女千八拾人
内五人　天臺宗
同千百八拾三人　淨土宗
同九百五拾七人　法花宗
同五人　眞言宗
同九拾貳人　眞宗

郡役夫鄉役夫之事附郡役銀之事

一郡役夫六百九拾六日

八拾文銀六百九拾六匁　　普請會所納

但村中惣竈左百三拾壹軒之内大小給鐵砲足輕扶持人村醫佛說郡鞭先寺内引殘竈貳百三拾貳軒ニ懸壹軒ニ付三日宛尤三日分八拾文銀三匁宛銀納是を郡役銀と云

一鄕役夫四百拾九日四合

但村中惣竈之内大小給鐵砲足輕扶持人村醫小左司小頭當觸鄕年寄佛說若黨添駕郡鞭先寺内鋸師倒者引残竈百三拾九軒八合壹軒ゟ三日宛出

右鄕役夫其所之道作り普請川浚等使定なり

牛馬數之事

一牛　壹疋

一馬　貳百七拾九疋

諸運上並諸納物之事

一百文銀壹貫八拾貳匁五分　銀請方納

内百七匁五分　染屋五軒

同四拾三匁　鍛冶貳軒

同九拾目　水車三軒

同百貳拾九匁　綿屋三軒

同貳百五拾八匁　糀屋六軒

同貳拾五匁　豆腐屋五軒

同三拾目　揚酒株貳軒

同四拾三匁　油扨株貳軒

同貳百五拾八匁　酒屋貳軒

同五匁　紙漉壹軒

同拾匁　瓦燒壹軒

同八拾四匁　駄口銀

但牛馬貳百八拾疋分壹疋ニ付三分宛 李替口銭

一錢拾五貫八百五拾文　同所納

一百文銀壹貫貳拾三匁五分四厘五毛　山方役所納

内四百七拾四匁六厘五毛　山運上

同七拾四匁六分八厘　林運上

同貳百九拾六匁　薪山手銀

但大小給村醫鐵砲足輕扶持人貳百九拾六軒分壹軒ニ付壹匁宛

同百六拾三匁八分　右同

但公私領百姓竈貳百三拾四軒之内倒者引殘竈百六拾三軒八合ニ懸壹軒ニ付壹匁宛

同拾五匁　右同

但糀場六軒酒屋貳軒〆八軒　増山手銀

一地子苧貳貫八百八匁　板敷藏納

代百文銀貳拾八匁八厘

但村内百拾三軒ゟ納之尤壹軒ニ付八拾壹匁六分ゟ壹匁四分まて出之

麻苧五貫六百八拾四匁　船方役所納

但家別苧村中惣竈五百三拾壹軒之内大小給村醫鐵砲足輕扶持人佛説郡鞭先寺内倒者引殘竈

百六拾貳軒四合ニ懸壹軒ゟ苧三拾五匁宛出之右之内三ヶ壹正納三ヶ貳銀納苧百目ニ付百文銀

壹匁貳分五厘宛

一同文銀三匁　同所納

但帆別銀帆數三反分

一錢拾六貫五百貳拾四文　普請會所納

但諸職人公役銀

寺院之事

一高丘山一心院專念寺　白龍山長安寺末寺寺領六升三斗壹合且家貳百三拾五軒

本堂　三間ニ四間　萱葺

聖觀音　木立像金彩色

本尊阿彌陀如來　木立像金彩色

勢至菩薩　木立像金彩色

阿彌陀如來　木坐像黒彩色行基菩薩作

鐘樓　八尺方　瓦葺

地藏　石立像
正觀音　石立像
法界　立尊
地藏　石立像
千手觀音　石立像

境内横拾間入貳拾七間

當寺は正保元年丹後守純信草創開基莊蓮社心譽單冏也

當寺住職歷代畧譜

開基莊蓮社心譽單冏

肥前國平戸之產明曆三年寂當代境内一段五畝程開闢爲下地

二世光譽玄龍

三世深譽圓察

四世敎蓮社順譽隨雄

五世得蓮社見譽惠廓

筑後柳川產寶永六年住職

六世眞蓮社洗譽心徹
當領松山之產長安寺十一世等譽上人弟子享保二十一年住職
七世三蓮社秀譽上人瑞雲
御料茂木村產長崎悟眞寺弟子元文三年住職
八世闡蓮社敎譽上人見道
當藩尾上宇左衞門三男長崎悟眞寺弟子寶曆三年淨土寺より轉住同六年長崎悟眞寺へ轉住
九世宗蓮社歡譽上人全惠
長崎產同所大音寺弟子寶曆七年淨土寺より轉住同十四年御料野母藏德寺ェ轉住
十世雲蓮社騰譽上人靈專
長崎產淨安寺津譽上人弟子明和元年住職同三年長崎三寶寺ヱ轉住
十一世攝蓮社統譽知天
當領の產長安寺十二世獨譽上人弟子明和五年春住職
十二世鳳蓮社麟譽上人伴龍
御料川原產長崎三寶寺相譽　人弟子明和七年住職安永四年長崎三寶寺ヱ轉住
十三世玄蓮社曇譽上人鸞雄

當領の產長安寺十五世淳譽上人弟子安永四年住職

十四世名譽靈瑞

十五世現住義典

一大乘院　眞言宗彥山派　修驗觀音寺末派

本尊不動明王

當院住職世數

初世德善坊善順

肥後菊池の住人朝日坊の院主なり肥前佐賀の郡德善院に偶居す依て德善坊と云其後大村に來り下鈴田田久保に居住す

二世德善坊善眞

長久寺快翁法印弟子

三世金藏院快乘

當代兩鈴田ヱ神社無之自然佛神敬信の志疎成事を歎き當邑の諸民を勸めて神佛に歸依させ則三社を建立す

古松宮　上鈴田鎮守

岩松宮　下鈴田鎮守

地主大明神

右快乗の神父は諫早の領主西郷對馬守純堯の家老某といふ或時諫言耳に逆ふ事有て暇を給はり則二君に不仕の義を以て鹽田郷八天岳に居住彦山派修験となる嫡子は本院を住職し二男は嬉野犬走といふ所へ居住して本院は同じく八天狗の祕法を守持す快乗は其嫡孫なり寛永十年秋松千代繼信寛盛法印を請待の時快乗も随行して大村に來り萱瀬村中木場といふ所へ草菴を結び居住唐泉菴と號す其時迄は當領に八天狗祭といふ事なし寛文二（マヽ）快乗鹽田本光坊へ趣き大村へ八天狗勸請の事を乞う本光坊快乗舊一家の譯を以て領掌し共に八天岳に祭り一七日參籠八天狗迎請八天の祕法皆傳且爲神釼鎗一本を贈る是領内八天狗修法の濫觴なり爾來子孫傳來して修法無懈怠執行す

五世善壽院快圓

六世知福院快源

七世善壽院快達

八世大乗院快宥

當代享保十三年上波佐見白山權現の社內に住居寬保五年快達死去に依て上波佐見村院蹟天乘院へ預置快達鈴田へ歸院善壽院の蹟相續寶曆二年觀音寺末寺となり大乘院を以て永院號とす

九世大乘院快眞

明和元年代入峰相勤む

十世大乘院快正

十一世大乘院快延

始聖學院院蹟相續久原分須田の木に住す天保五年鈴田大乘院數年無住に依て同院院蹟相續彥山代入峰を勤む

十二世大乘院快順

弘化二年住職

神社之事

岩松

一岩松權現　鈴田村鎭守神躰金坐像圓形ニ鑄附本地聖觀音例祭九月十八日寶圓寺勸請　村中ヨリ祭之

石祠

拜殿　貳間梁三間　瓦葺

石鳥居　壹基

千手觀音　神躰石立像

一三社權現　神躰野石例祭八月十八日　今里彌一右衛門建立

此神先年は佛木と云所ニ有り文政九丙戌年此所に遷座

境內拾間ニ　貳拾間

當社岩松權現草創時代不知天和以前より此社あり先年は權現坂といふ所の下にあり夫より莅の屋敷といふ所の上に岩はへあり此所に遷座ありと雖ども此所海近く魚の嗅氣社頭に通ずるを嫌ひ今の社地より五六拾間程隔り寅の方に移りありしを今の社地に建立のよし云傳

上鈴田古松

一古松權現　神躰金座像圓形ニ鑄付上ニ日天月天アリ本地大日如來例祭九月十九日大乘院祭之

石祠　天保六年福田覺太夫建立

拜殿　貳間梁三間　瓦葺天保六年再建

石鳥居　壹基

庚申　神躰野石三躰

天満宮　神躰石座像　例祭十一月廿五日　享保六辛丑年建立

十六善神　神躰祠ニ梵字切附アリ　寶暦四甲戌年建立

庚申塔　青面金剛ノ銘アリ

正觀音二躰　神躰石塔ニ切附　延寶三乙卯年建立

正觀音　神躰石立像　享保十八癸丑年建立

十一面觀音　石立像　寶暦五乙亥年建立

庚申　神躰石立像　後光ニ切附

地藏　石立像　享保三戊戌年建立

馬頭觀音　石立像　寛延四辛未年建立

大乘妙典　切石

境内東西貳拾間南北六拾間程山なり

當社古松權現は往古より此所に鎮座あり草創時代不知丹後守純忠代天正年中切支丹の徒蜂起して燒亡す其後寛永十三丙子年松千代純信再建導師長久寺法印權大僧都堯算

棟札曰

南無佛陀耶護持大檀那大松松千代公藤原朝臣綱信御武運長久新所[illegible]耶南無観世音菩薩小松權現拜殿願主佐藤市之

允村中南無僧佉耶寛永十三丙子十二月吉祥日長久寺法印権大僧都宗算

岸高伊勢山共去

一太神宮　神躰木立像彩色右手ニ二枝左手ニ寳珠　例祭九月十二日　日燒射場岸高三[illegible]祭之

神　殿　壹間方　萱葺

拜　殿　貳間梁三間萱葺

境内東西五拾間南北六拾間

當社鎭座の山を先年より伊勢山と云傳建立の時代不知天和以前より此社あり

地主

一地主大明神　神躰石座像本地正觀音　例祭九月十六日大乘院勤請　村中ニテ祭之

石　祠　文政九年再建

石鳥居　壹基

庚申塔　神躰野石[illegible]の辞あり

此所に大和の比まて は鈴田といふ下名にてむかしの田畑有之よし　今[illegible]

境内七間方楠一本あり 廻り一丈弐尺程

猫山

一観音 神躰石ニ切付 例祭九月十八日 百姓 川原長兵衛祭之

一六地蔵 立像石ニ切附

境内弐間方

田久保

一薬師如來 神躰石立像 例祭九月八日 大乗院勸請 足軽 岩永清助祭之

社殿 九尺四面

境内東西拾間南北八間

福井川内

一観音 神躰立像僧形 例祭八月十七日 郷中ヨリ祭之

石祠

稲荷大明神 神躰木座像金彩色木地正観音 例祭九月廿八日 寶圓寺勸請

石祠 祠の内に釼あり

境内東西弐拾間南北拾五間

當社建立時代不知天明五乙巳年再建

釜川内

一神の木尾明神　神躰野石　例祭九月廿八日　郷中ヨリ祭之

神の木と見へ古木椎一本あり

しやうま

一三社大權現　神躰板鏡　例祭九月十五日　寶圓寺勸請　百姓　甚五郎祭之

石祠

境内東西四拾間南北拾間

當社建立時代不知天和以前より此社あり

うな川

一觀音三躰　神躰野石　例祭九月十三日　寶圓寺勸請　百姓　十左衞門祭之

境内東西三間南北五間

當社建立時代不知天和以前より此社あり

いちまる

一觀音　神躰石座像　例祭九月二十二日　寶圓寺勸請　足輕　內野重右衞門祭之

石祠

境内七間方

當社建立時代不知天和以前より此社あり

内倉舊名ごろふ

一加益大明神 神躰石座像 例祭九月九日 寶圓寺勸請 百姓 莊七祭之

神殿 四尺ニ壹丈五尺 萱葺

拜殿 九尺ニ貳間 萱葺

境内四間ニ六間

當社建立時代不知天和以前より此社あり

宮園

一楠權現 神躰石座像 例祭九月二十二日 百姓 千太郎祭之

楠根はへの内にあり楠廻り一丈三尺程

文政三戊午年建立 施主 源右衛門 七郎兵衛

田の平

一毘沙門 神躰野石 例祭九月廿二日 大乘院勸請 鐵砲足輕 森文太夫祭之

境内壹間方

同所

一地藏 石座像 例祭九月廿二日　右同　森惣市祭之

石祠

觀音　神躰石

境内弐間四方

小川内

一地藏 神躰石座像 例祭九月七日　寶圓寺勸請　郷中ゟ祭之

石祠

觀音　神躰石坐像　元文二丁己年建立

正觀音　神躰石座像 例祭九月十八日　寛政七乙卯年建立

境内拾六間方

大船尾

一荒神 神躰板札 例祭九月九日

石祠　百姓　牧右衛門祭之

境内七間ニ六間　森

平山

一千手觀音 神躰石像 例祭九月十四日 大乘院勸請　足輕　中島繁左衛門祭之

神殿　四尺ニ三尺

拜殿　九尺梁貳間

境内四間方

光久寺

一千手觀音 神躰石立像 例祭九月十二日　足輕　今村寅藏祭之

石祠

神殿入　三尺横貳尺

拜殿　九尺四面

境内東西八間南北五間

當社建立時代不知天和以前より此社あり

むれ

一正觀音 神躰石座像 例祭九月十八日　小給　永野吉太郎祭之

境内六間ニ三間

神殿　壹間ニ九尺

射場

一木宮大明神　神躰野石　例祭九月十一日　小給　尾崎節右衛門祭之

境内八間ニ九間

地藏堂

一地藏　位牌形切附二躰　例祭九月廿四日　小給　川崎次右衛門祭之

堂　壹間四面

境内拾間方

當社建立時代不知天和以前より此社あり

同所

一正觀音　神躰石立像在岩上　例祭三月十八日　郷中ヨリ祭之

當社は享保十七壬子年建立

千部

一大日如來　神躰温石社地　例祭三月三日　大乘院預リ

當社は享保三戊戌年建立

鈴田元疱瘡山跡

一稲荷大明神　神躰板鏡　待山有隣祭之

石祠

當社は文政九丙戌年六月建立

惣原郷鎮守

一三社大權現　神躰野石 例祭八月十八日　大乘院預り

石祠

境内七間方

當社は安政三丙辰年九月十一日再建岩松權現境内より遷坐

日置

一地藏貳躰　石立像　施主　朝長助左衛門

同所

一法界萬靈塔　野石　安政五年村中並岩永萬之允建立

同所

一地藏　石立像　天明三卯年建立　施主　岩永萬之允

似田郷鎮守

一三社權現　神躰板鏡　例祭九月十二日　八幡社人祭之

石祠

觀音　神躰石坐像

境内拾間方社地外は山なり

番所之事

一鈴田村往還岩松の路傍に古來より非常改番所並制札場あり當番所の始は慶安二己丑年二月大坂浪人長井勘兵衛大野主馬の子なりを長崎にて捕候節其穿鑿中長崎奉行馬場三郎右衛門山崎權八の令に依て丹後守純信代建之其後文政七申年鈴田庄屋此處に移るの後右番所庄屋兼帶となるなり

狼煙場之事

一當村狙煙場三ヶ所あり内壹ヶ所は岩松城山内壹ヶ所惣原の辻土居の内同壹ヶ所日燒の辻井の上なり長崎異變之節此處に狙煙を擧て變を村中に知らするなり文化六年始て此法を定むるなり

宮崎新田之事　　内用地

一田七町四段四畝貳歩

沖土居長貳百間横四間

一畠壹畝廿九歩半

納米百三拾俵四升八合

此新田文政五壬午年より普請始り天保三壬辰年までに成就（此新田開發方人箇銀上總介純昌手本銀より辨之）目附淵彦太夫

一瀬代藏代官一瀬右兵衛普請役一瀬悦右衛門奉行す雖然未土地の位不定故石高も不極今に年年見取を以て物成を定るなり

由緒之事附舊來地頭之事

一鈴田村は往古里村と云ふ鈴田村と改唱する其由來は今の下鈴田村鎭守今日地主大明神の社脇の田地より古へ鈴を堀出せし事あり夫より其處の田地を鈴田と云ひ弘めしより村の名と成と云傳ふ天和のころまては鈴田とて少しの田地相分り居候よし今は下名知れす

一年始五節句に包茶村中より爲嘉例持參するなり

一正月四日頭立候百姓四人宛登城於白洲目見するなり

一鈴田村往古は鈴田越前純種入道道意領之當村岩松の城に居住すといふ其後大村何右衞門純宣丹後守舍前弟也領之其時の高六百石と云傳後掵地有て高千六百石と成る然るに民部大輔純頼代慶長十二年丁未一門拂あり何右衞門も食祿を被減千六百石の內鈴田上村千石藏入となり殘六百石を領す此時鈴田給人とも半地となる何右衞門死去後嗣子なくして家斷絕鈴田給人共は直參となるなり

一鈴田村庄屋の儀古來上鈴田下鈴田と別れ上下兩村共に庄屋あり然るに文化十一甲戌年諸事省畧の時下鈴田村庄屋上鈴田へ寄村となり是迄の下鈴田庄屋引るなり雖然此處三浦繼場なる故右古家其儘建置小左司拾ヶ年程勤番す文政七甲申年上鈴田村庄屋を岩松へ移す此時右の古家解崩し土藏木屋等は岩松庄屋へ引直すなり

一下鈴田庄屋屋敷跡畠の内に文化十四丁丑年横目役所を建其後仕法替にて家屋敷賣方となる右殘屋敷跡畠闢となる天保四癸巳年新竿入畠壹段貳畝五歩半藏入の地と成なり

一上鈴田庄屋岩松へ移り右屋敷跡へ文政八乙酉年横目役所建之

一筑前侯長崎往來通行の時是まて上鈴田庄屋小休場なり然るに文政三庚辰年より古松酒屋小休場と成なり今此屋敷へ渡邊岡右衛門住居す

一享和二壬戌年黒田甲斐守殿長崎通行の節初て古松宿安次郎といふ者の宅へ小休あり其後通路の諸大名兼公儀衆まて各此家へ小休あり今以然り（右安次郎子孫今の吉田源右衛門也）

鈴田組鐵砲足輕由來之事

一當村居住の鐵砲足輕の由來は丹後守喜前長臣大村彥右衛門純勝に命して慶長十七壬子年普代小身侍の末子筋目を撰み始て鐵砲の者五拾人を作り鈴田村（今の世に鈴田組と云）に居て諫早口の押とす同十八癸丑年猶五拾人を撰擧して藤津口の押として江の串（江の串組と云）に居て都て百人なり爾後或は取立或は立身し或は新田闢發して此列になる故人數甚增益す各石高四石宛の地鈴田江串に於て頒け與ふ

一元和年中鈴田組の内半を分久原邑に移し城下の守衛とす百人衆小路と號するは此謂也城門を勤番し或は鐵砲矢の根を磨き或は砲藥擣の裁判を勤務とす

一慶長十九甲寅年玖島城改築の時石壁の普請を始て彼族に命すといへとも筋目ある者共に依て手垢つく事を厭ひ手木を以て營す是より石普請を以て職業と定るなり江戸大坂御城普請をも彼等をして勤之

一寛永三丙寅年切通普請の節大村彦右衛門純勝鐵砲の者に對し恭謝して要害の地なるよしを演說して此土を除けん事を談す故に始て中摺簀を荷ふ事始るなり

一寛永年中高四石宛增加して八石を與へ常普請と定め簀手木双摺石棒成繩等其物に於て用達し是を持しむ道路運膽且二ツ簀掃溜捨或は井戸柱釜堀總して工普請一切赦免するなり爾後多年を經て鐵砲の者共高八石の內貳石を減し六石にして四五月九十月の四ヶ月は普請方免されん事を訴ふ故に許諾して願に應す今世に彼等蕘新田開發の者共六石に過れは藏入とするは此由來なり

一手木頭と云ふは寬永元甲子年大坂御普請の時上野六左衛門（江串組也）原口勘助（鈴田組也）寺井九郎助（鈴田組の內久原村に住す）各三人を撰んて高拾石宛の地を與へて石方棟梁と定め手木頭と號す其子孫今猶あり先是元和年中大坂普請の時此役なくして諸用辨し難きに依て始て定之普請手代定役の始も此時

なり

一小頭と云ふは因幡守純長武備改正の時鐵砲の者を分組々を定めらるゝの時其器量を撰て其組に壹人宛小頭と定め其組の作配をなし諸用を辨す平日の勤手木頭と同し

一手明と云ふは普請組に附屬する足輕なり人足を支配する役なり故に自身の普請を免許す

一先年百人衆小路に居住の時分は太守年始には鐵砲足輕の門々まて來臨ありて扇子壹本宛を與ふ

一先年切通普請の時までは士方の儀は不相勤なり然るに大守普請場に至り鼻紙を出し其紙に土を包自手運之其節鐵砲の者共見聞之し大守さへ自身土を運はるゝに我々其儘手を空敷して居るは甚以恐れありとて何れも夫より土を簣に入荷ひ捨しよし夫より簣中荷ひの事始ると云ふ

一先年は年始の禮正月二日なり登城の節は本玄關通りにて禮式相濟し上にて盃を賜ふなり然るに元文三年手頭中より申聞候は自分共さへ登城の節は中の口通りなり故に足輕中も以後中の口より罷通り候樣にと沙汰あり其後中の口通りとなると云ふ

一先年は小頭役には杖突田とて役料有之候よし何れの時分引ヶ候哉不知只今何某所持の田の内に杖突田と云ふ田有之由此田其時分の役料杖突田なるへし

一小頭役の儀は先年より於今賄の儀諸士同樣に一汁一菜なり役所を始其外何方にても同樣なり

一先年江戸門番大坂御普請等に罷登る節は合力米何俵其上銀子等もとらするなり然に其後江戸相勤候ては鐵砲稽古等も不相成其上田舍ものにて何角不辨に付足輕三百人を取立江戸大坂免許のよし其節高八石の內貳石宛さし上三百人の長柄足輕衆出來致せし由云傳
一小頭役の儀は村方何事に不限小給寄合の節小給並に列す衣服等の儀も右に準す
一寛政二戌年江戸詰內意あり雖然先年よりの由緒に依て免許す
　者頭中ゟ之書附左之通
一御奉公申上候儀臨時も共に是を怠る間敷事
一兩所より數人にて相勤候御奉公筋兼て是を談し間違無之様に可取計事
一御旗御鐵砲之儀は家業之事に臨み無油斷家を續き候子供へ其業を習はせ候儀怠る間敷事
一御奉公相勤候場所にて譬へ古來より不參儀たりとも其日々の奉公より被申付候はゝ不相背當日は是を相勤尤古來より不致來候譯の儀は即時に申達置候て其段頭々へ是を申出候はゝ吟味の上格別之儀は用捨有之ことく取計可遣候條其旨怠る間敷事
一其方共古來相立られ候以後御奉公申上候筋合之儀時代により少々宛の違却は有之候といへとも中年より相定候御奉公の筋不相替守り候趣不取失堅是を相守家を續きし者へ申聞せ若輩者古來の者共へ是を相尋失念有之間敷事

一先年より勤來候趣の內頃年猥かはしく致不束儀も相勤候由に付此度領之趣承屆候是等は其方共兼て自分〳〵の御奉公筋を堅不相守候て其段日々の奉行方へも不相達尤頭々へも時々不申出所より自然と相猥候樣に成行候然は向後自分〳〵の覺悟相定候て是を怠るへからす此度書出條數の御奉公筋致不來候儀と致來候儀と取失へからす依之此節中摺持籠荷ひ候儀御用捨被仰付候尤被成御坐候御屋敷の儀御構內則御要害之儀に候條只今まて致來候通可相心得事

一御普請に付被仰付候臨時之儀格別之儀たりとも其方共不相勤候て不叶儀も有之候節は頭々より差圖可申付候條於其節は格別之働も可有之候間兼て可相心得事

右之趣此節古法に潤色して申付置候條堅可相守候以上

寶曆七年丑十一月

松田　左次兵衛
大村　亘人
淺田彌次右衛門
岩永　久右衛門
片山　勘治
稻毛　平助

野澤新兵衛
十九陽助
片山才次郎
三好七郎兵衛

二二二

川添清右衛門殿
永野三左衛門殿
音琴紋太夫殿
朝長三助殿
福田甚吉殿
古川左五助殿
中島伴七殿
藤川勘兵衛殿
山口勘四郎殿
惣組中

口達覺

一御奉公方之儀諸組共ニ致出精疎ニ不奉存儀は兼て覺悟之儀には候得共此節幸ひ諸組一同申聞候間無懈怠相勤若年の者へは年老功有の者指引取立候樣可致候頃年內證方取續候儀不辨の處より無是非勤方怠り候者も有之事ニ候間兼て其所を心懸可罷在事

一頃年諸組稽古先年より怠り候故鐵砲之儀未熟相見候長崎等之儀は重き御勤之場にて異國御取合之所ニ候得は急變之儀難計候不及申儀ニ候得共無油斷稽古出精可致事

一組方之者否作或は無據事にて難取續節は頭々へ其段訴候儀無餘儀候然共兼々身持不宜致大酒或は博奕又は不博之商等致し或は平常家業怠り耕作其作之儀ニ疎候て內證及難儀御奉公難相勤者は吟味之上一向右躰之領不相立却て其者越度たるべく候間兼々不行蹟に無之樣小頭共氣を付可申事

丑三月　　　　　　　　　　　　　有頭中

鐵砲之者勤方覺

一急變之節楯の板御契約其外鐵砲之儀は不及申候

一御城御要害にては格外之儀も相勤可申事

一關御供相勤可申事

一長崎御供之事

一行列の事
一辻番の事
一御門固の事
一夜廻の事
一御通番の事
一御用御銀荷物見番の事
一御法事番の事
一盆踊番の事
一御城石垣御普請但手木羽摺の事
一もかり竹の事
一竹ゑんしゆろにての事
一ゑつりの事
一村方石垣手木羽摺の事
一端午御幟番の事
一御庭御坪の内御普請之儀格外之儀相勤可申事

一御上使の節火消の事
一寶圓寺御祭禮警固の事
一御船作事番の事
一御作事石突矢倉の事
鈴田江の串鐵砲の者村直之儀に付
明和五年如左相極候事
一鈴田江の串鐵砲の者村直之儀ニ付明和五年如左相極るなり
一鈴田江の串御鐵砲の者以前より譯有之被差置候付て脇村へ村直之儀は不相成候尤是迄脇村へ居候者は只今迄之通但江の串御鐵砲組の內鈴田へ居候者江の串へ直候儀は不苦候鈴田組の內江の串へ居候者鈴田へ直候儀不苦候
一間人は他村へ罷出候とも不苦候
一脇村へ致住居候御鐵砲之者江の串組は江の串へ直り候儀不苦候鈴田組の者も同然のことなり
右之趣宗門方へ相達置候事

皿山砥石山之事

一此皿山蹟土井の浦といふ所にあり延寶四丙辰年城下本町伊左衞門と云者此處に皿山立釜數七軒を建茶碗並甕を燒くなり今に此處の下名を甕山と云ふ

一射場郷の内深尾川内といふ處に鍛冶の刄口石に用る砂石あり

一釜川内郷の内深田のまたといふ處に荒砥石あり鍛冶の用をなす砥石なり此處古の砥石山なり

一日燒郷の内いらの佐古と云處に砥石あり鉈鎌を研くによし

牢屋跡之事

一鈴田村宮崎といふ處にあり此處往古大村何右衞門下屋敷と云傳死去後同人廟所となる其後寛永年中長崎奉行長谷川權六異國の伴天連貳拾四人を捕へ大村へ被預の時此處へ獄屋を建入置なり（先年は此牢屋の跡三畝程の處物成不縣作人作り取成りしと云）今新田を闢發す（［二字不明］文政五年午年より闢始天保三辰年まで成就田數七町四段六畝壹歩半右内用方闢より沖土居長サ貳百間程横四間程井樋貳ケ處）

古城跡之事

一塔の峰古城

釜川内海際より壹町程東の方塔の峰と云ふ所にあり頂上平地東西貳拾六間南北拾貳間雜木山四面切岸の如し東北田原南西深谷南の方高尾續にて堀切あり又塔の峰より辰巳の方壹町程の所に萬作畠といふ所あり此所往昔諫早の領主西鄕の兵鈴田村へ攻入る時朝長右衛門太夫純職此處にて防き戰ひ遂に討死せしと云傳年月不詳天和の比此畠にて具足の札又は虫喰なと掘出せし事あり數年土中に埋れありし故朽廢して用に立さりしとなり又赤銅の笄を掘出せし由右衛門太夫首は諫早の中居原と云所へ納めある由今に標の松塚ありと云胴は久原分須田の木六本松と云所へ納めあるよし其時右塚の印に松六本を植故に此所を今に六本松の墓と名付るよし云傳

一針尾河内古城

岩松權現より北の方壹町程の處針尾川内と云所にあり廻り壹町程高拾八間程の處南北貳拾貳間東西拾六間今は切畠なり堀切貳ヶ所あり東北の間にある堀切長サ拾六間横壹間半深サ壹間南西の間にある堀切長サ拾四間深サ壹間横貳間半あり東の方高尾續南の方谷北西の方谷田あり此城を岩松の城と號す文明年中有馬貴純鈴田亂入の時鈴田越前入道道意此城に楯籠り有馬勢を防くと云ふ

一古城

白鳥と云所鈴田川より左北の方壹町程上の方にあり廻り七町程高三拾間程上の廣壹段壹畝程東の方高尾續此處に横三間深貳間程の堀切の跡三ヶ所あり今は林となるなり

一西光寺山古城

天和の舊記に宮薗といふ處より北の方四町程の處西光寺山にあり此山の麓に廻り拾町程高サ拾貳三間程城の構へ東西拾六間南北三拾四間畝歩にして六畝拾四歩北の方高尾續南の方壹町半程下り鈴田川を水の[虫喰]に用る外は水なしとなり今其所を不知

一岸高の古城

古松權現鳥居の本より寅卯の方七町程の所にあり高拾間又は拾七八間程城構へ東西拾三間南北貳拾間程平地にて小松立四面切岸なり西の方に横壹間半深サ壹間程長拾貳間程の堀切貳ヶ所あり水の手車の方麓にあり東南の方田地少しあり西北の方田原なり

一伊勢山の古城

天和の舊記に古松權現より寅卯の方八町程の處にあり廻り三町程城の構へ東西三拾間南北拾間畝歩にして壹段程とあり今小松繁茂廣狭間數不詳

古寺蹟之事

專念寺の裏
一　幸久寺　何寺共不知　今田地と成る
楠本喜一屋敷脇
一　無量寺　右　同
小川内道端
一　西光寺　右　同
宮薗楠權現の脇
一　圓命寺　右　同　今は山と成る
楠本熊藏屋敷下
一　福王寺　右　同　今は田地と成る
一　寺屋鋪　右　同　今は屋敷と成る
一　庵屋鋪　右　同　今は屋敷と成る
一　とくれふ丸屋鋪　何屋敷か不分　今は田と成る

手代附知行之事

一手代附知行高五石貳斗三升七合三勺田畠三段廿貳歩有之候處寛政十二申八月引上ヶ物成懸右之内高四石五斗貳升六合四勺田畠貳段七畝半歩は庄屋に成る高七斗壹升九勺田三畝廿壹歩半は年々越成米義倉米之元に入る

理想社印刷　田中製本

昭和十四年五月十五日印刷
昭和十四年五月二十日發行

政學科研究年報〔第五輯〕第二部
定價貳圓五拾錢

編輯
發行者　臺北市富田町
臺北帝國大學政學科研究會
代表者　安平政吉

印刷者　東京市牛込區改代町二十四番地
田中末吉

發賣所　東京市神田區一ツ橋二丁目
岩波書店
電話九段(33)〈一一八七番—一八八番
一一八九番—一八〇〇番
振替口座東京二六二四〇番